S. B. Hayes

DETRÁS DE TI

Cuando una chica igual que tú
se convierte en tu peor pesadilla

Traducción:
Daniel Hernández Chambers

Título original:
POISON HEART

Diseño de cubierta:
Mark Ecob sobre imagen de Getty Images

© Siobhan B. Hayes, 2012
© de la traducción: Daniel Hernández Chambers, 2012
© MAEVA EDICIONES, 2012
   Benito Castro, 6
   28028 MADRID
   emaeva@maeva.es
   www.maeva.es

   ISBN: 978-84-15532-05-7
   Depósito legal: M-10.397-2012

   Fotomecánica: Gráficas 4, S. A.
   Impresión y encuadernación: RODESA
   Impreso en España / Printed in Spain

La madera utilizada para elaborar las páginas de este libro procede de bosques sujetos a un programa de gestión sostenible.

*Para mi marido, Peter, y para
mis hijos, Michael, Christopher y Mark*

PRÓLOGO

Estábamos en el autobús de la línea cincuenta y siete cuando ocurrió: el momento que iba a cambiar mi vida para siempre había llegado. El día no tenía nada de especial; era a mediados de septiembre, a última hora de la tarde, con el sol ya bajo pero todavía brillando con fuerza y el aire impregnado de olor a gasoil. Se me erizaron todos y cada uno de los pelos de la nuca, y supe con seguridad que alguien me estaba observando. No lo veía, pero podía sentirlo, y tuve la necesidad de devolver la mirada. Giré lentamente la cabeza hacia la izquierda, donde otro autobús se había detenido al lado del nuestro. Una chica aplastaba la nariz contra la ventanilla. Su cara tenía forma de corazón, poseía unos labios generosos y el pelo castaño y liso, pero eran sus ojos lo que más llamaba la atención: grandes y de un verde luminoso, como los de un gato a punto de abalanzarse. Puse mi mano contra el cristal y ella hizo lo mismo, en un reflejo perfecto de mis dedos.

Por alguna razón, eso me hizo recordar un sueño que tenía desde pequeña. Estoy sola, entrando en un caserón espeluznante. Avanzo a través de la enorme puerta de pintura desconchada y cristal de colores, del porche que huele a hojarasca húmeda, y cruzo el vestíbulo de baldosas azules y terracota que forman figuras geométricas,

7

hasta llegar a los pies de una escalera de caracol construida con madera de roble. Sé que voy a subir esa escalera y que no podré despertarme por mucho que lo intente. Todos mis sentidos están alerta; oigo cada crujido, noto cada rugosidad y cada surco de la barandilla, y percibo un olor afrutado a tierra en descomposición. Ahora me hallo en lo alto de la escalera, y la puerta situada enfrente de mí está abierta, pero la longitud del pasillo de repente se ha duplicado y yo camino cada vez más rápido, como si estuviera subiendo una escalera mecánica en sentido contrario. Me lleva muchísimo tiempo alcanzar la puerta, pero al fin llego hasta ella, jadeando y llena de curiosidad.

Hay una chica sentada en un tocador, delante de un espejo de tres cuerpos finamente tallado. Está de espaldas a mí, y siento un deseo apremiante de ver su rostro, pero el espejo no muestra ningún reflejo. Los tres espejos ofrecen la imagen de la habitación como si ella no estuviese allí. Ahora me encuentro más cerca, casi puedo tocarla; apoyo una mano en su espalda e intento que se dé la vuelta, pero no lo hace. La sujeto por los hombros y, aunque se resiste, la obligo a girarse muy poco a poco y por fin puedo verla; pero su cara es la mía, y se ríe, burlándose de mí... Y entonces me despierto.

Salí bruscamente de mi ensimismamiento cuando el autobús pasó por encima de un bache. Intenté olvidar la cara de aquella chica en la ventanilla. Siempre tendré la duda de si todo habría sido distinto de no haberle devuelto la mirada aquel día.

1

–¿Katy? Parece que has visto un fantasma.

Sentí que se me ponía la piel de gallina.

–No es nada, Nat. He visto a una chica… alguien a quien no había visto nunca…, pero me ha mirado como si me conociera.

–Puede que os conocierais en alguna de tus vidas pasadas –bromeó.

Hannah soltó un bufido.

–O que tengáis una conexión telepática.

–Todo el mundo la tiene –respondí muy seria–. Pero hemos olvidado cómo conectarnos.

Nat alzó los brazos por encima de la cabeza y los agitó en una penosa imitación de un fantasma.

–Katy recibe mensajes desde el otro lado.

–No es verdad.

Me hincó los dedos en el costado.

–¿Y qué hay de la señorita Murphy, la nueva profesora de religión? Estabas segura de que tenía un aura negativa, y resultó ser una auténtica bruja.

–Acerté con ella –asentí, con una sonrisa.

–¿De qué se trata? ¿Es un don?

–No… solo intuición.

Hannah y yo compartíamos asiento, y ella se movió para acercarse a mí.

–¿Te dice tu intuición cuándo dará Merlin algún paso?

Mi estómago sufrió una sacudida, como si estuviera en una montaña rusa justo antes de lanzarme hacia abajo.

–Creía que no iba a funcionar, y de pronto hoy... Es extraño... algo ha cambiado.

–¿Qué? –preguntaron las dos al unísono.

Crucé los brazos sobre el pecho, aferrándome al recuerdo como si fuera una manta con la que cubrirme.

–Me miró de una manera increíble. Como si yo fuera la única persona en el mundo entero.

Hannah aplaudió entusiasmada.

–¿Crees que pasará algo entre vosotros?

–Eso creo, sí –contesté, tímidamente.

–¿Pronto?

–Eh... Es como cuando se acerca una tormenta de truenos y relámpagos y el aire está realmente denso y... cargado de electricidad.

–¿Tus vibraciones psíquicas otra vez?

Estaba acostumbrada a que me gastasen ese tipo de bromas, así que respondí a la defensiva:

–No las necesito con Merlin.

–¿Cómo es su aura? –preguntó Nat.

–Increíblemente clara, fuerte y muy pura.

Hannah me lanzó una mirada inquisitiva y arrugó la nariz.

–Tendrías que estar dando saltos de alegría, Katy, pero pareces casi... deprimida.

El autobús se estremeció al detenerse un instante y me sujeté a la barra de metal.

–¿Y si os dijera que todo parece demasiado bonito como para ser verdad?

Una mano me tocó la frente, pero la aparté enseguida.

–Suena patético, pero es que no soy el tipo de chica que consigue a alguien como Merlin… uno de los buenos.

–¿Y quiénes son los buenos? –preguntó Nat con indulgencia.

–Los que tienen bronceado permanente, reflejos en el pelo, cuerpos macizos y… completamente depilados.

Nat y Hannah se echaron a reír y les agradecí su apoyo. Eran mis mejores amigas, de las que están ahí siempre que las necesitas; el tipo de amistad que yo nunca había logrado tener. Sin embargo, parecía que el hecho de haber estado rondando a su alrededor sin inmiscuirme había funcionado para nosotras tres.

–Tú podrías pertenecer a la Lista A –afirmó Hannah cariñosamente.

–No con estos rizos con forma de sacacorchos, mis caderas y la hipocondríaca de mi madre –objeté.

Siempre procuraba ser la primera en mencionar la histeria de mi madre, y desde luego, nadie podía describirme como lo que se entiende por «mona».

–¿Por qué no iba a interesarse por ti alguien como Merlin? –quiso saber Nat de pronto.

Dirigí mi mirada hacia lo lejos.

–¿Alguna vez habéis soñado con lanzar un hechizo para hacer aparecer al hombre perfecto? Pues… yo sí, y el resultado ha sido Merlin.

–La vida puede ser mágica –insistió Nat, soltando un suspiro–. Sobre todo tú deberías creer en ello.

La miré con cariño y le revolví el cabello teñido de rosa chillón.

–Pero es que está ocurriendo demasiado rápido. Me encuentro al borde de algo nuevo y alucinante y estoy completamente... aterrorizada.

Hannah sacó su polvera y retocó su ya de por sí perfecto maquillaje.

–Este es un nuevo comienzo para todas nosotras –afirmó–. Se acabaron los uniformes escolares, se acabó la señorita Owens con su bigote y sus blusas de poliéster cargadas de electricidad estática, y se acabaron las pandillitas patéticas.

–Tienes razón –asentí–. La nueva escuela es genial. Tenemos mucha más libertad y todo el mundo es muy agradable.

Durante un segundo cerré los ojos para formular en un susurro mi deseo particular: «Y este será el año en el que por fin me voy a encontrar a gusto y voy a causar sensación». Una vida estupenda me está esperando a la vuelta de la esquina, lo sé.

Mi parada era la siguiente, así que me levanté del asiento y pulsé el botón.

–Ven a mi casa –me invitó Hannah–. Estamos buscando en Internet algún lugar adonde irnos estas vacaciones.

–A mi madre no le gusta que pase fuera ni una sola noche –refunfuñé–. No vale la pena ni planteárselo.

–Algún día tendrá que dejarte, Katy. Tienes que vivir tu propia vida.

Sacudí la cabeza y fruncí el ceño.

–Depende de mí para todo. Probablemente acabaremos vistiéndonos igual y terminando cada una las frases de la otra.

–¿Has visto *Psicosis*? –gritó Nat detrás de mí.

Bajé a trompicones del autobús, absorta en mis pensamientos, y de pronto sentí una oleada de esperanza. Hannah tenía razón, tendría que estar dando saltos de alegría. Todo me estaba saliendo bien: la escuela, las amigas, Merlin. Incluso tenía expectativas de que mamá mejorase. Me agarré a una farola y corrí en círculos hasta que me sentí mareada, mientras Nat y Hannah daban golpes en la ventana del autobús y agitaban frenéticamente sus manos para decirme adiós. Necesité un momento para que mi vista volviera a aclararse y me cubrí los ojos. Había llovido y ahora el calor apretaba y hacía que una especie de bruma se extendiera por todas partes. Miré otra vez. La chica de los ojos verdes estaba en la esquina de la calle. Parpadeé con fuerza. Permanecía allí, pero como el humo un instante antes de disiparse la chica era el vestigio de un recuerdo que se evaporó, dejándome otra vez una sensación de inquietud. Mis ojos debían de estar gastándome bromas pesadas.

Resultó inevitable que me diera de bruces con la realidad. El corazón me dio un vuelco al abrir la puerta de casa. Era media tarde y las cortinas del salón estaban echadas.

–Hola, Katy.

Mamá siempre pronunciaba mi nombre como si estuviera disculpándose. La estancia hedía a humedad y a moho. Ella todavía llevaba puesto el camisón, y sus ojos me escrutaban en la penumbra.

–¿Te duele la cabeza?

Puso una mueca de dolor y se recostó sobre un cojín, al tiempo que asentía. Dejé caer mi mochila en la alfombra con un golpe seco, mientras pensaba en lo estupendo que sería desaparecer escaleras arriba y concentrarme en un nuevo diseño de ropa. Para mí era como una droga, el único momento en que de verdad me dejaba llevar; pero mamá llevaba todo el día sola y necesitaba compañía. Intenté ser agradable:

–¿Puedo traerte algo?

–No he comido, y apenas hay nada en la nevera –contestó, y empezó a toser.

–Buscaré en los armarios –dije–. Me las apañaré para preparar alguna cosa.

El estado de la cocina era deprimente: ropa sucia amontonada en el suelo, platos apilados en el fregadero, y mis pies pegándose a las baldosas. Mamá siempre había sido una persona difícil, pero cuanto mayor me hacía yo peor estaba ella. Recogí, intentando contener el resentimiento que crecía en mi interior, y metí en el microondas un pastel de carne precocinado. Como soy vegetariana, el olor a carne picada me provocó náuseas. Calenté un bote de sopa de tomate para mí y mojé un trozo de pan rancio en ella.

–Siento la garganta como si fuera de cristal, y el dolor de cabeza me ciega…

Los enfermos pueden ser muy egoístas. ¿Dónde había leído eso?

–Si pudieras volver a casa más temprano… Sé que te encanta la escuela, pero los días se hacen eternos…

Y tú podrías poner de tu parte y acudir a las reuniones del grupo de apoyo o tomarte la molestia de hablar con alguien sobre tus problemas…

–¿No estarás pensando en irte a ninguna parte en verano, verdad, Katy? No soportaría quedarme sola.

La casa empezaba a parecerse a una cárcel, sin reducción de condena por buen comportamiento. Y nunca me has dejado solicitar mi pasaporte siquiera, así que ¿cómo podría irme al extranjero?

–Tal vez podrías tomarte un año sabático, sin ir a la escuela… hasta que me sienta mejor.

Alegué que tenía montones de deberes por hacer y escapé a mi cuarto, desesperada por un poco de espacio, y permanecí allí hasta que, más avanzada la tarde, mamá me llamó a gritos. Su voz sonó embadurnada de una extraña excitación, y cuando llegué al último de los escalones vi sus mejillas sonrojadas y su rostro iluminado.

–Acabas de perdértelo, Katy. He recibido una visita, una joven que vendía joyería. Mira lo que te he comprado. –Me mostró algo verde y plateado y lo agitó ante mí como si pretendiera hipnotizarme.

Alargué el brazo y ella puso en mi mano una especie de colgante. La piel se me volvió a erizar y la sensación se hizo tan fuerte que creí que tenía el cuerpo cubierto de insectos. El colgante estaba hecho de cristal esmeralda, exactamente el mismo color de aquellos ojos verdes que me habían mirado hoy tan fijamente. No fue necesario que mamá describiera a la persona que la había visitado. Mi instinto me dijo quién había sido.

2

«Katy. Sé la primera en ver el nuevo…»

En mi ansia por contestar, me estiré demasiado y golpeé el teléfono, que cayó de la mesita de noche. Se produjo un sonoro golpe seco, seguido de una serie de golpecitos más suaves, porque el año anterior había quitado la moqueta de mi cuarto y había teñido los listones de madera del suelo con un tono añil genial, mi color favorito. Temí haberlo roto, y casi no me atreví a mirar, y cuando lo hice mis manos temblaban. El mensaje de Merlin contenía la promesa de algo que me tenía demasiado asustada como para pensar, pero no acudir no era una opción.

Quince minutos después ya estaba lista, pero no daría buena imagen parecer demasiado ansiosa, así que me entretuve, inquieta, me mordí las uñas y me cambié seis veces de ropa antes de ponerme finalmente en camino. Mamá puso su cara de cordero degollado, pero hoy nada podía hacerme sentir culpable. Aceleré el paso para no tener que hablar con Luke, el vecino de al lado, porque siempre me gastaba bromas y, en aquel momento, no las habría soportado. Me sentía tan nerviosa por lo que adivinaba que iba a suceder, que todos mis sentidos se habían agudizado. El verano había sido muy húmedo y el paisaje aparecía tan embriagadoramente verde que casi hacía daño a los ojos. Podía oír el ajetreo de los insectos entre la hierba, el murmullo de la brisa en las hojas de los árboles y el canto de un pájaro a lo lejos. El tenue arco iris que comenzaba justo detrás de la gran casa de estilo victoriano de Merlin me dio ánimos y me hizo ir más rápido. Poco me faltó para convencerme de que si corría lo bastante y con la suficiente velocidad, acabaría por alcanzarlo.

–Hola, Katy… Te acompaño a su habitación.

La madre de Merlin sonrió al abrir la puerta. Era alta y delgada, con el pelo largo y brillante recogido sobre su cabeza. Llevaba puesto un quimono y tenía un aspecto estupendo sin una pizca de maquillaje. Sabía que era escultora y que recibía encargos de gente famosa, lo que me hacía sentirme algo intimidada por ella. La seguí hasta la habitación del ático, que había sido reconvertida en un estudio para Merlin. Llamó con suavidad a la puerta.

–Merlin, es Katy.

Merlin no la oyó, pues estaba totalmente enfrascado en su cuadro. La punta de su lengua asomaba ligeramente entre sus labios, tenía el ceño fruncido y sus ojos grises transmitían al mismo tiempo una sensación de desolación y de estar mirando a lo lejos. Sus rasgos resultaban muy atractivos, angulosos, con los pómulos bien definidos y un profundo hoyuelo en la barbilla. Su piel parecía extremadamente pálida en contraste con el pelo oscuro y enmarañado que le caía sobre los ojos, y que él apartaba con gestos impacientes. Podría haberme quedado observándolo el día entero, pero una mano me empujó para que entrara y una voz me susurró:

–Os dejaré a solas.

No quería interrumpir a Merlin, pues parecía completamente absorto, pero después de un minuto en silencio me sentí como si estuviera espiándole.

–Merlin… Tu madre me ha dejado entrar.

–¿Katy? Estás aquí. –Se levantó con rapidez y tapó el lienzo con una sábana.

–¿Puedo verlo?

–No hasta que esté acabado –sentenció–. Bueno… ¿te gusta mi estudio?

–Es genial –respondí, consciente de que habría dicho lo mismo si hubiera sido un cobertizo situado al fondo del jardín y que apestase a gatos–. Las ventanas son enormes y la vista es espectacular.

Los dos avanzamos hacia los ventanales y oí cómo mis pisadas resonaban sobre el suelo salpicado de pintura.

–La luz es perfecta –añadió Merlin–. Podría pasarme todo el día aquí arriba.

Nunca habíamos estado tan cerca. Nuestros brazos se rozaban y no me atreví a moverme para no estropear el momento. A veces, cuando estaba con él, notaba que me costaba respirar. Ninguno dijo nada. Un siglo antes probablemente me habría desmayado por tener el corsé demasiado apretado, y Merlin, que podría pasar por un héroe romántico, me habría recogido en sus brazos como si fuera tan ligera como una pluma. Pero ahora las chicas ya no se desmayan simplemente por hallarse demasiado cerca de una persona del sexo opuesto.

Uno de sus dedos comenzó a acariciar la palma de mi mano y, al poco, otro se le unió. Mi corazón latía enloquecido. Mi mano se movió hacia la suya, pero ambos continuábamos mirando hacia el exterior de la ventana, congelados.

¿Por qué pasaba siempre eso? No podía soportarlo más, así que esta vez me decidí a decir algo.

–¿Por qué no me besas? –solté de pronto.

No podía creer que lo hubiera dicho, pero dio la impresión de que, al hacerlo, había roto el hielo. Él se volvió hacia mí e inclinó lentamente su cabeza, su metro ochenta y cinco ante mi metro sesenta y siete, hasta que nuestros labios se tocaron y la estancia se transformó en un caleidoscopio de colores.

–Ha valido la pena esperar, Katy. –Una sonrisa iluminó su hermoso rostro, como si el sol se hubiera zafado de una nube.

–¿Lo deseabas?

–Con desesperación –respondió Merlin de forma tajante.

Pero yo todavía necesitaba que me lo confirmase.

–¿Cuándo fue la primera vez que pensaste en mí así? Merlin suspiró.

–La primera vez que te vi sentí algo extraño. Noté que tirabas de mí… como si fueras un imán.

Intenté no sonreír como una demente, pero fracasé y, lo que era peor, Merlin aún no había terminado con sus halagos.

–Parecías tener un aura envolviéndote. ¿Suena tonto?

–Suena genial. –En realidad, me estaba quedando corta, podría haber muerto de felicidad en aquel instante. Examiné mis pies con nerviosismo–. ¿Significa esto que estamos… ya sabes… juntos?

Me apretó la mano y me miró directamente a los ojos.

—Estamos juntos. —No desvió su atención en ningún momento y me sentí cautivada por la intensidad de su mirada, por el arco perfecto que dibujaban sus cejas y por sus pestañas increíblemente espesas—. Hay algo que tengo que contarte.

—¿El qué? —pregunté, preocupada.

Sus labios se curvaron hacia arriba.

—El cuadro que estoy haciendo… es de ti.

Me cubrí la cara con las manos.

—¿Cuándo puedo verlo?

—No hasta que esté acabado… Lo estoy pintando de memoria.

La idea de que Merlin pudiera conocer mi rostro tan bien como para pintarlo me parecía arrebatadora. Quise saborear aquel instante, pero de repente él dijo algo que sonó como una orden:

—Salgamos.

Sin apenas tiempo para coger mi bolso, me vi fuera del estudio y arrastrada escaleras abajo.

—¿Adónde? —jadeé.

—A cualquier sitio.

Pude ver fugazmente a la madre de Merlin mientras daba su clase de arte en el invernadero, la sala de estar con sus muebles disparejos, sus lienzos pintados con colores brillantes y sus alfombras persas, el comedor con una enorme mesa de caballete y la cocina con un horno de diseño, baldosas y un vestidor gigantesco. En algunos rincones había trampas para ratones y, de pronto, se me ocurrió la extraña idea de que en casa de Merlin incluso esos bichos resultaban alucinantes.

Finalmente salimos a los rayos de sol del verano que ya acababa, lo que se me antojó de algún modo más especial aún porque era mi último adiós al sol antes de que el invierno lo aniquilase todo. Paseamos junto al canal y luego cruzamos el arco bajo la vía del tren para adentrarnos en la ciudad. Merlin llamaba la atención, la gente lo miraba, primero a él y luego a mí porque iba con él. Me reí y me pegué a él tanto como me fue posible. Entramos en una cafetería, La Tasse, un local de moda lleno de hombres de negocios con sus portátiles y de señoras almorzando. Nos sentamos al lado de la ventana, en una mesa situada en una hilera de mesas con asientos de cuero color crema colocados respaldo contra respaldo, como si fuera un vagón de tren. Estábamos juntos desde hacía nada, y me imaginé que debíamos de estar generando algún tipo de energía. Hasta la camarera se nos quedó mirando cuando reparó en nosotros, y, mientras Merlin pedía las bebidas, puse mi mano sobre su brazo.

Me sentí como una de esas chicas estupendas con el mundo a sus pies; el tipo de chica que espera ser feliz en lugar de estar todo el tiempo disculpándose por ocupar un espacio en el universo. Una vez, en una fiesta, me ocurrió algo poco frecuente: brillé. Todo el mundo se reía de mis chistes, las chicas me hablaban como si fuera una más del grupo y los chicos querían bailar conmigo. Yo sabía que estaba sucediendo algo mágico y que aquella noche no era realmente yo, la invisible Katy. Esa otra persona seguía ahí, dentro de mí, pero no había vuelto a salir. Cuando estaba con Merlin casi me atrevía a soñar que podía ser la otra chica, mi mejor parte.

Merlin me observó mientras me bebía el café con leche y limpió con un beso la espuma que había quedado en mi labio superior. Sentados allí, el uno al lado del otro, ruborizados y sonrientes, hablamos sobre nuestros planes. Nos imaginamos su primera exposición y mi primer desfile de moda. Hablamos de Roma, de Venecia y de París como si esas ciudades tan alucinantes simplemente nos estuvieran esperando para que las conquistásemos. Merlin bajó la mirada y jugueteó distraídamente con una cuchara.

–Hay algo más, Katy. –Por un momento no supo cómo seguir, ¡y su rostro era tan atractivo, con los ojos abiertos de par en par, suplicantes, su boca grande, los labios ligeramente separados, y la voz grave!–. No se me dan bien las relaciones… Las chicas esperan que las llame cuando estoy pintando, y se ponen muy celosas por nada…

–Yo no me pongo celosa –me apresuré a asegurarle–. Soy la persona menos celosa que conozco.

–Lo había intuido –contestó con alivio–. Suponía que eras distinta… y muy especial.

Cada una de sus palabras me hizo sentir como en un sueño, feliz porque Merlin parecía estar bajando la guardia. De pronto algo me distrajo, un destello verde, pero cuando miré en aquella dirección creí que el verde se encontraba solo en mi imaginación. Sin embargo, la chica estaba pasando al otro lado de la ventana, e iba vestida con ropa vaquera. Se giró y clavó sus ojos en mí.

–¿La has visto? –le pregunté a Merlin–. ¿A esa chica de ojos verdes?

Pero él no había apartado ni por un segundo sus ojos de mí.

–Puedo verla ahora. Tú tienes unos hermosos ojos verdes.

–No como esos –protesté–. Son realmente... impenetrables y sobrecogedores.

Merlin se rio, me besó la mano y fue al mostrador a pagar. Sentí un escalofrío al darme cuenta de que aquella chica debía de haber estado en la cafetería al mismo tiempo que nosotros.

–Disculpe –le dije a la camarera–, mi... amiga estaba aquí, pero hemos debido de cruzarnos sin habernos visto. Tiene el pelo liso y oscuro y llevaba puestos unos vaqueros y...

–Estaba sentada ahí –contestó la mujer, y señaló la mesa del fondo. Me miró de un modo extraño y empecé a toser para disimular mi turbación.

Me asusté otra vez al pensar en ella, sentada tan cerca de nosotros, aunque, por fortuna, no lo bastante como para escuchar nuestra conversación. Merlin me acompañó a casa e intenté apartarla de mi mente. No fue difícil, con él a mi lado mis pies prácticamente no tocaban el suelo. Cuando llegamos a mi calle, lo arrastré hasta un pequeño callejón que hay detrás de mi casa y cuya entrada se halla flanqueada por un muro de dos metros, la altura idónea para mantenernos a resguardo de miradas ajenas. Tardamos una eternidad en despedirnos del todo. Siempre que intentaba apartarme, Merlin me retenía. La cara y el cuello me ardían. Me froté las mejillas a conciencia, pensando en una buena excusa para explicar el sonrojo de mi cara a causa de los besos, aunque cuando por fin entré en casa, mamá no pareció percatarse. Me dedicó una sonrisa valiente cuando le pregunté cómo le había ido el día, pero detecté una corriente subterránea de reproche.

Canturreé por toda la casa, loca de felicidad, mientras repasaba cada minuto del día y enviaba un mensaje de texto a Nat y a Hannah para contárselo. Cuando estaba en mitad de una frase cargada de signos de exclamación, mamá me llamó a gritos. Corrí a la sala de estar y me la encontré agitando en el aire un paquete de cigarrillos, con el gesto torcido.

—Estoy muy decepcionada, Katy –afirmó, y su voz era un murmullo que resultaba más fiero que un rugido–. Me habías prometido que no cogerías el desagradable hábito de fumar.

—No son míos –repuse, sin poder creerme que me estuviera acusando–. Fumar es asqueroso.

—Se han caído de tu bolso –prosiguió, atravesándome con sus ojos–. Supongo que Merlin te ha convencido de que es la moda o algo así y tú quieres satisfacerle.

—A Merlin le repugna fumar –insistí, cada vez más indignada–. Todos mis amigos piensan lo mismo… No se me ocurre cómo han ido a parar a mi bolso.

Mamá dibujó con su mano una línea imaginaria en el aire.

—Fin de la discusión, Katy. Si Merlin está involucrado, no dudaré ni un segundo en prohibirte que sigas viéndolo. Puedes contar con ello.

Carecía de sentido seguir discutiendo. Mamá siempre tenía la última palabra. No entendía cómo habían aparecido los cigarrillos en mi bolso para provocar un final agrio como aquel a un día tan perfecto, y me sentía agraviada por verme acusada de manera tan injusta, pero mamá había dejado claro que el tema estaba zanjado. Tenía la impresión de que no le hacía ninguna gracia que saliese con Merlin, y los cigarrillos le habían servido de excusa para expresar su desaprobación.

Tardé muchísimo en conciliar el sueño, no paré de dar vueltas en toda la noche. Aquella especie de pesadilla en la que me sentía agobiada se repetía siempre de la misma forma, y nunca había variado... hasta ahora. Esta vez, cuando sujeté a la persona que se hallaba sentada frente al espejo y la obligué a mirarme, su cara no era la mía, sino la de la chica del autobús. Sus ojos eran verdes e insondables. Retrocedí, ahogándome en su odio.

3

Por mucho que intentase mantenerme ocupada, estaba incómoda; un presentimiento me acechaba, pero intenté eliminarlo y concentrarme en Merlin. Era oficial, estábamos saliendo. No hizo falta realizar un anuncio público en la escuela, puesto que la noticia se propagó enseguida y, gracias a ella, mi popularidad remontó el vuelo. Pasábamos juntos todo el tiempo que podíamos, y Nat y Hannah bromeaban con que estaban hartas de vernos absortos en ensoñaciones o mirándonos a los ojos.

Merlin me propuso venir a mi casa el sábado, lo que me inquietó, dado que mamá ya había dejado muy claro lo que opinaba sobre él. Estuve nerviosa toda la mañana, y cuando me asomé a la ventana por enésima vez para comprobar si llegaba, fue imposible no ver a Luke descargando de su viejo coche todo lo que se había traído de su apartamento. El vehículo estaba lleno de cajas, bolsas de plástico y montones de ropa arrugada, y había también platos, vasos y un hervidor de agua tirados en el asiento trasero.

–¿Dónde se ha metido mi gatita* favorita? –me llamó.

---

* En el original hay un juego de palabras que no se aprecia en castellano: Luke llama a la protagonista «Kat» en lugar de «Katy», como hacen los demás. Y «Kat» se pronuncia igual que «cat», que es *gato* en inglés. *(N. del T.)*

Sonreí al oír el apodo con el que solía dirigirse a mí y me acerqué.

–Se acabó la vida de estudiante –me burlé, y a continuación di un respingo cuando uno de los vasos se estrelló contra el suelo–. Ya eres todo un adulto.

–Ni en un millón de años –se mofó–. Estás hablando con el tipo que solía ponerte caracoles en la espalda y arañas en la punta de la nariz.

Luke Cassidy era cinco años mayor que yo y se había dedicado a aterrorizarme de todas las maneras imaginables durante los últimos diez años. Me había pasado la infancia siguiéndolo a él y a sus amigos, pero siempre se las habían ingeniado para librarse de mí. Después se marchó a la universidad y me sorprendió darme cuenta de lo mucho que echaba de menos tenerlo cerca. Pero regresó y continuó con sus bromas.

–La pequeña Kat también ha crecido –dijo, mientras recogía con cuidado los pedazos del vaso roto–. Te vi con tu novio y os saludé, pero estabas algo ocupada.

Me sonrojé, consciente de lo distraída que debía de haberle parecido cuando iba de la mano con Merlin. Cambié rápidamente de tema:

–Bueno, ¿y cómo te sientes siendo periodista?

–Hasta ahora he cubierto tres festivales eclesiásticos, un desfile canino y la historia de un viejo que duerme con una ardilla en una casa construida en un árbol.

–¿No te han llamado de los periódicos nacionales?

Luke levantó los ojos hacia el cielo.

–Tal vez el año que viene.

Me di cuenta de que me examinaba por el rabillo del ojo.

—¿Qué pasa? ¿Se me ha corrido el maquillaje?

—Pareces distinta, eso es todo —murmuró, y desvió la mirada.

Extendí mi brazo y, con una sonrisa, le toqué la barbilla con un dedo.

—Tú también. Por fin Luke se afeita.

—Llevo años afeitándome —protestó, y tuve que apretar los labios para no echarme a reír. Su cara suave como la de un bebé y su pelo de color maíz le hacían parecer más joven de lo que era. Dejó las puertas de su coche abiertas y entró en nuestra casa sin que nadie lo invitara. Traté de impedírselo, pero llegó a la cocina, cogió una silla y dijo:

—Pon agua a hervir, Kat.

Me planté ante él con los brazos en jarras.

—No puedes seguir comportándote como si nuestra casa fuese tuya.

—¿Por qué no? —inquirió, y se encogió de hombros.

Estaba intentando dar con una buena razón cuando mamá apareció de la nada y lo echó todo a perder. Sacó la taza «especial» de Luke, que tenía su nombre escrito, y acercó la caja de galletas. Rechacé el ofrecimiento para sentarme y eché un vistazo al reloj.

—Estás con los nervios de punta, Kat.

—Merlin va a venir a recogerme —anuncié, tratando de sonar fría y con mucho mundo a mis espaldas—. Después iremos a su casa. Es un pintor con talento y tiene su propio estudio.

Luke no se rio del nombre de mi novio, pero saltaba a la vista que quería hacerlo.

—¿Dónde vive?

–En la calle Victoria, cerca de la escuela de equitación.

–O sea, que es un pijo.

Mi boca se abrió y volvió a cerrarse como si fuera un pez de colores.

–No lo es. Merlin es un chico normal, aunque su casa es realmente grande. Y su madre dedica un montón de tiempo a estudiantes sin dinero y les deja trabajar en su estudio.

–¡Qué generosa! –comentó Luke con sarcasmo.

–No seas tan tendencioso, Luke. Mamá ya está convencida de que Merlin me ha incitado a fumar, y ahora tú piensas que es un niño rico.

Luke se recostó satisfecho en la silla y dio un trago largo de su café.

–¿No habrás caído en la trampa del rollo ese del artista atormentado, verdad? Ese… Merlin probablemente tendrá montones de chicas haciendo cola para que les pinte un retrato.

Enfurecida, entorné los ojos, y estaba a punto de lanzar una réplica ingeniosa cuando sonó el timbre. Merlin aguardaba en la puerta principal con su aire habitual de confianza en sí mismo, pero noté que se había vestido especialmente para la ocasión, porque sus vaqueros no estaban nada gastados y su camisa parecía recién planchada. Tiré de él hasta la sala y balbuceé una presentación ante mamá, con la esperanza de que Luke no saliera de la cocina, pero eligió aquel preciso instante para hacerlo. Se miraron el uno al otro de arriba abajo. Si la situación no hubiera sido tan incómoda, podría haberme echado a reír por lo diferentes que eran. Luke, robusto, rubio y con una cara claramente amistosa; Merlin, alto y moreno, evasivo. Murmuré algo acerca de que Luke era nuestro vecino, agarré mi chaqueta y salí pitando de allí. Merlin me sujetó de la mano, y la uña de su dedo gordo se clavó en mi piel hasta hacerme daño, pero no lo detuve.

–¿Qué es tan importante? –pregunté, respirando por fin a medida que mi casa iba quedando atrás–. Dijiste que tenía que ir urgentemente a tu casa.

Merlin dudó antes de contestar.

–Es el retrato, Katy. No doy con los colores adecuados. –Se inclinó hacia mí y me acarició la mejilla con su nariz–. He perdido la concentración, y no sé por qué.

–¿Y cómo puedo ayudarte?

–Puedes posar para mí. La luz es ideal a esta hora del día. Si lo haces, puede que todo encaje.

–De acuerdo, no hay problema, Merlin. –Recorrimos el sendero de entrada a su casa y lamenté que mis palabras hubieran sonado tan tibias–. Quiero decir que por supuesto que posaré. Es lo mínimo que puedo hacer.

Me camuflé como pude en el desvencijado sofá de felpilla, en un intento de minimizar mis caderas y no pensar en los retratos de desnudos de Rubens, sobre damas de grandes proporciones, con sus carnes blandas y colgantes.

–Tengo que cambiarme –dijo Merlin.

Sin previo aviso, se desabrochó la camisa en un único y veloz movimiento, y la arrojó sobre la silla. Cogió una vieja camiseta de una percha y la levantó por encima de su cabeza. Desvié la vista, pero no antes de echar un vistazo a su pecho desnudo y a la línea de vello negro que serpenteaba hacia abajo, más allá de su ombligo.

Mi rostro se sonrojó y me inquieté ante la posibilidad de ser inmortalizada con unas enormes mejillas de color rosa. Traté de culpar al sol:

–Hace bastante... calor aquí dentro, ¿no?

Merlin murmuró algo sobre que llegaba una ráfaga de aire caliente y abrió una de las ventanas del techo. Puso los dedos pulgar e índice de su mano izquierda en ángulo recto, me miró a mí y luego de nuevo al lienzo, y acabó por negar con la cabeza.

–Es imposible reproducir tu cabello... es irreal... como hilos de oro cruzados con castañas, y el color de tu cara es... Tienes pecas de alabastro.

Sonrió y yo me derretí. La mayoría de chicos tendría problemas para inventar un cumplido endeble, pero Merlin podía hacer que una simple frase sonase como un soneto. Traté de no ponerme nerviosa, pero era un auténtica tortura soportar aquel escrutinio, y además la temperatura de la habitación iba en aumento. Tuve que quitarme la chaqueta, con la esperanza de que no diera la impresión de que hacía un amago de *striptease*. Merlin trabajó durante un montón de tiempo, y yo permanecí en silencio, viendo lo absorto que lo mantenía su labor. A pesar de que me estaba pintando a mí, parecía distante, casi como si me viera de una forma abstracta. Cuando el sol se hizo más intenso parpadeé, y distinguí una gota de sudor brillando en la ceja de Merlin.

–¿Hora del descanso? –sugerí.

Merlin asintió. Se frotó las manos en un trapo y avanzó hacia mí.

–¿Hay espacio para uno más, Katy?

Rápidamente, retiré mis piernas y me senté.

–¿Cómo van tus... colores?

–Mucho mejor.

Me moví, inquieta, y miré en dirección a la puerta.

–No hay escapatoria –dijo él, con dulzura.

Me froté la nariz, me atusé el pelo y paseé la mirada por la habitación mientras él permanecía absolutamente quieto, observándome. Me masajeé los brazos, estremeciéndome ahora a pesar del calor.

–Quiero mirarte, Katy.

Intenté reírme.

–Has estado haciéndolo un buen rato.

–No así. –Puso su mano en mi barbilla y me obligó a devolverle la mirada. Sus ojos eran penetrantes, afilados, grises como el pedernal.

Su cabeza se inclinó hacia la mía mientras, con una mano, deslizaba el tirante de mi camisola hacia abajo, y sus labios recorrían mi cuello beso a beso.

–Tu madre podría entrar –murmuré, poniéndome tensa.

–No lo hará.

Siguió besándome por la mejilla, la nariz, incluso los párpados, antes de centrarse en mi boca, haciendo que fuera imposible hablar. Me rodeó con sus brazos con tanta fuerza que apenas podía respirar. Todo parecía tan natural que me sorprendí introduciendo una mano bajo su camiseta y contando cada una de sus costillas con mis dedos. Sentí cómo se estremecía.

–¿Tengo las manos frías? –me reí, consciente de que esa no era la razón de su estremecimiento. Experimenté una sensación de poder inesperada.

Por fin comprendía todo el alboroto acerca de los besos. Estábamos tan apretados el uno contra el otro, que no sabía dónde terminaban sus extremidades y dónde comenzaban las mías. Nos fuimos deslizando hacia abajo en el sofá hasta que quedamos en posición horizontal. Sentía como si me estuviera ahogando en él, pero, en ese momento, unas voces me sobresaltaron.

–Es del jardín –me tranquilizó Merlin–. Mi madre ha reunido a toda su colección de artistas vagabundos.

Se oyó un estruendo y la puerta del estudio se abrió de golpe, provocando un revuelo de papeles. Me liberé del abrazo de Merlin y recuperé la posición sentándome otra vez.

–No es más que el viento. Mi madre es una paranoica del aire fresco.

–Lo siento –masculló–. No sé qué me pasa –dije, inclinando mi cabeza hacia el suelo–. No… no estoy segura de sentirme preparada para algo… así.

–¿Algo así? –Merlin se pasó la mano por el cabello y suspiró despacio–. Katy, yo ya estoy preparado… Si lo que quieres es ir a ver una película una vez al mes y hacer manitas, no creo que pueda soportarlo.

Me mordí el labio, avergonzada. Él me acarició el brazo, pero yo me mantuve rígida.

–Puede que sea un poco… demasiado pronto.

–Supe lo que sentía por ti en apenas siete segundos, pero si tú tienes que esperar para sentir lo mismo por mí… –Su voz estaba cargada de emoción.

El nudo de mi garganta crecía.

–Siento lo mismo que tú, pero tal vez lo que necesitemos sea un lugar más… privado.

Merlin sonrió con complicidad.

—Estoy pensando en encerrarte en mi torre para mantenerte alejada del resto del mundo.

Iba a responder algo cuando me di cuenta de la hora que era. La tarde se había evaporado y tenía que regresar a casa. Siempre que estaba con Merlin las horas pasaban volando. Cuando él salió de la habitación, miré el cuadro a hurtadillas. No era más que una serie de finas pinceladas, pero mi rostro había empezado a tomar forma, con un brillo pálido y etéreo, de colores ahogados, completamente distintos a los que Merlin solía utilizar, marcados y fuertes. Oí pasos que se acercaban y me aparté. A regañadientes, salimos de la casa de la mano, y atravesamos el jardín. Al llegar a la verja, me volví a mirar, entrecerrando los ojos a pesar de que el sol ya estaba muy bajo. Me pareció ver una silueta moviéndose entre los árboles, de una manera tan veloz y ligera, que bien podría haber sido un hada, pero algo en ella me inquietó. Miré a Merlin, pero él no dio muestras de haber visto nada, y comencé a pensar que la chica me había hechizado. No podía ser que estuviese en todas partes. Apreté el paso, porque sentía como si cientos de ojos nos estuvieran observando. Cuando le di a Merlin un beso de despedida, lo hice con una extraña sensación de desesperación que no podría explicar.

Esa noche volví a soñar con ella. En esta ocasión, me encontraba en posición supina a lo largo del sofá desvencijado de Merlin, lánguida y lozana, rebosante de belleza. No pude evitar mirarle a los ojos mientras se incorporaba, con garbo, recorría la estancia y giraba el atril hacia mí, obligándome a ver lo que había en él. El retrato no era mío, sino de ella, y sus labios carmesí aparecían curvados hacia arriba en una secreta sonrisa de triunfo. Me desperté sobresaltada y me incorporé en la cama. El colgante verde seguía estando en mi tocador y casi parecía que brillase en la oscuridad. Salté de la cama y lo guardé en mi bolso.

4

–Tengo un acosador.

Hannah dejó de bostezar el tiempo suficiente para expresar su sorpresa.

–Tienes a Merlin, el guaperas de la escuela, y ahora tienes tu propio acosador. ¿No es eso injusto? ¿Quién es el tipo?

–No es gracioso –insistí, deseando que el padre de Nat redujese la marcha al pasar sobre los baches anti-velocidad, porque no paraba de darme con la cabeza contra el techo del coche–. Y no se trata de un chico… es una chica. La he visto desde el autobús, en la calle, en la cafetería, y se presentó en mi casa para vender joyería.

Rebusqué en mi bolso y le tendí el colgante a Nat, que le dio la vuelta y luego lo levantó para verlo a la luz.

–Es chulo. ¿De qué está hecho?

–Creo que es vidrio marino –gruñí–. Vidrio marino esmeralda… justo como sus ojos. Puede que sea chulo, pero creo que es una advertencia.

–¿Qué es vidrio marino?

–Cristal normal y corriente, pero que ha estado en el mar tanto tiempo que sus bordes se han pulido y todo el cristal se ha vuelto opaco.

Hannah echó un vistazo a su reloj de pulsera.

–¿De qué querría advertirte? ¿Estás segura de que te has despertado del todo? Solo son las seis y media de la mañana.

Bajé la voz para asegurarme de que el padre de Nat no pudiese oírme.

–Creo que ha utilizado algún tipo de… magia, para saber siempre dónde me encuentro.

Sus carcajadas alcanzaron tal volumen que tuve que cubrirme las orejas.

–Eres increíble –me reprochó Nat.

Miré hacia fuera por la ventanilla, mordiéndome los labios.

–Está en todas partes, observándome, escuchándome, y sabe dónde vivo.

–¿De verdad crees en esa… brujería?

–No lo llamaría exactamente así –repuse, algo molesta–. Pero es extraña. Aquel día en el autobús… ocurrió algo entre nosotras, y no me he vuelto a sentir igual desde entonces.

Las dos me miraban de una forma rara.

–Entonces… ¿por qué le compraste el colgante? –me preguntó por fin Hannah.

–No fui yo. Mi madre me lo compró.

–¿Y qué dijo tu madre sobre esa chica?

–Que era agradable, con talento comercial y muy persuasiva, pero… ¿no os parece sospechoso? Cuando mi madre fue a por su monedero, ella… la chica… desapareció sin llevarse ningún dinero por el colgante.

Hannah agitó la cabeza.

–No acabo de entenderlo. ¿Una desconocida va a tu casa y deja un colgante precioso, casi como si fuera un regalo?

–No me parece un regalo –murmuré.

–Ya hemos llegado, chicas –nos avisó el padre de Nat al pasar por debajo de la enorme entrada del parque. La excitación me atravesó de arriba abajo cuando vi la cantidad de coches y furgonetas aparcadas sobre la hierba y la mayoría de puestos ya montados. Aquella era la mayor feria de artesanía y de coches usados de los alrededores, y las tres podíamos pasarnos horas allí, buscando gangas. Desde luego, valía la pena levantarse a las cinco de la mañana para ir. Estábamos tan ansiosas que salimos a trompicones del coche y Nat chilló cuando casi se cae encima de una boñiga de vaca. Hannah salió disparada hacia la mesa más cercana y allí tomó un recipiente grande decorado con un dibujo de flores blancas y azules.

–Parece bastante antiguo –anunció, dándose importancia–, probablemente eduardiano. Quedaría muy bonito con una planta. Se lo voy a comprar a mi madre.

–Es un orinal –se rio Nat en mi oído–. Para hacer pis. No se lo digas hasta que estemos de vuelta en casa.

Mi estado de ánimo fue mejorando a medida que paseábamos. La hierba aparecía húmeda de rocío, y los bajos de mis vaqueros y mis zapatos de poco tacón enseguida se empaparon. Hannah, que llevaba un vestido corto que le dejaba las piernas al aire, debía tener también mucho cuidado con dónde pisaba para no mojárselas. Nat era la única que se había vestido con sentido común, con botas de goma de color rosa y verde fluorescente sobre unas medias negras y pantalones vaqueros cortos. En cuanto la bruma matinal se deshizo, el cielo apareció de un azul resplandeciente y todas nos quitamos las chaquetas. No habíamos desayunado, y el olor a café, *donuts* y cruasanes flotaba en el aire. Mis pies pusieron rumbo al quiosco de comida, pero un par de manos me impidieron llegar hasta él.

–No podemos parar todavía, nos perderemos todo lo bueno.

Tenían razón. Después de diez minutos de rebuscar frenéticamente, encontré un sombrero a rayas, que sabía que a Merlin le encantaría, y un vestido estilo años cincuenta con una falda acampanada decorada con rosas. Me di cuenta de que no era de verdad de esa época y logré que la dependienta bajara el precio de las ocho libras iniciales hasta cinco. Nat se lanzó a por un gato de peluche, pues los coleccionaba, y a por un bolso de perlas de los años veinte que le costó sus buenas quince libras. Ya no pudimos retrasar más el desayuno, y como todas las sillas de plástico se hallaban ocupadas, nos sentamos en el suelo de hierba para tomarnos el café caliente y unos *donuts* glaseados, tan azucarados que nos provocaron dolor de dientes. Era genial estar allí con Nat y con Hannah, bañadas por los rayos del sol mientras veíamos cómo crecía la multitud. Pero lejos de parecernos un obstáculo, aquello lo convertía más bien en un desafío, y también disfrutábamos observando a la gente. Cada dos por tres, Nat dejaba escapar un suspiro por Adam, el amigo de Merlin de quien estaba desesperadamente enamorada desde que lo había conocido en una fiesta. Hannah se levantó para tirar su vaso vacío a una papelera y aproveché para inclinarme hacia Nat y susurrarle:

–¿Por qué no utilizas el poder de tu mente para seducirlo?

Sus ojos se abrieron con un brillo de picardía.

–¿Así que tú también jugueteas con la magia?

–No… no es magia –intenté explicarle–, solo se trata de energía positiva para ayudar a que ocurra algo. Cualquiera puede hacerlo, pero hay gente que… tiene ventaja.

–¿Qué clase de gente?

–Bueno… debes tener la mente abierta, pero si de verdad quieres algo, de verdad de verdad, creo que puedes… hacer que ocurra.

–Suena a un hechizo de amor –bromeó Nat–. Quizá debería probar. ¿Es así como te ligaste a Merlin?

Sellé mis labios y me negué a responder. Hannah regresó y nos dirigió a las dos una mirada interrogante, pero me di unos golpecitos en la nariz y le dije que era una broma privada. Torció el gesto, aunque no pareció molestarse. Arranqué unas margaritas del suelo y esparcí sus pétalos.

–Hannah, tú eres la que conoce a Merlin desde hace más tiempo –dije, como quien no quiere la cosa–. ¿Ha tenido muchas novias?

–Lo curioso es que no –respondió, despacio–. Aunque unas cuantas lo han intentado, pero está tan… concentrado en su pintura… Me parece que se ha estado reservando para ti.

Me incorporé, intentando disimular el placer que me producían sus palabras, y sacudí el azúcar que me había caído en los pantalones. Entonces la vi, estaba muy guapa; colocaba varias piezas de joyería sobre una mesa de madera de aspecto frágil, y me dirigía una sonrisa burlona.

De repente, el *donut* se me quedó atascado en la garganta y sentí náuseas. El vaso de papel se me cayó de la mano.

–¡La chica de la que os estaba hablando se encuentra ahí mismo! –gruñí–. Ya he tenido bastante, voy a hablar con ella.

Sin esperar a que Nat o Hannah dijeran algo, avancé hacia el puesto con los ojos fijos en ella. Un hombre se me cruzó con brusquedad y me distrajo. Solo fue un segundo, pero en ese espacio de tiempo ella se desvaneció. En su lugar había ahora una mujer mayor que parecía estar molesta por algo.

–¿Adónde ha ido la chica? –le pregunté con autoridad.

–Nunca la había visto antes –repuso–. Me ha pedido que le eche un ojo a su puesto, pero ya tengo suficiente con el mío.

Un bulto se movió dentro de mi campo visual. No fue más que la imagen efímera de algo que desaparecía entre la multitud, pero supe que se trataba de ella y sentí el impulso de seguirla. Sin embargo, había gente por todas partes y tuve que abrirme paso a empujones. Yo avanzaba lenta, torpemente, mientras que ella parecía ligera como el hilo de seda de una araña, una pluma flotando y danzando en el aire, un globo que se hubiera soltado o una bailarina haciendo piruetas. Cada vez que la perdía de vista, resurgía un fragmento, una visión parcial de uno de sus pendientes, de su pelo, o simplemente de la comisura de sus labios mientras se giraba; casi creía que podía oír las carcajadas a mi alrededor.

Lo lógico hubiera sido dejarlo y volver con mis amigas, pero no podía hacer eso y ella lo sabía. Me costaba cada vez más abrirme paso entre la gente, y ya no me importaba si le pisaba el pie a alguien o le clavaba un codo en el costado. Choqué con uno de los puestos y lo tumbé: libros y platos salieron despedidos contra la hierba, pero los gritos de indignación tampoco consiguieron detenerme. Llegué a un claro donde la multitud menguaba y distinguí pedazos de asfalto que indicaban el comienzo del aparcamiento. Aceleré el paso, y cuando alcancé el linde del campo pude volver a respirar. Durante unos segundos, levanté la mirada hacia las nubes, jadeando, desorientada por el repentino espacio abierto. Miré a izquierda y a derecha sin ver nada; era como si se hubiera desvanecido. No podía ser una chica real, con esa forma que tenía de moverse, su velocidad y esa capacidad de desaparecer una y otra vez ante mis ojos.

De pronto un sonido me sobresaltó. El ruido producido por alguien que carraspeaba. Me giré lentamente y me quedé helada. La chica estaba a menos de dos metros de distancia, llenando una jarra en un grifo. Me quedé clavada al suelo. Definitivamente, era de carne y hueso, y no un espectro creado por mi mente. La observé durante unos treinta segundos, hasta que, al fin, ella alzó los ojos y me devolvió la mirada sin parpadear.

Salí de mi ensimismamiento y avancé hacia ella con el colgante en la palma de mi mano.

—Creo que esto es tuyo.

—¿Ah, sí? —preguntó, con ironía—. No se me ha caído nada.

—Te presentaste en mi casa, pero no esperaste a que te pagásemos…

Sus ojos ovalados se entrecerraron.

—¿Tú y yo hablamos?

Aquello era absurdo. Me sentí intimidada, como si ella fuera una adulta y yo una niña.

–Yo no estaba… no, nosotras no hablamos. Mi madre abrió la puerta. Hablaste con ella.

El agua se desbordó de su vaso y le salpicó los pies, pero no hizo nada por cerrar el grifo.

–Entonces, ¿cómo sabes que fui yo?

–El pu… puesto –titubeé–. Reconocí el colgante al ver tu puesto de joyería.

Sus labios se curvaron para formar una media sonrisa.

–No tengo ningún artículo como ese.

Empecé a sonrojarme.

–Bueno… mi madre me dio tu descripción, y luego te vi aquí y deduje que eras la misma y…

–Y me seguiste –concluyó ella.

Aquello era de locos. Parecía que era yo la acosadora. Y me resultaba imposible distinguir si estaba nerviosa o no por el tono de su voz.

–¿Entonces no es tuyo? –la desafié.

–Déjame ver.

Al coger el colgante, sus dedos tocaron los míos y sentí como si una corriente eléctrica me hubiera atravesado. De hecho, retrocedí, con el corazón acelerado, pero ella dio la impresión de no haber notado nada en absoluto. Hizo una mueca y me lo lanzó de vuelta.

–No estoy segura.

La conversación no estaba llegando a ninguna parte, pero me negué a arrastrarme derrotada de regreso junto a Nat y Hannah. Intenté que mi voz dejase de temblar y le hice frente con decisión.

–¿Estuviste en la calle Hillside la semana pasada?

Por fin cerró el grifo, se quitó sus zapatillas de ballet sin usar las manos y frotó sus pies con gracia en la hierba.

–No me acuerdo.

–Tienes que acordarte.

Ella se encogió de hombros.

–De todos modos, ¿cuál es el problema? Quédate con el colgante.

–No quiero quedármelo –repuse con furia, e intenté volver a dárselo, pero esta vez ella se negó a aceptarlo.

Me quedé mirándola fijamente, en silencio, pero enseguida su expresión se suavizó y comenzó a reírse. Al cabo de un momento de confusión, yo también me eché a reír, al comprender de pronto lo ridícula que debía de parecer, asaltándola con toda clase de acusaciones extrañas.

–Perdona que hayamos empezado con tan mal pie –me disculpé–. No quería que te quedases sin cobrar una venta, eso es todo.

–¿Te gusta el colgante?

–Es muy bonito –admití.

Ladeó su cabeza y me miró a través de sus pestañas.

–Entonces deberías quedártelo, Katy.

–¿Sabes mi nombre?

Aún parecía estar riéndose.

–Sé un montón de cosas sobre ti.

–Pero yo no sé nada de ti –dije, frunciendo el ceño.

Ahora se encontraba más cerca de mí y pude sentir su aliento en mi rostro. Sus labios se separaron y se movieron de un modo inaudible. No hubo sonido alguno, y sin embargo pude escucharla. Repetía la misma frase una y otra vez y yo no podía apartarme.

Una mano me tocó en el hombro y me hizo dar un respingo.

–¡Katy! –exclamó Nat–. Te hemos buscado por todas partes.

Hannah apareció junto a ella.

–¿Dónde te habías metido? –preguntó.

Me miraron a mí primero y luego se fijaron en la chica, que sonrió, parpadeó y se despidió con un gesto amistoso.

–¿Todo bien? –preguntó Hannah.

Asentí y enlacé mis brazos con los de ellas para regresar hacia los puestos de la feria. Me giré solo una vez y vi que la chica también me observaba, concentrada de un modo extraño. Sacudí la cabeza, enfadada conmigo misma porque mi imaginación me había vuelto paranoica. Pero no importaba lo mucho que intentase olvidar, todavía podía oír su voz resonando en mi cabeza: «Soy tu peor pesadilla».

5

La nueva cafetería de la calle Mayor estaba decorada con los colores propios de una barra de helado: vainilla, moca y fresa. En las paredes había fotografías enormes de granos de café y de gente muy atractiva con dentaduras perfectas en sillones de cuero, riendo con unas tazas gigantescas en sus manos. Nat, Hannah y yo habíamos decidido ver qué tal estaba el local antes de ir a la escuela para la primera exposición de estudiantes del curso. Yo estaba nerviosa por mi trabajo, pero esa ansiedad, al menos, evitaba que me concentrase en lo que de verdad me atormentaba.

Hannah dio un sorbo de un batido de plátano, con la frente arrugada en un mohín de preocupación.

—Somos las tres mosqueteras, ¿recordáis? Todas para una y una para todas. ¿Qué te inquieta, Katy?

Con gesto culpable, Hannah se zampó un trozo de pastel de zanahoria y habló con la boca llena.

—¿Es por Merlin?

—No, todo va genial con él.

—¿Tu madre?

—Tampoco es por ella —respondí, volcando el bote de pimienta y creando diversas figuras con los granos sobre la mesa.

–Llevas toda la semana muy callada –insistió Hannah.

Las miré alternativamente. Tenían razón, debía sacarme aquello de dentro.

–Mirad, ya sé que esto va a sonar estúpido, pero es… es por la chica que vimos en la feria de artesanía.

–Ah… tu acosadora –dijo Nat, guiñando un ojo.

–La cuestión es… Me pareció que me decía algo, algo en lo que no puedo dejar de pensar.

Dos pares de ojos se clavaron en mí, expectantes, pero sentí que mi boca se secaba y tuve la impresión de que mi estómago se llenaba de mariposas. Hice una pausa para soplar mi taza.

–No importa.

–Escúpelo –me apremió Nat, y puso una mueca que me hizo sonreír.

Dirigí mi atención a las figuras hexagonales del suelo para no tener que mirarlas a ellas. Me mordí repetidamente el labio, cambié de posición en la silla y respiré profundamente.

–Me dijo «Soy tu peor pesadilla».

El silencio que siguió pareció eterno, pero finalmente Hannah lo rompió:

–¿Así? ¿Te dijo «Soy tu peor pesadilla», así, sin más?

Me retorcí en mi asiento. Era horrible tener que justificarme de aquel modo.

–Me llamó Katy, y le pregunté cómo es que sabía mi nombre; y me contestó que sabía muchas cosas de mí y luego dijo…

–Soy tu peor pesadilla –me interrumpió Nat–. ¿Estás completamente segura de que fue eso lo que dijo?

—Creí que eran imaginaciones mías –añadí, en mi defensa–, pero ahora no estoy tan segura. Abrió la boca, y sin embargo, dio la impresión de que no hablaba…

—¿Que no hablaba? –repitió Hannah, como un eco.

Apreté los puños por debajo de la mesa e intenté mantener mi voz bajo control.

—No estoy segura… El recuerdo es un poco confuso, como si se hubiera emborronado.

Hubo otro silencio incómodo y empecé a lamentar habérselo contado.

—¿Por qué no nos lo dijiste entonces? –preguntó Nat.

—No parecía que fuera real –mascullé.

—Pero fuiste tú quien la persiguió a ella –dijo Hannah, y su voz sonó a disculpa–. No era ella la que iba detrás de ti.

—Ella quería que yo la persiguiera –respondí, y enseguida me di cuenta de lo raro que sonaba. Ni siquiera yo misma lo entendía–. Quiero decir… fui tras ella porque había dejado el colgante en mi casa.

Nat dio un trago y se pasó la lengua por los labios.

—Eso no es algo que diría una persona cuerda –comentó con socarronería.

—¿Te parece a ti que está cuerda?

—Perfectamente –gemí, a la vez que la duda anterior se transformaba en una oleada de vergüenza–. Y tenéis razón, por supuesto. Ese día no estaba muy centrada… Puede que me sintiera un poco… tensa.

Nat dejó escapar un bostezo.

—Es una tontería preocuparse por eso. Quiero decir, ¿qué daño podría hacerte una chica?

No respondí, sino que me quedé mirando al suelo. Un penique nuevecito centelleó ante mis ojos y recordé el refrán: «Si ves un penique, recógelo y tendrás un buen día». Pero me sentía demasiado abochornada como para gatear por el suelo y recogerlo.

–Este es el mejor momento de nuestras vidas –me recordó Hannah–. Nada debería ser tan serio como esto.

Logré esbozar una débil sonrisa.

–Vale, intentaré animarme. Tenéis razón. ¿Qué daño podría hacerme una chica?

Terminamos nuestros desayunos y salimos de la cafetería, intentando cubrirnos las tres con un solo paraguas. Por lo general, la lluvia no me molestaba, pero Hannah estaba aterrada ante la idea de que se le rizase el pelo y acaparó casi todo el espacio, empujándome fuera de la acera. El cielo se oscureció y un trueno resonó a lo lejos, así que aligeramos el paso.

–También se ha metido en mis sueños –anuncié, como si tal cosa, como si nunca se hubiera interrumpido la conversación.

Hannah pisó un charco y soltó un chillido.

–Olvídate de todo lo de… esa… chica fantasmagórica de ojos felinos. Lo más seguro es que se haya dado por vencida contigo y haya decidido acosar a una famosa.

Estaba a punto de responder cuando la lluvia arreció. En cuestión de segundos, comenzó a caer con tanta fuerza que rebotaba contra el asfalto y se arremolinaba como un torrente en las trampillas de las alcantarillas. Echamos a correr y llegamos a la escuela sin aliento, con la ropa y el pelo chorreando.

–Gracias por venir –susurré–. No quería hacerlo sola.

A la mayoría de estudiantes los acompañaban sus padres, que permanecían inmóviles junto al trabajo expuesto por sus hijos, resplandecientes de orgullo. Sentí una punzada de arrepentimiento al pensar en mi madre, pero había preferido que me acompañasen Nat y Hannah. Habían organizado la exposición para mejorar el perfil público del departamento de arte y diseño, y el periódico local había venido a hacer un reportaje. Ni Nat ni Hannah tenían el menor espíritu creativo, y reaccionaron exageradamente ante mis diseños, haciendo ver que eran lo más maravilloso del mundo. Se pusieron muy cerca de mi exposición y se maravillaron con los bordados y los arreglos, además de con la pieza de tela con forma de hoja que había hecho a mano. Pude ver la cabeza y los hombros de Merlin sobresaliendo por encima del gentío y esperé a tener la oportunidad de acercarme y hablar con él. De nuevo sentí una oleada de orgullo al recordar que, en cierto modo, ahora formaba parte de mi vida.

Entonces los acontecimientos parecieron desarrollarse a cámara lenta. La madre de Merlin entró por la puerta de cristal, con su mano posada, en un gesto protector, sobre el hombro de una chica. La chica estaba de espaldas a mí, pero pude ver la expresión de admiración en el rostro de Merlin y mi estómago se retorció de celos. Quise avanzar hacia ellos con seguridad y separarlos, pero algo me hizo detenerme y me quedé quieta, examinando a la recién llegada. Tenía el pelo liso, casi del mismo tono de rojo que el mío, y llevaba puesta una chaqueta de terciopelo muy similar a la mía, pero la mía la había hecho yo. Su estilo era prácticamente idéntico, incluso en lo del reborde cosido a mano. Alguien me habló, pero no escuché ni una palabra hasta que agitaron una mano delante de mi cara.

–Perdón, estaba muy lejos de aquí.

–Siempre está en otro planeta cuando ve a Merlin –bromeó Nat.

Traté de comportarme con normalidad.

–No es verdad. Ningún chico se interpondrá entre nosotras… ¿verdad que no?

–Has recibido un montón de buenas críticas –me aseguró Hannah–. Una señora ha dicho que no había visto bordados tan bien hechos desde que era pequeña.

–¿En serio? Supongo que eso será un cumplido, especialmente si la señora tiene cien años.

–Las jóvenes sabían cómo coser en aquel entonces –se mofó Nat–. Y tocaban el piano y caminaban con libros sobre sus cabezas y hacían susurrar sus enaguas…

En aquel momento no había ninguna duda de que la chica flirteaba. Estaba en plena acción, jugueteando con una mano en su cabello reluciente. ¡Maldita sea! Acababa de decirles a Nat y a Hannah que siempre serían más importantes que cualquier tío, pero Merlin estaba siendo prácticamente devorado vivo. Tenía que hacer algo.

–Debería acercarme y saludar a Merlin. Muchísimas gracias por darme apoyo moral.

Hannah puso sus ojos en blanco.

–¿Significa eso que nos dejas tiradas?

–No, claro que no. Solo es que… prometí…

Nat me apretó el brazo con cariño.

–No nos interpondríamos en el camino del amor verdadero… Ve con él.

Me empujaron hacia Merlin y, para mis adentros, recé una oración para no humillarme. Todavía nos encontrábamos en esta etapa incómoda en la que no sabíamos cómo reaccionaría el otro. Mi oración fue respondida. Me vio antes de que llegase hasta él y extendió sus brazos hacia mí. Me vi apresada en un abrazo sofocante que debería haberlo dejado todo claro: este es mi lugar, Merlin es mi novio. Su mano acarició mi mejilla, y me dio un beso delante de todo el mundo. Incluso me puse de puntillas y le susurré algo al oído, lo cual resultó bastante patético, pero no pude evitarlo. No tuve que darme la vuelta para ver la cara de la chica. Podía notar sus ojos quemándome, y hasta sentí una especie de pinchazo de dolor entre los omoplatos.

Permanecí dándole la espalda deliberadamente, tomé a Merlin de la mano y le lancé una mirada secreta que decía: «Vamos a algún sitio para estar solos». Comprendió el mensaje y se disculpó con los demás. Estábamos ya en la puerta cuando, de repente, se dio una palmada en la frente como si hubiera olvidado algo y giró sobre sus talones.

–Katy, ¡qué grosero soy! Me olvidaba de presentaros. Katy, esta es Genevieve Paradis, la nueva protegida de mi madre. La semana que viene comienza en la escuela.

La sangre se me subió a la cabeza y sentí como si un tren hubiera pasado a toda velocidad justo al lado del edificio. La chica de los ojos verdes. Su voz retumbó por todo el vestíbulo, rebotó en el techo abovedado y me agujereó el corazón.

6

Merlin me cogió justo a tiempo, cuando parecía que mis piernas iban a doblarse bajo mi peso. Respiré hondo varias veces, sonreí y fingí que todo era una simple broma, enfadada por el efecto que aquella chica me provocaba.

Extendí mi mano hacia ella.

–Hola, creo que ya nos conocemos.

Ella se volvió hacia mí y sus ojos mostraron cierta sorpresa.

–¿Ah, sí?

–Sí, en la feria de artesanía. El colgante… ¿te acuerdas?

–Por supuesto. Eres esa Katy.

–Ese día parecías un poco distinta –dije, sin poder contenerme.

–¿Sí?

Su sonrisa era cálida, pero por alguna razón me hizo sentir incómoda.

–Tu pelo era de otro color, estoy segura. –El cabello oscuro había hecho que su piel pareciese de un blanco poco atractivo, pero ahora se veía fresco, como cubierto de rocío al estilo de una damisela del campo, lo cual me fastidiaba porque el mío, en contraste, parecía anodino y carente de vida. Lo mismo sucedía con la chaqueta, la suya marcaba cada línea y cada curva de su cuerpo, y hacía que la mía pareciese desaliñada y poco ajustada.

–Este es mi color natural –respondió, y se atusó el pelo con un leve gesto–. Estaba harta de teñírmelo, y odio llevar siempre el mismo aspecto.

–Cambiar está bien –comencé, irritada–, pero prefiero mantenerme fiel a mi propio estilo y ser original.

–Nada es completamente original –repuso–. La moda, la literatura, el arte… todo está hecho. Si echas un vistazo al trabajo que he presentado, te diré qué artistas y diseñadores me han influido.

Me resultaba imposible disimular la crispación de mi voz:

–Existe una diferencia entre influencia e imitación.

–Pero, Katy –dijo ella, con dulzura–, la imitación es la forma más sincera de halagar.

Aquella especie de partida dialéctica de ping-pong estaba empezando a desgastarme. Realmente necesitaba escapar de ella, así que aproveché la primera oportunidad que tuve para llevarme a Merlin.

–Lo siento, pero Merlin y yo nos vamos a otro sitio. Me alegro de volver a verte… Genevieve.

Ni siquiera respondí a su comentario de despedida, que sonó casi como un mal presagio:

–Espero que nos veamos más a menudo, Katy.

Merlin y yo caminamos un rato en silencio y, aunque, no sabría explicar qué, sentí que algo raro pasaba entre nosotros.

–Estás muy callada –dijo.

–Solo estoy cansada.

Me plantó un beso en la cabeza.

–¿No será de mí?

–Por supuesto que no.

Nos sentamos en el parque, bajo un pequeño techado, cerca de una pista de bolos perfectamente dibujada. El pelo de Merlin tenía incluso mejor aspecto a causa de la lluvia, y me hizo pensar en el de Heathcliff* a merced de un vendaval; el mío, en cambio, había comenzado a parecerse a un arbusto de zarzamoras. Intenté domarlo con los dedos, pero fracasé miserablemente. Sus pantalones vaqueros tenían salpicaduras de pintura y varios descosidos que no eran artificiales. Parecía un artista bohemio de otro siglo, y cada vez que cerraba los ojos visualizaba la horrible imagen de Genevieve recostada en su sofá desvencijado, disfrutando al ser retratada por él. Pero él te está retratando a TI, me forcé a recordar.

Apoyé mi cabeza en su hombro mientras me preguntaba cómo podía sacar a colación el tema que tanto me aterrorizaba. No había otra alternativa que ir directa al grano.

–Y… ¿cómo es que tu madre conoce a Genevieve?

–Es una historia verdaderamente trágica –empezó, a media voz, y tuve que morderme la lengua para no dejar escapar algo sarcástico–. Sus padres fallecieron en un accidente de coche en Nochebuena, cuando tenía solo siete años… No encajó con sus padres adoptivos, y desde entonces ha ido de un centro de acogida a otro.

–¡Qué horrible! –murmuré, ya que Merlin había hecho una pausa como si aguardase una reacción por mi parte.

---

* Heathcliff es el nombre del protagonista masculino de *Cumbres Borrascosas*, de Emily Brontë. *(N. del T.)*

Ahora su voz sonó incluso más apenada:

—Estuvo durmiendo a la intemperie durante una temporada, hasta que uno de los amigos de mi madre la encontró y la acogió.

—¿Dónde viven?

—En un granero reformado, no muy lejos de mi casa… Cerca de los establos de la escuela de equitación.

—Ehh… Creo que sé cuál es. Y ¿no es Genevieve un poco mayor para que la adopten?

—Ya ha cumplido los dieciséis —contestó Merlin—, pero lo han hecho para darle un período de transición.

—¿Y es así como la conociste?

—Sí. No tenía todos los títulos necesarios, y mi madre hizo lo posible para conseguirle plaza en la escuela.

Me revolví en el asiento, repentinamente llena de rabia.

—¿La ayudó a conseguir plaza en la escuela? ¡Si nosotros tuvimos que trabajar muy duro para obtener la nota necesaria!

—Genevieve no tiene la culpa de no haber tenido un hogar. No pudo ir al colegio, así que mi madre la animó a que reuniese sus trabajos y los presentase a la junta directiva de la escuela. Todos estuvieron de acuerdo en que se merecía una plaza. ¿Has visto lo que ha traído a la exposición? —Su tono cortante me cogió por sorpresa.

Apreté tanto los dientes que me hice daño.

—No, pero estoy segura de que es alucinante.

—Lo curioso es que es una persona muy completa: pintura, diseño de moda, ropa, joyería. La mayoría solo puede dedicarse a una de esas cosas.

–Bien por ella.

–Y su trabajo está completamente elaborado, no es solo experimental, pero… antes se veía obligada a vender sus diseños en la calle para comer.

–Por supuesto –contesté mecánicamente.

–Conocer a Genevieve te hace darte cuenta de lo fácil que lo tenemos nosotros.

–Desde luego.

–No le digas a nadie lo que te he contado, Katy. No estoy seguro de que ella quiera que se sepa.

–No, claro que no.

Había un agujero en el techo y la lluvia me cayó de golpe sobre la cabeza y la nariz. Merlin ni siquiera se percató de lo secas que eran mis respuestas, porque seguía hablando entusiasmado de Genevieve.

Hizo una pausa y me sorbí la nariz.

–Nunca la habías mencionado antes.

–Porque hace poco que mi madre la trajo a casa.

–¿La semana pasada?

Me miró de un modo extraño.

–Sí, fue… el sábado, creo.

En ese caso, mientras Merlin me retrataba, ella estaba en la casa, y puede que fuera a ella a quien vi entre los árboles.

–¿Acaso tiene importancia? –me preguntó.

Moví la mano como si no la tuviera.

–Tenía curiosidad por saber cuánto tiempo lleva por aquí.

–No mucho, pero las dos tenéis mucho en común. Creo que os haréis amigas… amigas de verdad.

No era culpa suya, pero Merlin parecía estar infectado por ella. Había sido mío y solo mío durante muy poco tiempo, y ya podía sentir cómo se alejaba. Miré a mi alrededor. No había nadie más a la vista, ni siquiera alguien con el valor suficiente para desafiar a la lluvia y pasear al perro. Hundí mi rostro en el cuello de Merlin y lo recorrí con mi lengua hasta llegar a su barbilla. Sabía a sal, con un ligero toque a sudor. Deslicé mis piernas sobre las suyas hasta quedar sentada en sus rodillas y empecé a besarle. Él soltó un gruñido involuntario.

–Katy… El otro día no estabas así.

Me reí.

–Puede que estar en el exterior… me haga sentir… algo…

–Salvaje –terminó él la frase, sujetándome con los brazos extendidos para examinar, estupefacto, mi cara–. No había imaginado que me comerían vivo en el banco de un parque.

Me sujetó la cabeza con sus manos mientras yo volvía a besarle, en un intento de eliminar cualquier rastro de Genevieve. Le desabroché los tres primeros botones de la camisa y apoyé mi mejilla contra su pecho, escuchando su corazón.

–Está desbocado, Katy. ¿Lo sientes?

–El mío también va como loco.

Su mano serpenteó con cautela hasta introducirse debajo de mi camiseta, vigilando cualquier posible reacción por mi parte; luego recorrió mi estómago hasta llegar a mi corazón. Ninguno de los dos nos movimos durante lo que pareció una eternidad.

–¿No sería genial estar completamente solos? –susurró–. En algún lugar a kilómetros de aquí.

–¿Dónde? –suspiré.

–Podríamos montar una tienda de campaña en un cámping.

–Sería fantástico –contesté, convencida de que no lo decía en serio.

–Puede que haga frío.

–Me encanta el frío –repuse, y era cierto. Siempre me alegraba cuando los días se hacían más cortos y el verano se iba acabando.

–¿Qué le dirías a tu madre?

Me aparté de él para mirarlo.

–¿Hablas en serio?

Su sonrisa era enorme.

–¿Por qué no? En mi casa no puedes relajarte, y la tuya no es una opción…

No me sentía preparada para contarle al detalle los problemas de mi madre, pues no estaba segura de que fuera a entenderlos.

–Mi madre es un poco… pegajosa –expliqué al fin–. Resultaría complicado. Ni siquiera le gusta que pase la noche con una amiga y tú eres… tú eres un chico.

–Ah, ¿lo has notado? –bromeó–. Solo sería una noche, Katy. Me encantaría ver anochecer contigo… contar las estrellas… y despertarnos juntos.

Intenté frenar un escalofrío ante aquella imagen y sonreí esperanzada.

–Nada es imposible. Pensaré en ello e intentaré idear un plan.

–Pero ¿quieres hacerlo? –insistió.

—Por supuesto que quiero.

No era típico de mí prestarme a hacer algo arriesgado, pero estaba decidida a conseguir que Merlin me revelase sus pensamientos más íntimos. Incluso cuando estábamos juntos, a veces me sentía excluida, y sabía que había un lugar de su mente en el que él se metía y que no compartía conmigo. Tal vez, si estuviéramos a solas, lejos de cualquier lugar familiar, nos uniríamos más. Regresamos a casa a paso de caracol, saboreando cada instante, y traté de borrar los recuerdos de Genevieve. Cerca de mi casa nos besamos en el mismo lugar que la otra vez, pero por mucho que intenté convencerme de que todo era exactamente igual, no lo era. Merlin todavía apestaba a ella.

7

Mamá estaba en pie cuando llegué a casa y, por una vez, sus mejillas tenían algo de color. La casa parecía diferente, más cálida y casi acogedora. Noté que estaba intentando hacer un esfuerzo y debería haberme sentido satisfecha, pero las noticias acerca de Genevieve lo habían echado todo a perder. Mamá me miró expectante.

–Siento no haber podido acudir allí, Katy. ¿Cómo ha ido?

–Bien –mentí, e inventé una excusa para irme directamente arriba.

Me encerré en el aseo, decidida a no llorar, y me concentré en el espejo, alisé mi pelo y me mordí las mejillas por dentro en un intento de parecerme a Genevieve, pero me seguía viendo horriblemente ordinaria, como siempre. En un arrebato, abrí de golpe mi armario, me quité la ropa y fui sacando camisetas, vestidos y jerseys de sus perchas indiscriminadamente. Me los probé uno por uno, mezclándolos para que hicieran juego, probando diferentes estilos y diferentes poses. Resultaba patético, pero estaba intentado imitar la actitud de Genevieve, su vago descuido, su sonrisa lánguida y sus gestos sencillos. Acababa de caer en la cuenta de que mi estilo no era ni remotamente excéntrico ni opuesto a lo que estaba de moda, sino el estilo de una mendiga. Cerré los ojos con desesperación, tratando de desterrarla de mi mente, pero permanecía allí, como un eco en mis retinas. Me soné la nariz, me pasé un peine por el pelo y regresé abajo junto a mamá. Tenía tan pocos días buenos que me sentía culpable dejándola sola, así que fingí que todo iba bien.

–Entonces, ¿cómo te fue hoy, de verdad? –preguntó, con voz queda.

Todo debía de estar burbujeando muy cerca de la superficie, porque salió directamente, sin necesidad de pensar:

–La exposición ha estado genial, pero hay una chica nueva en la escuela que… no puedo con ella.

Mamá soltó una carcajada:

–Lo sabía. Puedo distinguir la envidia a un kilómetro de distancia. Estás totalmente verde.

–Yo también hago eso –le dije, asombrada–. Veo colores cuando miro a la gente.

Se inclinó hacia mí y me dio unos toquecitos en la mano.

–No lo decía en ese sentido, pero puedo distinguir cuándo una adolescente está enfadada de verdad. El monstruo de ojos verdes asoma su horrible cabeza.

–¿Monstruo de ojos verdes?

–Es una cita de la tragedia *Otelo*, de Shakespeare. Personifica los celos en un monstruo de ojos verdes.

Luke también citaba siempre a Shakespeare, pero hoy no tenía ánimos ni para fingir interés. Me limité a poner una mueca.

–¿Quieres hablar de ella, Katy?

Respiré hondo.

–Esa chica, Genevieve, parece estar en todas partes, siguiéndome y ahora, además, copiándome. Hoy he descubierto que ha tenido una vida terrible... Estuvo en un orfanato y después acabó durmiendo en la calle. Pero no siento ni una pizca de lástima por ella; es como si algo me hubiera quitado toda mi bondad y hubiera convertido mi corazón en piedra.

–Eso no es típico de ti –comentó mamá, frunciendo el ceño–. ¿Hay algo más?

Por supuesto que había algo más, algo que yo no quería afrontar. Tragué saliva, cerré los ojos y contraje el rostro en un gesto de dolor.

–Creo que está intentando robarme a Merlin. –Carraspeé. Aquello no era lo que había pretendido decir. Mi intención había sido mascullar algo acerca del flirteo de Genevieve. Admitir aquello era revelar mi mayor miedo, lo peor que podía imaginar.

Mamá emitió una risa burlona que hizo que el corazón se me cayera a los pies.

–Las adolescentes sois dramáticas. A las dos os gusta el mismo chico, y crees que eso es el fin del mundo.

–¡Es más que eso! –exclamé, encolerizada.

Mamá se arrodilló sobre la alfombra, cerca de mis pies, para calentarse delante del fuego, porque las tardes habían empezado a ser muy frías. Siempre me había encantado nuestra chimenea de carbón, pero suponía un esfuerzo tan grande encenderla, que cuando bajaba la temperatura solíamos enchufar un horrendo calefactor eléctrico. Por primera vez desde hacía mucho tiempo, pude concentrar la mirada en las llamas y buscar formas en ellas como hacía cuando era pequeña. Pero tampoco así podía deshacerme de Genevieve; las llamas, al estremecerse, me hacían recordar su magnífico pelo.

–Si le gustas tanto, Katy, no te traicionará. Pero no lo vuelvas loco con tus celos. Los celos son un veneno que te destruirá a ti, no a ella.

Apenas le prestaba atención.

–Lo más extraño es que… ella es todo lo que yo podría ser pero no soy.

Mamá me tiró con suavidad del brazo.

–¿Qué quieres decir con eso?

–Tenemos más o menos la misma estatura –expliqué, con el ceño fruncido–, pero ella parece más esbelta porque es más delgada; y tenemos el mismo color de piel, pero la suya es mucho más luminosa; y tenemos el pelo del mismo color, pero el suyo es maravillosamente sedoso…

–Tú tienes tu propia belleza, Katy, y a la gente le gustas por lo que eres.

–Solo quiero que todo se quede como está –repliqué, con tristeza.

No quise añadir que me había costado años sentir que finalmente había encontrado mi lugar. Siempre había estado marginada y sin amigos, pero durante el último año, en el colegio, había intimado más con Nat y con Hannah y ahora, increíblemente, Merlin también formaba parte de mi vida. Para mis adentros, había tenido la sospecha de que era demasiado bonito para ser cierto. Pero mamá no había dado por finalizado su sermón:

–Siempre conocerás a gente a la que no soportes. Tómatelo como una pequeña lección que te da la vida.

–No quiero –dije, contrariada–. Lo único que deseo es que se aleje de mí tanto como sea posible... preferiblemente que se vaya al otro lado del mundo.

Mamá acabó por perder la calma:

–Katy –me regañó–, siempre has sentido compasión por la gente, en especial por los que no cuentan con las mismas facilidades que tú. Creo, de verdad, que eres tú la que tiene el problema, no esa chica... Genevieve.

Me quedé en silencio un momento, digiriendo aquella incómoda acusación. ¿Tenía razón mamá? Genevieve no había hecho nada, aparte de regalarme un colgante por el que podría haberme cobrado. No tenía familia y había tenido que soportar cosas que yo no podía ni tan siquiera imaginar. Sentí una oleada de vergüenza al darme cuenta de lo celosa y vengativa que estaba siendo.

–Esta no eres tú de verdad –añadió mamá, pero ahora con un tono más suave–. Si salir con Merlin te va a transformar en el tipo de chica que da la espalda a una joven vulnerable, entonces... puede que no sea el chico adecuado para ti.

–Es el chico adecuado, pero... –Me mordí la lengua para no seguir quejándome de los flirteos de Genevieve con Merlin. Tal vez mamá tuviera razón y eso también fuese producto de mi imaginación. Aquella falta de sentimiento no era normal en absoluto, iba en contra de mi carácter.

–Tienes que confiar en Merlin, Katy. No puedes enjaular a quien amas.

De repente, delante de mí, mamá se encogió como si se arrugase. La rodeé con mis brazos y sentí la humedad de sus lágrimas en mi cuello.

–Lo siento –se disculpó–. No sé qué me ha pasado.

Se aferró a mí con más fuerza, haciendo que el abrazo resultase claustrofóbico, pues yo apenas podía respirar. Fingí no ver que la piel alrededor de sus uñas estaba enrojecida e irritada. Mamá padecía un desorden obsesivo-compulsivo y podía estar mordiéndose las uñas hasta que le sangrasen los dedos. Por lo general, eso me ponía triste, pero esta vez me sentí extrañamente enfadada. Quería que ella me consolase a mí, no al revés.

—Si pensase que iba a perderte, Katy... se me rompería el corazón.

—¿Por qué ibas a perderme? —pregunté, intrigada.

Esbozó una sonrisa tibia, intentando recobrar la compostura.

—Pueden ocurrir cosas... cosas que lo cambien todo.

—Pero no puede cambiarse el hecho de que eres mi madre —me reí.

Con una expresión afligida, mamá se pasó una mano por el pelo, totalmente descuidado.

—No quería que las cosas fuesen de este modo —dijo al fin—. Quería ser la mejor madre de todas, estar siempre disponible para ti y protegerte.

—Eres la mejor... de verdad —intenté reconfortarla.

Volvió a hablar, con un nudo en la garganta:

—Te mereces una vida hermosa... llena de diversión y de risas, de nuevas experiencias y de viajes. No una en la que tienes que cargar conmigo y en la que te encuentras prisionera en esta casa.

Por un instante, tuve la visión de otra mujer, una a la que apenas recordaba, una que vibraba y disfrutaba de la vida. No sabía cuándo había cambiado todo, porque ahora me parecía que siempre había sido como era en la actualidad. Pero no podía dejar pasar la oportunidad. Hablábamos con el corazón tan pocas veces que esta podía ser la ocasión que llevaba esperando mucho tiempo.

–Los doctores dicen que solo tú puedes cambiar –le recordé–. Hay ayuda disponible, solo tienes que tomarla.

Habló tan quedamente que me vi obligada a inclinarme hacia su boca.

–Lo he intentado con todas mis fuerzas, pero algo me lo impide… Hay una nube oscura encima de mí.

–¿Qué es?

Meneó la cabeza en un gesto de arrepentimiento.

–Recuerdos, supongo…

–Quizá si los compartes… no te parecerán tan malos.

Cerró los ojos y se dejó caer en la silla.

–Algún día te lo contaré, y sé que lo entenderás, pero todavía no.

Me sentí decepcionada; sin embargo, traté de que no se notase. Cada cierto tiempo se abría una pequeña ventana, pero enseguida volvía a cerrarse.

–Haré un esfuerzo, Katy. Veré de nuevo al doctor y seguiré sus consejos… Lo prometo.

–Es un comienzo –contesté, con rotundidad.

–Vamos a hornear unos bollos –sugirió, con un entusiasmo algo exagerado.

Asentí con la cabeza e intenté mostrarme animada. Me acerqué para acariciar a *Gemma,* nuestra gata de color mermelada de naranja, que estaba durmiendo en su cesta. Las uñas de una de sus patas delanteras rozaron mi mano y luego se retrajeron. Yo sabía lo que eso significaba. *Gemma* me hacía saber que ella estaba al mando y que, si le apetecía, me arañaría sin remordimientos porque no tenía conciencia. Con total desdén, abrió sus hermosos ojos acuosos, me dirigió una fiera mirada y los cerró de nuevo. Tragué saliva, e intenté no recordar otro par de ojos verdes que podían resultar igual de inquietantes.

Mamá regresó de la cocina con el paquete de bollos y clavó uno con un viejo tenedor para tostar. El olor a pan quemado invadió la estancia. Me sentía cerca de ella, aunque esa sensación estaba teñida de frustración. Había insinuado miedo, remordimientos y nubes negras que la oprimían, pero no se había explicado. Una parte de mí siempre temía que su depresión fuese genética y que yo fuera a terminar viendo el mundo a través de los ojos de mi madre.

Tenía razón en un punto, no obstante. Debía confiar en Merlin y tomarme de otra forma el asunto de Genevieve. Merlin pensaba que teníamos mucho en común, y tal vez estuviese en lo cierto.

Mientras comíamos, ambas con las barbillas embadurnadas de mantequilla caliente, mamá hablaba y yo me preguntaba qué habría sucedido en su pasado para que hubiera dejado de vivir.

El sueño continuó acechándome. Algunas partes me resultaban ya familiares, pero otras cambiaban. Esa noche me vi obligada a subir el interminable tramo de escaleras, pero cuando por fin llegué arriba, Genevieve no estaba y la busqué desesperadamente, preguntándome dónde podría haberse escondido. Me acerqué al tocador y su rostro estaba dentro del espejo, con sus ojos agrandados observándolo todo. Me llamó con señas y fui incapaz de resistirme. Cuando mis dedos tocaron el cristal, este se hizo líquido y en él aparecieron ondas que iban extendiéndose hacia arriba. Estaba siendo absorbida hacia el interior de un estanque oscuro y profundo. Grité para pedir ayuda a Genevieve, pero ella se limitó a observarme fascinada. Solo sonrió cuando la última burbuja de aire salió de mi boca.

8

Decisión número uno: Genevieve merecía otra oportunidad, y yo me podía permitir ser generosa. Decisión número dos: me aseguraría de mantener mis celos bajo control. Decisión número tres: Merlin era increíblemente especial y nada iba a echar lo nuestro a perder.

Pensaba en todo lo anterior mientras me dirigía, resuelta, a la escuela el lunes por la mañana. Los celos eran un sentimiento destructivo y tenía que superarlos. Aceleré el ritmo de mis pasos al ver a Nat y a Hannah esperando en el semáforo que había en la esquina de la calle. El viento soplaba con fuerza y Hannah sujetaba con desesperación su falda acampanada, lo cual me hizo reír. Saludé con una sonrisa a Nat, aguardando sus bromas sobre Merlin, pero, por alguna razón que se me escapaba, daba la impresión de estar concentrada en un bolardo de cemento y apenas me miró. Cuando lo hizo, parecía avergonzada.

–Hay algo que tienes que saber…

Esperé a que comenzase, percibiendo que algo iba mal.

–No… no lo hicimos a propósito –balbuceó–. Cuando te fuiste con Merlin, ella se nos acercó y se puso a hablar. Acabamos enseñándole el colegio.

–Resultaba embarazoso –continuó Hannah–. No podíamos deshacernos de ella, y encima no paraba de decir lo horrible que resultaba no conocer a nadie y no tener con quién almorzar.

No fue necesario que les preguntase de quién estaban hablando; era obvio.

–O sea, que Genevieve se ha invitado a sí misma a almorzar con nosotras.

Ambas asintieron. Subimos juntas las escaleras y nos metimos en los aseos para que nadie nos escuchara.

–Habría sido de mala educación decirle que no –se disculpó Hannah–. Pero sabemos que tú la consideras una… bruja.

Me apoyé contra un lavabo e intenté controlarme. En cierto modo, me había imaginado invitando en un gesto magnánimo a Genevieve a que se uniera a nosotras de vez en cuando, pero no se me había ocurrido que sucedería al revés. Aquello parecía juego sucio. Había esperado a que me hubiera ido para aproximarse a Hannah y a Nat. Su presencia allí me golpeó de nuevo. Había conseguido una plaza en la misma escuela a la que yo iba, había elegido las mismas asignaturas, la madre de Merlin la adoraba, y ahora su objetivo se centraba en mis mejores amigas.

–¿Os preguntó? –dije, con curiosidad–. ¿Se presentó ante vosotras esperando que le enseñáseis todo?

Otra vez, las dos asintieron.

–Suena un poco paranoico –admití–, pero parece que esa chica está… invadiendo mi vida.

–Esto resulta verdaderamente incómodo para nosotras, Katy. Tú eres nuestra amiga, y estamos atrapadas en el medio. –La voz de Hannah mostró una clara indicación de reproche.

Nat empezó a arreglarse el peinado frente al espejo, pero solo lo hacía para distraerse, porque, como siempre, su pelo parecía un nido de pájaros.

–Ella sabe que no te gusta…

–¿Qué? –exploté–. No he dicho nada para que ella pueda pensar eso.

Hannah rebuscó en su bolsa de aseo y se aplicó una nueva capa de rímel a sus gruesas pestañas. Ambas estaban tan calladas que supe que la situación no iba bien. Me mordí el labio con tanta fuerza que percibí el sabor de la sangre.

Nat se aclaró la garganta con nerviosismo.

–Le pareció que te mostrabas un poco hostil y le preocupaba haber hecho algo mal. Quiere solucionarlo.

Noté una punzada de dolor entre los ojos y me pasé la mano por la frente. Genevieve no se equivocaba. Yo no había hecho nada por que se sintiera a gusto, y sin duda había percibido mi antipatía hacia ella.

–¿Qué le dijiste? –me preguntó Hannah a media voz.

Paseé de un lado a otro, haciendo con mis zapatos un sonido hueco y espectral.

–Estaba un poco… enfadada por su aspecto –confesé por fin–. ¿Os fijasteis en cuánto había cambiado?

Hannah se encogió de hombros.

–Bueno, sí. Pero ¿y qué? Todo el mundo cambia de aspecto de vez en cuando y…

–Llevaba puesta mi chaqueta –le interrumpí–. La que yo diseñé, cosí a mano y bordé.

–Pero, Katy –replicó lentamente Nat–, Genevieve acababa de llegar. No pudo haber copiado tu chaqueta en tan poco tiempo.

Me quedé muda al darme cuenta de que Nat tenía razón. Me había pasado todas las vacaciones de verano trabajando meticulosamente en la chaqueta. Nadie podría haberla reproducido tan rápido. Miré a mis amigas, mortificada. Tenía que dejarles claro que no tenía ningún problema con Genevieve. Traté de respirar más despacio y de mostrarme despreocupada y razonable.

–Mirad, os demostraré que no tengo nada en su contra. Que venga a almorzar con nosotras y haré que se sienta bienvenida.

El semblante de Hannah se iluminó de alivio.

–Cambiarás de opinión cuando pases un rato con ella. En realidad, es una chica maja.

–Considerando por todo lo que ha pasado –añadió Nat, con tono compasivo.

O sea, que Genevieve también les había contado la historia de su vida. En lugar de guardarlo en secreto, quería que todo el mundo conociera su trágico pasado. Intenté hablar con normalidad, pero sentía la boca como si la tuviera llena de limones.

–Ya me conozco la lacrimógena historia de la huerfanita… Se la contó a Merlin, y probablemente se la habrá contado también a la escuela entera.

Asombradas, las dos se quedaron en silencio hasta que Nat consiguió graznar:

–Katy… hablas con rencor.

–Lo siento –me ruboricé–, no quiero parecer despreciable, pero… Es como si sacase lo peor de mí. –Admitir algo tan horrible hizo que me sintiera avergonzada de nuevo. Sonreí débilmente–. Perdón otra vez. No nos peleemos por Genevieve. Somos las tres mosqueteras, ¿recordáis?

Nos dirigimos hacia nuestras respectivas clases e hice como si no oyera el suave inciso de Hannah.

–Técnicamente, había cuatro mosqueteros –dijo.

Intentar escapar de Genevieve era como tratar de huir de un incendio descontrolado. Convertida en un remolino de color y movimiento, llegó sin aliento cuando la clase ya había comenzado y la profesora de Lengua, siempre severa, únicamente le dedicó una sonrisa afable. Respiré aliviada al ver que se sentaba en el extremo opuesto del aula, pero aun así daba igual hacia donde me girase, porque ella acababa entrando en mi campo de visión. Ansiaba un poco de silencio, para aplacar la punzada de dolor que había empezado a sentir detrás de mi ojo izquierdo, pero ella se lanzaba a contestar prácticamente todas las preguntas, con lo que logró ganarse a la señora Hudson en una sola clase. Su voz me crispaba los nervios. Poco a poco fue filtrándose en mi cerebro la horrible certeza de que Genevieve no solo era más guapa, extrovertida y segura de sí misma que yo, sino también que me superaba sin esfuerzo en todas las materias que a mí me encantaban. Empecé a sentirme físicamente enferma. Después de veinte minutos mi vista se nubló y en el interior de mi cabeza relampaguearon luces sin parar. Temblando, me levanté, murmuré una disculpa y me dirigí a los aseos.

Inclinarme sobre el lavabo y mojarme la cara hizo que me sintiera algo mejor. Cuando me incorporé, estuve a punto de lanzar un grito de miedo al descubrir que Genevieve se hallaba exactamente detrás de mí; su rostro se reflejaba en el espejo igual que en mis sueños. Mi bolso cayó al suelo y todo su contenido se esparció por él, pero no tuve ánimos de agacharme para recogerlo. Fue Genevieve quien se arrodilló y devolvió todo a su sitio.

–Perdona, no pretendía asustarte, Katy. La señora Hudson estaba preocupada.

–Estoy bien –masculló–. Solo es dolor de cabeza y algo de mareo…

–¿Tienes náuseas? ¿Te duelen los ojos?

Asentí con un gruñido.

–Es una migraña. Yo también las tengo. El mejor remedio es tumbarse con una bolsa de hielo en una habitación a oscuras.

Me sobrevino otra oleada de náusea y me agaché para vomitar, pero en mi estómago no quedaba nada. Odiaba que alguien me viera así, pero no controlaba la situación.

–Deberías irte a casa –dijo Genevieve, dándome unos golpecitos en el hombro y quitándome unos cuantos pelos que se me habían caído en la chaqueta–. Se lo diré a la señora Hudson.

Me rodeó con su brazo por la cintura y me ayudó a llegar a la puerta, donde me preguntó si quería que llamara un taxi. Apreté los ojos con fuerza y sentí unos remordimientos enormes al ver lo amablemente que se estaba comportando.

–Estaré bien –le aseguré, pero mis piernas parecían haberse convertido en gelatina y tuve que sentarme.

Me llevó a la silla más cercana, situada enfrente de la oficina de recepción, y entró para encargar el taxi.

–Esperaré aquí contigo, no vaya a ser que te desmayes –dijo, con un tono que dejaba claro que no admitiría réplica alguna.

–Gracias por preocuparte por mí –respondí, agradecida.

–No hay problema.

Decidí intentar arreglar las cosas entre nosotras.

–Siento si te hice sentir que no eras bienvenida. Merlin piensa que tú y yo tenemos mucho en común… –dije.

Se volvió hacia mí y de nuevo me sobrecogió el color de sus ojos, pues parecía reaccionar ante la luz, sus pupilas pasaban de ser esferas brillantes a rendijas minúsculas. Su semblante resultaba cautivadoramente sereno, y su voz casi balsámica.

–Eso es parte del problema que hay entre tú y yo, Katy… que somos iguales.

–¿Ah, sí?

–Desde luego. No hay sitio suficiente…

–¿Sitio para qué?

–No hay sitio para las dos; tienes que darte cuenta de ello. Y yo quiero quedarme aquí.

Aquello era surrealista. Genevieve me decía algo tan horrible y, sin embargo, su sonrisa triunfal, como la del gato de Cheshire[3], no desaparecía en ningún momento de su cara. Sentí una nueva arcada.

–No sé qué quieres decir, y no quiero prestarme a juegos patéticos. Solo diles a Nat y a Hannah lo que ha pasado para que sepan por qué no puedo almorzar con ellas.

---

* Personaje de *Alicia en el País de las Maravillas*. (*N. del T.*)

–Ellas ni siquiera son tus amigas de verdad… tú solo eres alguien que no formaba parte de su plan original… no intimas con la gente… eres Katy, la aburrida y delicada Katy. Podrías desplegar tus alas y echar a volar, pero no sabes…

–¿Qué diablos…?

Su tono cambió bruscamente y me impactó la maldad que había en él:

–Yo soy todo lo que tú no eres, y voy a adueñarme de tu vida.

Se oyó el claxon de un coche y me levanté para irme. Noté un movimiento a mi espalda y lancé el brazo hacia atrás para evitar que intentara cogerme, pero entonces mi mano tocó carne blanda. Oí un chillido de dolor y miré hacia atrás una sola vez, ya en el taxi, para ver las caras de espanto de Nat y Hannah, que consolaban a Genevieve, convertida ahora en una figura llorosa.

9

Luke salía de su coche al mismo tiempo que el taxi se marchaba, pero traté de meterme en casa sin que me viera.

–¿Se te comió la lengua el gato? –me gritó.

Los músculos de mi cara rehusaron esbozar una sonrisa. La expresión que había en la suya mostraba tal simpatía que, sin ser consciente de que iba a ocurrir, rompí a llorar en enormes sollozos que provocaron que todo mi cuerpo se convulsionara. En cuestión de segundos, me encontraba en la cocina de la casa de Luke, sentada ante su gran mesa de roble y contemplando una taza de té dulce.

–Llegarás tarde al trabajo –dije, con un gemido.

Comprobó la hora en su móvil y respondió:

–He de estar en el juzgado dentro de una hora, pero tengo tiempo para una pequeña charla. Cuéntame qué pasa. Tienes una pinta horrible.

–Me han enviado a casa por una migraña. No es nada.

–Kat Rivers, siempre has sido una mentirosa nefasta. Dime la verdad. Si es por ese novio tuyo, le…

–No es él –insistí, e hice un mohín ante la excesiva dulzura del té–. Solo es que estoy teniendo problemas con una chica de la escuela.

–Dispara.

Luke sabía escuchar. Le conté lo que había ocurrido y no me interrumpió una sola vez ni defendió a Genevieve, como había hecho mamá, con advertencias acerca del monstruo de ojos verdes o de que yo tenía buena parte de la culpa. Saltaba a la vista que me creía sin reservas, así que cerré los ojos agradecida, porque en aquel momento aquello significaba todo para mí.

–¿Crees que hay gente que puede hacer que te ocurran cosas? –pregunté, titubeando–. Cosas… horribles.

Luke frunció los labios.

–Creo que si eres susceptible y crees que te han echado una maldición… entonces puede que te sucedan cosas negativas, como en una especie de predicción autocumplida. Pero es solo porque tu mente espera que esas cosas acontezcan.

–El colgante de cristal que me dio –dije– me está asustando de verdad. Parece que cambia de color y que brilla.

–¿Como si atrapase la luz?

–Quizá –respondí, no muy segura.

Luke meneó la cabeza, exasperado.

–Nunca podré curarte esa obsesión con cualquier cosa vagamente mágica, ¿verdad? Desde que tenías seis años he tenido que llevarte de casa en casa haciendo lo de truco o trato la noche de Halloween… ¡Al principio tenía incluso que cargar con tu palo de escoba!

Reí y lloré a la vez, y mi nariz empezó a moquear horriblemente. Luke me tendió un pañuelo de papel.

–A mí no puedes asustarme –bromeó–. Puedes echarme un mal de ojo, hacer que la leche se agríe o que tu gato me haga tropezar.

–Genevieve es la que echa mal de ojo –dije, sorbiéndome la nariz–. Desde que apareció, todo me ha ido mal. En mi bolso aparecieron misteriosamente unos cigarrillos y mamá cree que fumo a escondidas por culpa de Merlin. Después Merlin y yo tuvimos nuestra primera discusión porque yo no me compadecía ante la trágica vida de Genevieve; y ahora Hannah y Nat piensan que estoy celosa... de la pobre Genevieve, que le guardo rencor y que soy incapaz de perdonarla.

–Luego se puso a mover su brazo en círculos, como si removiera un caldero, y soltó lo que resultó un frágil intento de risa horripilante...

Permanecí impasible.

–Muy gracioso. Debería haber seguido mi instinto. Sabía que había algo siniestro en ella.

–Simplemente sabe cómo afectarte, Kat. Probablemente ha descubierto que te tragas los cuentos sobre viejas horrendas con sombreros puntiagudos y narices grandes.

Dibujé una débil sonrisa.

–Si me atacase con un cuchillo, entonces podría saber a qué atenerme.

–No digas eso. ¿No irás a dejarle que continúe con esto?

–No puedo detenerla –afirmé con seriedad–. Es demasiado fuerte.

Luke rellenó su taza con la cafetera que había sobre la cocina, frunciendo el ceño en un gesto de concentración. Paseé la mirada por la estancia, admirando las superficies blancas que reflejaban la luz, inundándolo todo, y todos los aparatos de acero inoxidable, perfectamente limpios, e intenté olvidar la decoración de nuestra propia cocina. Mamá había decidido mantener los muebles de madera de pino de los años setenta, y una vieja cocina color marrón que probablemente no querría ni el chatarrero.

Cuando Luke volvió a hablar, pude oler el café en su aliento.

–Pero esa es la cuestión, ¿no? –dijo–. Esa chica, Genevieve, parece conocer todos tus puntos débiles, casi como si…

–Como si significásemos algo la una para la otra –terminé su frase–. Excepto que no la había visto en mi vida hasta hace unas cuantas semanas.

La madre de Luke saludó gritando desde la puerta principal. Llegó a la cocina y me dio un abrazo, hablando sin parar mientras colocaba todo lo que había comprado. Vi que, a espaldas de ella, Luke señalaba la puerta.

–Mamá, estoy echándole una mano a Kat con… un trabajo de Lengua, así que tenemos que irnos arriba para usar mi ordenador. Menos mal que no eres una chica normal –me dijo después en broma, al tiempo que subía las escaleras de dos en dos–. A mi madre no le gusta que me lleve a Laura a mi habitación.

No me molestó el comentario de «chica normal»; a mis ojos, él seguía siendo un chico desaliñado, con su mechón de pelo rubio, que hacía maquetas de aviones y pintaba soldados de plástico. Laura y Luke salían desde hacía casi tres años, pero su madre aún los trataba como si fueran adolescentes que necesitasen vigilancia. Me esforcé en aparentar estar impresionada por su dormitorio, pues la moqueta raída había sido sustituida por una tarima de madera y el antiguo armario de pino, por módulos correderos empotrados. Ahora había una cama doble con cabezal de cuero, y las paredes eran lisas y totalmente blancas, sin un solo póster a la vista; pero seguía habiendo calcetines sucios por el suelo, el escritorio estaba cubierto de papeles, y todavía olía como cuando tenía catorce años.

Luke cogió un rotulador fluorescente y se colocó delante de la pizarra blanca que colgaba de una de las paredes. Un escalofrío me recorrió de arriba abajo, porque parecía que estuviéramos en una película de detectives. Él carraspeó, dándose importancia.

–Mira, en una ocasión escribí un artículo sobre acoso y me quedé con algo de la parte psicológica. Voy a exponer algunas de las posibilidades.

–Vale.

–La primera posibilidad es que tú tengas algo que ella quiere, lo cual te convierte en una amenaza.

–Lo quiere todo –repuse, con un suspiro.

Luke empezó a escribir.

–También siente el deseo de hacerte sufrir. Una venganza irracional pero muy enfocada.

–Eso seguro –convine, sombríamente.

–¿Qué puede tener en contra de ti?

–Nada –gimoteé–. No le he hecho nada aparte de… devolverle la mirada.

–¿Devolverle la mirada?

Al recordar aquel día, pude sentir de nuevo el sol en mi rostro y sus ojos atravesándome.

–Yo estaba en el autobús y ella iba en otro, y me miró fijamente… muy fijamente. Todo comenzó en ese momento.

—¡No me irás a decir que todo esto viene de que viste una cara en una ventanilla!

—¡Sí!

Luke se rascó la barbilla.

—Mmm… Se ha tomado la molestia de reunir información sobre ti, lo cual, obviamente, demuestra lo importante que es para ella. Eso le da ventaja y te hace a ti vulnerable. Prueba que su campaña está cuidadosamente planificada, que se ha tomado su tiempo y ha realizado un gran esfuerzo.

—Queda claro que no tiene mucha vida social —refunfuñé, con sarcasmo.

—En casos de acoso hay un elemento de poder. El acosador quiere sentir que te controla.

—Y de manipulación, está jugando conmigo.

—Muy bien —aplaudió Luke, y yo me sentí absurdamente complacida. Con una serie de flechas, hizo converger todos los puntos en un círculo—. Todo esto me lleva de vuelta a mi idea de que ella, Genevieve, te conoce de algo y…

—Imposible —lo interrumpí.

—O te ha elegido como objetivo por algo que cree que ha ocurrido entre vosotras, un caso de identidad errónea —prosiguió.

—No puede haberme confundido con otra persona —dije, despacio—. Sabe demasiadas cosas sobre mí.

Se sentó detrás de su escritorio, cogió un pisapapeles de cristal y le dio vueltas en la mano.

—Puede que se lo haya imaginado todo en su cabecita y que la tenga tomada contigo sin ningún motivo.

–Eso suena mal –respondí–. Porque si lo tiene clavado en la mente, por mucho que se lo niegue no cambiará, y no podré razonar con ella.

–¿Quieres mi consejo, Kat?

–Por supuesto que sí.

–Mientras esto continúe, tienes que ser valiente y aceptar todo lo que ella te tire encima. No muestres ninguna emoción, porque lo que busca es causar el máximo impacto.

Puse una mueca.

–O sea, ¿simplemente aceptarlo?, ¿los insultos y todo lo que me haga?

–Juega a tu juego y sé razonable, tranquila y educada. Eso la enfurecerá.

Medité sobre aquello durante un momento.

–Supongo que sí. Ella quiere herirme... y yo he de fingir que no lo consigue.

–Y prométeme que no te vas a obsesionar con la estupidez de la brujería. Si logra hacerte creer que posee poderes inexplicables, nunca intentarás detenerla. Esa chica es real, malvada pero real, y la derrotaremos con lógica y astucia, pero con nada más.

–Lógica y astucia –repetí.

Luke me dedicó el gesto del pulgar hacia arriba.

–Y aquí viene la mejor parte: ella sabe cosas de ti, pero tú de ella nada, así que ahora es nuestro turno.

–¿Qué has planeado?

Se dio un golpecito en un lado de la nariz.

–Un periodista nunca revela sus fuentes, pero ya te dije que siempre estaría disponible para echarte un cable.

Esbocé una sonrisa de arrepentimiento. Cuando él tenía quince años y yo once, consiguió que dejase de sentirme intimidada por otros chicos con la promesa de que siempre podría recurrir a él, una promesa de la que no se había olvidado.

–Lo extraño de todo esto, Luke… es que no soy el tipo de chica a la que las otras envidian. Soy muy normal.

–No te infravalores –repuso, de un modo casual–. Yo creo que sí eres especial.

La sorpresa ante aquel cumplido me hizo abrir los ojos desorbitadamente, pero, de inmediato, él se llevó un dedo a la boca y emitió un sonido, como para pedirme que mantuviera el secreto.

–Sin embargo –continué–, Genevieve podría iluminar una habitación entera. Posee ese algo… carisma, seguridad, magnetismo, lo que sea, pero a toneladas.

Luke me tomó la mano para que me calmase. Sus manos eran cálidas y reconfortantes, aunque sorprendentemente ásperas.

–Papá me lió para que le ayudase a hacer unos arreglos en la casa –explicó, examinándose las palmas–. Y es un auténtico esclavista.

Yo no quería irme, pero él cogió las llaves de su coche y las agitó con impaciencia. Me puse en pie con cuidado y me agarré a una silla, porque me parecía que la habitación seguía estando ligeramente ladeada.

–¿Qué hay de Laura? –pregunté, preocupada–. Acaba de abrirte la puerta de su casa y ahora te lanzas a una absurda cacería por mi causa.

–Lo comprenderá… Estoy seguro de que lo hará. Ve con cuidado, Kat.

Regresé a casa sintiéndome mejor y más calmada. Luke me había ayudado a ver que había una forma de salir de todo aquel asunto. Iba a luchar por lo que era mío y no volvería a caer otra vez en la trampa. Me tomé unas pastillas para la migraña y fui a mi cuarto. Estar sola era tranquilizador. Quería trabajar en algunos diseños, pero la cabeza aún me dolía, así que me senté para mirar por la ventana. Mi escritorio estaba colocado a propósito para que diera al jardín, que no era más que una pequeña parcela de césped descuidado salpicada de matojos, pero aun así me servía de inspiración. Las nubes parecían deshilachadas y borrosas, semejando restos de un naufragio que flotasen en el agua; y un avión había dejado en el cielo una estela que parecía dos lanzas entrecruzadas.

Me hallaba absorta en aquella figura cuando la habitación se oscureció de repente y un pájaro apareció de la nada, se posó en el alféizar y me miró fijamente. Parecía un cuervo: negro azabache, de una envergadura enorme y ojos saltones y amarillos. Picoteó el cristal durante unos segundos y a continuación pareció que se desplomaba. Corrí escaleras abajo para comprobar si estaba herido, y para evitar que acabara siendo víctima de las zarpas de *Gemma,* pero lo único que quedaba de él era una gran pluma negra de su cola tirada en el patio. La recogí y la acaricié con mis dedos. Su textura aceitosa me produjo un escalofrío, así que la tiré al cubo de la basura. Llevada por un impulso, volví arriba para coger el colgante y también lo tiré, preguntándome por qué no lo habría hecho antes.

Mi estado de ánimo se desplomó de nuevo cuando registré mi bolso y descubrí que mi llavero había desaparecido. En él llevaba mi primera fotografía de Merlin,

lo que lo convertía en mi posesión más preciada. Definitivamente, no se había quedado en el suelo cuando todo
el contenido del bolso se me había caído en la escuela,
por lo que supuse que Genevieve me lo habría robado y
que lo habría hecho por alguna razón.

Mamá y yo pasamos una tarde tristona, viendo juntas
la televisión. A la hora de irme a la cama, caí en la cuenta
de que nadie había llamado, siquiera, para preguntar cómo
me encontraba.

10

Hasta la hora del almuerzo no vi a Hannah y a Nat. Me deslicé con sigilo hasta su mesa en la cafetería, con los ojos todavía enrojecidos e inyectados en sangre por lo del día anterior. Mi actuación merecía un Oscar.

–¿Me dejáis que me explique? –empecé, al tiempo que apartaba una silla para sentarme. Ambas parecían incómodas, confundidas y un tanto frías. Mi voz se quebró, lo cual no era parte del disfraz, pues estaba realmente nerviosa–. Yo… debería haberos contado lo mal que están las cosas en mi casa. Últimamente no lo llevo muy bien y eso me ha puesto de un humor muy malo y un poco raro. –La primera lágrima resbaló por mi mejilla y cayó sobre la mesa de plástico. Muchas más la siguieron hasta que me froté los ojos con la mano.

La reacción fue inmediata. Las dos se acercaron y me rodearon con sus brazos.

–¿Por qué no nos lo dijiste? –preguntó Hannah–. Podríamos haberte echado una mano.

–Sabíamos que estabas estresada –añadió Nat–. Tienes que soportar mucho; al final tenía que afectarte de algún modo.

El abrazo en grupo duró varios minutos hasta que me liberé.

–Mamá va a recibir ayuda, hablará con gente y tendrá asistencia psicológica.

Nat me dio golpecitos en el brazo hasta hacerme daño.

–Eso es genial. Voy a comprarte un café doble con leche y espolvoreado de chocolate para celebrarlo.

–No os merezco –gemí todavía un poco más–. Gracias por ser tan comprensivas.

–Para eso están las amigas –declaró Hannah, justo en el momento en que Genevieve entraba por la puerta. Nuestras miradas se cruzaron y el tiempo se detuvo. Ella trató de mantener bajo control la expresión de su rostro al vernos a las tres contentas y felices, pero fracasó. Vi cómo la rabia y la incredulidad libraban una batalla en su interior. Avanzó hacia nosotras, intentando esbozar una sonrisa que se quedó en una mueca de disgusto.

Había llegado el momento de robarle la escena. Me levanté, sequé mis lágrimas y caminé hacia ella. Mis brazos envolvieron su cuerpo delgado e inmediatamente retrocedió, pero la retuve, gozando con su disgusto. Estábamos enlazadas en un extraño abrazo simbiótico que casi me hizo creer que parte de su sangre circulaba por mis venas. Levanté a propósito la voz para que todo el mundo pudiera oírme:

–Lamento si te hice sentir que no eras bienvenida. No suelo comportarme así. Es que he tenido problemas en casa.

–No te preocupes –murmuró con un tono descortés–. En realidad no me molestó.

–No. Fue desagradable por mi parte. ¿Me perdonas?

–Sí. Por supuesto –respondió inexpresiva.

–¿Y somos amigas?

La solté y dio un respingo como si estuviera herida. Nat se había girado un instante, tenía su monedero abierto y le estaba pidiendo algo de cambio a Hannah. Genevieve aprovechó que ambas se encontraban distraídas.

–Por encima de mi cadáver –susurró, con malicia.

Eché la cabeza hacia atrás y me reí a carcajada limpia.

–¡Genevieve! ¡Qué sentido del humor!

No esperaba aquella reacción, por lo que su rostro enrojeció, provocándome una gran sensación de poder. Había encontrado una fisura en su armadura y estaba decidida a no aflojar las riendas. Durante toda la hora siguiente me reí, giré a un lado y a otro en mi silla y hablé por los codos para demostrar lo bien que me sentía. Me aseguré de incluir a Genevieve en todas las conversaciones y la nombré continuamente, llegando incluso a abreviarlo y llamarla «Gen». Sus ojos verdes dejaban claro su disgusto. Las malas vibraciones entre nosotras eran tan fuertes que me parecía que todos los que estaban a nuestro alrededor podrían sentirlas, pero cuando miré a Nat y a Hannah me di cuenta de que no era así.

Después de un rato, algo muy extraño empezó a suceder. Genevieve comenzó a encorvarse ante mis ojos, como si fuera una flor que se estuviera marchitando. Cuanto más actuaba yo, cuanto más hablaba y más fingía que no me molestaba, más se debilitaba, como si mantuviéramos un tira y afloja y yo fuese ganando. Parpadeé, dudando de si mi vista me estaría engañando. Sus ojos se habían vuelto opacos, cada vez habló menos hasta que lo hizo solo con monosílabos, e incluso su pelo pareció perder lustre. Ahora era ella la invisible, mientras que yo resplandecía.

Después del almuerzo, Nat y Hannah se fueron a clase, y Genevieve y yo nos quedamos a solas. Una parte de mí disfrutaba de verdad con aquello, pero traté de evitar que la sonrisa me ocupase la cara entera.

–¿Te crees muy astuta? –dijo.

–No, no lo creo.

–Sea lo que sea lo que pretendes, no funcionará…

–Tú eres la que se dedica a jugar.

Se movió para aproximarse y sus ojos parecieron querer hipnotizarme.

–No me subestimes. No se trata de un juego.

Le hice frente, enderezando mi espalda y levantando la barbilla:

–Está claro que deseas llamar la atención y no te importa cómo conseguirlo.

–No practiques tu psicología de aficionada conmigo –me amenazó–. No sabes con qué estás tratando.

Simulé un escalofrío y repuse:

–¡Ooh, me estás asustando! –Ella no movió ni un músculo, y mantuvo la mirada sin pestañear durante una eternidad de tiempo. Al final tuve que mirar a otro lado–. No me desagradas, Genevieve, y no te guardo ningún rencor.

–Obviamente, Katy, se ve que no me estoy esforzando lo bastante. Cuando esto haya terminado, me detestarás tanto que querrás…

Dejó la frase inacabada y le respondí con la más benévola de mis sonrisas, recordando el consejo de Luke de mantener la calma.

–No somos iguales. Yo no me siento así. Si quieres saberlo, lo lamento por ti… todo ese odio debe de estar devorándote por dentro.

Me miró con desprecio un instante y se alejó, colocándose la correa de su bolso al hombro.

–Te equivocas –respondió con soltura–. Es lo que me mantiene viva y lo que me hace fuerte.

Camino de la salida, me tropecé con Merlin, que se giró, retrocedió unos pasos y me miró de arriba abajo.

–Hay algo distinto en ti.

–¿Ah, sí? –bromeé. No hacía falta que me mirase en un espejo, podía sentir mi piel resplandeciente y mi cabello rebosante de salud debido a mi victoria.

–Estás maravillosa. No, quiero decir, siempre estás maravillosa, pero hoy en especial. Tus ojos son... increíblemente luminosos. –Se inclinó hacia mí y pasó sus dedos por mis rizos–. Cuando el retrato esté acabado, quiero que refleje tu rostro tal y como es ahora, en este preciso instante.

Le cogí de la mano y tiré de él hacia el hueco de una puerta, sin importarme si el director de la escuela pasaba por allí y nos suspendía por comportamiento inapropiado. Mis mejillas ardían con sus cálidos besos. ¿Cómo podía haber siquiera pensado que Genevieve lo apartaría de mí?

–Katy, nos vamos ahora mismo –suspiró–. Nos escaparemos juntos a alguna parte, a cualquier parte...

–No puedo. Ya me ha visto la señorita Clegg.

–Dile que te has puesto enferma.

–No puedo permitirme perder ninguna clase.

–Entonces después de la escuela.

–Le prometí a mi madre que iría directa a casa.

Soltó un suspiro de decepción.

–Siempre tienes prisa por irte y te pasas la vida preocupada por tu madre.

Me alcé de puntillas y le cogí la cara con ambas manos.

—Estaremos juntos... pronto.

—¿Me lo prometes? —inquirió, con los ojos cerrados.

—Prometido.

—Katy Rivers... eres absolutamente maravillosa —dijo, y pegó sus labios a los míos.

—Si alguna vez oyeses algo horrible sobre mí, ¿lo creerías? —pregunté, sin aliento, cuando por fin nos separamos.

—Nunca. ¿Por qué habría de hacerlo?

Una punzada de terror me invadió.

—Alguien podría hacer o decir cosas que me hagan parecer muy mala.

—Eso no cambiaría lo que yo pienso de ti.

—¿De verdad? —le pregunté, con una sonrisa.

—De verdad. —Me devolvió la sonrisa y me dio un beso en la punta de la nariz.

Entré sin hacer ruido en mi siguiente clase, guardando con celo el recuerdo de cada caricia y cada palabra que habíamos compartido. Él veía a la verdadera Katy. Nat y Hannah podrían dudar, pero Genevieve nunca lograría poner a Merlin en mi contra con su veneno. Me quedé ensimismada, reviviéndolo todo otra vez en mi cabeza y sintiendo por todo mi cuerpo deliciosos pinchazos de excitación. Pero no duró mucho. Volví a poner los pies en la tierra con un miedo inesperado al recordar mi promesa y darme cuenta de lo que había accedido a hacer. Necesitaba consejo, y rápido.

11

Hannah abrió la puerta de su dormitorio con el pie, y descargó todo lo que llevaba en sus brazos sobre la cama.

–Películas románticas en DVD, palomitas, magdalenas, revistas, batidos, nubes, Nocilla, esmalte de uñas, planchas para el pelo, bolsa de maquillaje... Has tenido una gran idea, Katy.

Nat estaba recostada en la almohada, leyendo. Abrió la bolsa de palomitas y comenzó a masticar ruidosamente.

–Llevábamos una eternidad sin celebrar una fiesta.

Hannah se puso a girar con su *hula hoop* de modo salvaje. Incluso con un chándal que le quedaba suelto, sin maquillaje y con el pelo estirado hacia atrás, su aspecto seguía siendo estupendo.

–¿Qué hacemos primero, Katy? ¿Película o peinado? ¿A quién le apetece un cardado tipo colmena?

–En realidad –musité–, solo quería charlar. Sobre... cosas.

Inmediatamente, Nat cerró su revista y se arrastró hacia mí.

–Esto es serio.

–No, no, no lo es –protesté, con voz débil–. Pero algunas cosas son un poco... personales y necesitan una mayor privacidad.

Los ojos de Hannah parecían enormes en su delicado rostro. Dejó caer el *hula hoop* y se nos unió en la cama, conmigo entre las dos. Me recosté, manteniendo los pies en contacto con el suelo, y miré fijamente la lámpara rosa, dudando si estaba preparada para hablar claro. La habitación era muy bonita, decorada con un estilo *shabby chic** y con las paredes pintadas del color azulado de los huevos de pato, un dosel sobre su cama y una serie de fotografías ampliadas de su última visita a París, todas ellas mostrando a Hannah en lugares famosos de la ciudad.

–¿Qué has hecho? –preguntó Nat, directa al grano.

Respiré profundamente.

–Mmm… Algo que va un poco en contra de mi carácter.

Hannah estiró sus brazos y le tapó los oídos a Nat.

–No debería escuchar esto, desde que tenía once años quería ser monja.

Nat soltó un bufido.

–No es verdad –repuso.

–Viste *Sonrisas y lágrimas* y empezaste a ponerte velo y a llamarte a ti misma «hermana Natalie».

Nat le lanzó su zapatilla, pero erró el tiro.

–Cierra el pico y deja que Katy continúe.

Me eché a reír y pasó un buen rato antes de que fuera capaz de hablar de nuevo.

–Bueno… se trata de esto… Merlin me ha pedido que me vaya de acampada con él… una noche, y le he dicho que sí.

---

* Estilo en el que se actualizan los elementos antiguos en busca de una sensación de elegancia. *(N. del T.)*

Hannah se llevó las manos a la cara.

–¡Oh, hala, eso es alucinante!

–Es pronto –opinó Nat, en un tono completamente diferente.

–Sé que es pronto –respondí, a la defensiva–. Quiero decir, no llevamos mucho juntos, pero es como si le conociera desde siempre. Además, me ha dicho que quiso estar conmigo desde la primera vez que me vio, pero que le costó dar el primer paso.

–Se tomó su tiempo –convino Hannah.

–Pero ahora lo está recuperando –me ruboricé.

–Katy está enamoraaaaada –se burló Nat.

Hannah se sentó de rodillas, con la cara brillando por la emoción.

–¿Lo estás? –me preguntó.

Levanté las palmas de las manos delante de mí y dije:

–Creo que sí... pero nunca me había pasado antes, así que no estoy segura.

Me clavó una mirada inquisitiva.

–¿Síntomas?

–Bueno... tengo todo el tiempo mariposas en el estómago... palpitaciones, insomnio, sueños raros, fiebre, incapacidad para pensar... como si estuviera enferma.

–Estar enamorada es una enfermedad –explicó Hannah, como si hablara con conocimiento de causa–. Leí en alguna parte que un científico analizó todos los síntomas físicos y descubrió que eran los mismos que se tienen al estar temporalmente enfermo.

–Eso me ayuda –dije, con una sonrisa.

Nat concentró su mente matemática en el problema.

–Estadísticamente, la posibilidad de encontrar a tu alma gemela es de uno contra setecientos veinte millones.

–Eso es muy injusto –gritó Hannah–. ¿Qué puedes hacer para mejorar las posibilidades?

–No puedes hacer nada. Es algo completamente aleatorio.

–Eso lo hace todo más sorprendente –dije yo, sintiéndome como en un sueño–. Merlin y yo nos hallábamos en el lugar correcto y el momento justo para encontrarnos. Estaba escrito.

–Tienes que estar segura de lo que siente él –comentó Nat.

–Y lo estoy –me apresuré a responder, pero enseguida tuve que desdecirme levemente–: Bueno, casi segura. Merlin es maravilloso, pero a veces… es como si tuviera que luchar por conseguir su atención, porque puede ser tan… profundo y está tan preocupado.

–¿Estás segura de que no se hace el duro? –bromeó Nat. Removió un batido con la pajita y luego hizo un enorme ruido al sorber–. Queremos todos los detalles escabrosos.

Miré las caras de mis amigas alternativamente.

–Bueno… la casa de Merlin parece una estación de tren, con todos esos artistas rondando por ahí, y nosotros queremos estar a solas… eso es todo.

–¿Eso es todo?

–Sí, solo deseamos ver la puesta de sol y despertarnos el uno en brazos del otro.

Nat se puso a tocar un violín imaginario mientras que Hannah me acariciaba el cuello con las yemas de los dedos.

–¿De verdad eres tan pánfila? Para despertaros juntos, primero tenéis que dormir juntos.

–Es una tienda de campaña… Estaremos en sacos de dormir.

Me cogió de los hombros y me habló con una voz exageradamente baja, como si yo fuera una niña pequeña o tonta de remate.

–¿Te das cuenta de lo que has aceptado hacer, Katy? No será como ir de acampada con las *girl scouts*. Él tendrá otros planes.

Giró su cuerpo y rodó sobre sí misma, y movió las piernas en el aire, con carcajadas convulsivas. Enseguida me uní a ella, y sentí cómo la tensión de las últimas semanas me iba abandonando. La guasa duró una o dos horas más, intercalada con nubes untadas en crema de chocolate. Hablamos de todos los chicos con los que habíamos salido alguna vez, y de lo que habíamos hecho con toda exactitud, lo cual, en mi caso, no me llevó demasiado tiempo, pues no había pasado de unos cuantos burdos besos llenos de saliva.

–Hay algo más que tengo que confesar –empecé a decir, con la barbilla chorreando de chocolate–. No puedo hacer esto sola, necesito una coartada. ¿Puedo decir que voy a quedarme esa noche aquí?

Hannah se puso seria de pronto.

–Mis padres son geniales, pero odian que les mienta. Si lo descubrieran…

–Es solo una noche, así que no lo descubrirán. Ya he preparado el terreno en casa, he dicho que tus padres se van y que tú no quieres quedarte sola.

–¿Y si tu madre se encuentra con los míos por casualidad?

–Imposible. Apenas sale, y me llamaría al móvil si quisiera hablar conmigo.

–¿Te está presionando Merlin, Katy? –me preguntó Nat, con una nota de precaución en su voz.

–No, él no es así.

–Quizá ni siquiera te des cuenta de que lo está haciendo.

Sonreí con satisfacción, sin importarme lo repelente que podría resultar.

–No, esto parece, de algún modo, lo correcto.

Nat abrió el ordenador portátil de Hannah.

–Entonces, pongámoslo en Facebook. «Katy está enamoraaaada y está lista para…». –Hizo un pausa y miró a la pantalla. A cada segundo que pasaba, su cara palidecía más y más. Abrió la boca, pero no pronunció ni una sola palabra, y su labio inferior comenzó a temblar. Yo nunca la había visto así; era una situación horrible, como ser testigo de un accidente de coche que se produce a cámara lenta y sentirse a la vez incapaz de ayudar. Alzó sus ojos un instante y los posó en mí. No tenía ni idea de por qué, pero algo en su mirada me hizo sentir inmediatamente culpable. Miré a Hannah en busca de una explicación, pero ella se limitó a menear la cabeza, desconcertada. Finalmente, Nat emitió un sollozo ahogado y salió corriendo de la habitación, y Hannah fue tras ella. Oí que se cerraba la puerta del cuarto de aseo y el ruido repetido del pomo, mientras Hannah trataba de hablar con ella desde el pasillo. Yo me quedé sola, sentada en la cama, totalmente confundida.

Aunque era como fisgonear, la curiosidad me venció y volví el ordenador hacia mí para ver lo que Nat había visto. Mientras leía, fui encogiéndome poco a poco. En la página que Nat tenía en Facebook había una humillación a una escala que nunca había visto. Numerosos comentarios de gente de la escuela decían que Nat estaba enamorada de Adam, pero lo peor eran las rimas que pretendían ser hechizos de amor. Daba la impresión de que todo el mundo se había puesto de acuerdo y cada uno había escrito la suya: algunas resultaban bochornosas; otras, completamente despiadadas. No, aquello iba más allá de la humillación y, por supuesto, se propagaría; no era de extrañar que Nat estuviera tan afectada. Distraída, me fui comiendo el resto de las palomitas, mientras trataba de imaginarme cómo me sentiría en su lugar, e incapaz de pensar en nada que pudiera consolarla.

Finalmente, una figura desvaída y con los ojos hinchados emergió del cuarto de aseo. Avanzó hacia mí, se detuvo y pronunció cinco palabras:

—¿A quién se lo dijiste?

No me esperaba aquello en absoluto.

—A nadie —grité—. Desde luego que no lo hice. ¡No fui yo! No se lo diría nunca a nadie.

—Solo tú y yo sabíamos lo del hechizo de amor, Katy. Me lo sugeriste en la feria de artesanía.

Puse una mano sobre mi pecho a la altura del corazón.

—No se lo he mencionado ni a un alma, lo juro; ni tampoco fui yo quien lo llamó «hechizo de amor»… Lo hiciste tú. No lo entiendo. Adam ni siquiera va a la escuela, y casi nadie lo conoce allí.

Ahora las dos me miraban, y noté que una especie de sombra se interponía entre nosotras. Supe inmediatamente lo que eso significaba, dudaban de mí.

Nat intentó esbozar una frágil sonrisa.

–Si juras que no lo hiciste, te creo.

Incluso en aquella situación, se esforzaba por no enfadarse y trataba de confiar en mí. Nat era así, capaz de perdonar, y eso lo hacía mucho peor. Yo no había hecho nada malo, pero me sentía completamente culpable. Después de aquello, el buen rollo se desvaneció y tuve la necesidad de escapar. Abracé a Nat y regresé a mi casa. Eran solo las ocho de la tarde, así que le envié un mensaje de móvil a Luke mientras caminaba, con la esperanza de descargar en él parte de mi angustia. Me contestó enseguida: «Operación Genevieve. Puede que tenga algo que te interese. X.».

–Pareces uno de esos personajes de los dibujos animados con una nube de lluvia directamente sobre su cabeza –bromeó al ver mi expresión sombría cuando abrió la puerta.

Subí las escaleras tras él, con mi cuerpo encorvado y los pies pesados como el plomo. Me repantigué sobre su cama y le conté lo que había sucedido.

–Estoy segura de que Genevieve se encuentra involucrada –me quejé–, pero no tengo pruebas. Que me ataque a mí es una cosa, pero que le haga daño a Nat me parte el corazón. A este paso, me quedaré sin amigas.

Luke asintió, comprensivo.

–Lo sé, y por eso tienes que contraatacar. –Sacó una hoja de papel de su macuto y me la tendió–. No te animes más de la cuenta. Puede que sea algo, o puede que no.

Mis ojos recorrieron la página a toda velocidad. Era una copia de un artículo de periódico sobre un incendio en el que había fallecido un matrimonio. Solté un suspiro de hastío.

–Mira la fecha en la que ocurrió –me apremió–. Nochebuena de 2001. Dijiste que los padres de Genevieve murieron en Nochebuena cuando ella tenía siete años, así que… haz el cálculo –dijo con la voz gangosa.

–Pero ella cuenta que sus padres fallecieron en un accidente de coche –señalé–. ¿Y qué hay del nombre? Estas personas se llamaban Jane y Paul Morton, pero el apellido de Genevieve es Paradis.

Luke sopló varias veces y unió sus manos formando un arco para apoyar su barbilla sobre la punta de los dedos.

–He comprobado una y otra vez todos los accidentes e incidentes mortales ocurridos en un período de dos años en todo el país. Este es el único sucedido en una Nochebuena en el que un hijo, o una hija, mejor dicho, quedó huérfana.

–¿Cuál era el nombre de la hija?

–Grace.

Salté de la cama e intenté pensar con calma.

–Eso significaría que Genevieve ha cambiado su nombre. Y que mintió sobre el accidente.

–Cualquier cosa es posible.

–Entonces… podría haber mentido también en lo de la fecha.

–Por supuesto –aceptó Luke–, pero, según mi experiencia, cuando alguien miente, habitualmente hay un poso de verdad… y esa fecha es muy específica.

Avancé hacia la pizarra en busca de inspiración.

–Genevieve es un misterio porque no tiene pasado. Podría fingir ser quien quisiera y contar a la gente cualquier historia sobre su vida.

Las cejas de Luke se movieron de forma extraña, alcanzando casi la línea donde le nacía el cabello.

–Pero... ¿vale la pena comprobarlo?

Asentí, con impaciencia.

–Nadie que la haya conocido la olvidaría fácilmente.

–El incendio tuvo lugar en una población pequeña, en las afueras de York, llamada... Espera... Lower Croxton. Iremos mañana y hablaremos con la gente. Indagaremos un poco.

Di un pequeño respingo.

–Mañana se suponía que iba a verme con Merlin, pero por esta vez no le importará. Me inventaré una excusa.

Luke pareció sorprenderse.

–¿No le dirás la verdad?

–No... Solo es una mentirijilla, y se trata de algo importante. Le llamaré más tarde por teléfono. Cuando todo haya acabado, lo entenderá.

–Podemos ponernos en camino temprano –sugirió Luke.

Cerré los ojos, ilusionada por el plan.

–¿Vamos de incógnito?

–Tú puedes ponerte una barba falsa y gafas, Kat, y yo iré tal cual.

Empecé a golpearle con una de sus almohadas y no paré hasta que prometió dejar de tomarme el pelo.

12

La emoción de poder desquitarme por fin amortiguaba, en cierto modo, el recuerdo del rostro dolido de Nat y su mirada acusadora. Apenas dormí, y me levanté antes de las siete, tensa y nerviosa como si me hubiera tragado un café exprés doble antes del desayuno. Abrí el armario y examiné el interior. Había refrescado, lo que significaba que necesitaría algo de abrigo; y nos dirigíamos a un lugar en mitad de ninguna parte, así que necesitaba zapatillas cómodas por si acaso teníamos que cruzar campo a través, esquivar a un rebaño de vacas o hacer lo que fuera que hiciera la gente en el campo. Me decidí por unos pantalones de estilo militar y una chaqueta impermeable que mamá me había comprado para la excursión de Geografía, junto con unas botas con las que, en condiciones normales, no permitiría que nadie me viera. Quizá fuera una ventaja aparentar ser mayor, por lo que me puse algo de maquillaje y traté de arreglarme el pelo haciéndome un peinado sofisticado, pero todo lo que conseguí fue parecer aún más una colegiala, así que abandoné mi propósito. No tenía ánimos para desayunar, pero llené una pequeña bolsa con patatas fritas, galletas, chocolate y botellas de agua.

Luke parecía desaliñado, con unos vaqueros viejos y un jersey grueso, barba incipiente y despeinado como quien acaba de levantarse de la cama. No podía evitar sentir lo agradable que parecía salir de la ciudad, que resultaba mucho más claustrofóbica ahora que Genevieve estaba en todas partes.

—¿A Laura no le importa que malgastes el día de esta manera?

Luke me dedicó una sonrisa torcida.

—A ella le gusta ir de compras los sábados. En realidad, me has salvado de un destino peor que la muerte.

Me sentí aliviada, pues me preocupaba que nuestro viaje fuera una fuente de peleas entre ellos.

—¿Y Merlin?

—Le dije que mi madre no se encontraba bien… No es más que una mentira minúscula. Me gustaría verlo, por supuesto, pero esto es demasiado importante como para dejarlo pasar.

—¿Cree él que este asunto de Genevieve es extraño?

—La verdad es que no puedo explicárselo —admití—. La madre de Merlin piensa que Genevieve es fantástica y que tiene talento, y Genevieve tiene a todo el mundo engañado.

—Pobre Kat. Esa chica tiene a todo el mundo atrapado en su tela de araña, ¿no?

—Algo así. —Miré por la ventanilla y contemplé cómo el paisaje iba pasando, mientras me preguntaba cuándo la vida se había vuelto tan complicada.

—¿Has estado alguna vez en Yorkshire? —preguntó, dejando escapar un bostezo.

Negué con la cabeza.

—Cuando era pequeño, vinimos aquí de vacaciones unas cuantas veces —empezó Luke—. Es un lugar muy chulo, con páramos azotados por el viento, pastizales y pequeñas colinas, grutas, bosques, cascadas, valles... por no mencionar todos los edificios históricos de aspecto tétrico. De hecho, York es la ciudad con más fantasmas de toda Gran Bretaña.

—Pareces un anuncio de la oficina de turismo —me reí.

Me dedicó un guiño taimado y dijo:

—No he dicho nada de las famosas brujas que vivieron aquí.

—Ya no me interesan las brujas... ¿recuerdas?

Luke pareció animarse cuando llegamos a la autopista, y se pasó las dos horas siguientes contándome anécdotas graciosas de su trabajo y su jefe. Por primera vez en varias semanas, sentí de nuevo que era yo misma. Parecía como si el efecto que Genevieve tenía sobre mí se fuera debilitando a medida que nos alejábamos.

—Vaya... Definitivamente estamos en mitad del campo. —Me apresuré a cerrar la ventanilla al percibir el olor a abono.

—Ya casi hemos llegado —dijo Luke, tras consultar su GPS—. Solo faltan ocho kilómetros.

La carretera se había reducido a un solo carril, así que tuvo que apartar el coche para permitirle el paso a un tractor que venía en dirección contraria. Hasta donde llegaba la vista, todo era un mosaico de campos en los que había plantadas hileras y más hileras de coles y semillas de colza de color amarillo brillante. El viento soplaba con fuerza, sacudía los árboles que ya estaban prácticamente desnudos y creaba remolinos con las hojas caídas. A pesar de estar a resguardo en el interior del coche, percibí su fuerza con nitidez.

—Es aquí –anunció Luke, y detuvo el vehículo sobre la orilla de hierba.

El pueblo estaba compuesto por no más de cincuenta casas dispuestas alrededor de una extensión de césped. La mayoría de los edificios daban la impresión de ser antiguas construcciones de labriegos, con pequeñas ventanas de paneles y puertas de poca altura. Los pocos que eran de construcción reciente contrastaban severamente con los muros desconchados y los tejados de pizarra. En lo alto de una colina se asentaba con orgullo una granja rodeada de cobertizos y graneros. Tardé un momento en descubrir qué había de extraño en Lower Croxton: el silencio. Me había imaginado a granjeros felices conduciendo tractores, a niños bronceados por el sol, correteando entre los maizales, y a mujeres con cofias cargando con cestas llenas de huevos frescos y leche, pero no había ni una sola persona a la vista.

—Todo el mundo debe de estar dentro de las casas –dijo Luke.

—Es imposible que no nos hagamos notar en este lugar –protesté, al percibir el movimiento de una cortina en una ventana–. Este no es el tipo de sitio por el que alguien, simplemente, pasa sin llamar la atención.

Al salir del coche, Luke estiró los brazos y echó un vistazo a su alrededor.

—Será mejor que busquemos una fonda o algún *pub*, o donde sea que los lugareños se reúnan.

Hice una mueca al oír la palabra «lugareños», y Luke tiró de mi capucha hasta que me cubrió los ojos.

—No es *El pueblo de los malditos*, Kat.

–No parece haber ningún *pub* –gruñí, con el ceño fruncido.

Él señaló hacia delante.

–¿Y ese edificio de ahí? Tiene un cartel en el exterior.

–Solía ser la lechería –dije sin pensar, y Luke me miró asombrado.

–¿Estás segura de eso?

–No. –Me reí, avergonzada, sin ganas de ponerme a explicar la sensación de *déjà-vu* que tenía–. Quiero decir que tiene la pinta de haber sido una lechería en algún momento.

Caminamos hacia el cartel, que anunciaba productos frescos de granja, y Luke me cogió del brazo de un modo extraño, a la antigua usanza.

–Soy demasiado joven para comportarme como una mujer mayor y casada –me quejé.

Él se detuvo y me dirigió una mirada aprobadora.

–Cuando me fui a la universidad, tú todavía eras una mocosa con aparato en tus dientes de conejo.

–Viniste muchas veces en esos tres años, Luke –le dije–. Estabas demasiado ocupado pasándotelo bien para fijarte en mí.

–Me estoy fijando en ti ahora –dijo, y por algún motivo noté una sensación rara en el estómago–. Y sigues siendo una mocosa, Kat.

Me apañé para pegarle una patada en la pantorrilla y él echó a correr detrás de mí y me tiró al suelo con una entrada de *rugby*, mientras yo chillaba para que me soltase y me preguntaba qué impresión le estaríamos dando a la gente del pueblo.

–Empezaremos con la mujer del granjero –dijo Luke, sacudiéndose la hierba que se le había pegado a los pantalones–. Pesará más de noventa kilos y tendrá las mejillas sonrosadas y los brazos de campeón de lucha libre. Lo más probable es que lleve viviendo aquí cincuenta años, y que conozca cada nacimiento y cada muerte en kilómetros a la redonda. Sus hijas parecerán lecheras y sus hijos vestirán monos de obra y estarán mordisqueando briznas de hierba.

Ni siquiera sonreí, porque de pronto empecé a sentir pánico.

–No podemos entrar ahí y ya está. Tenemos que pensar primero qué vamos a decir. –Luke me ignoró por completo y continuó caminando–. ¿Luke? Debemos ponernos de acuerdo en una historia…

Por respuesta, hizo un gesto de desdén con la mano.

–Déjamelo a mí. Soy periodista. Esto es lo que mejor sabemos hacer.

Sentada en un taburete alto había una chica de pelo negro azabache, la cara muy blanca, los labios color violeta y los ojos pintados con perfilador grueso. La falda de cuero, las medias de malla y las botas Doc Martens no pegaban mucho con la imagen de lechera, ni tampoco lo hacían los *piercings* que tenía en la nariz, la ceja y el pómulo. Tuve que morderme el labio para evitar reírme a carcajadas al ver que Luke se quedaba boquiabierto. La chica no parecía interesada, ni remotamente, en la razón por la que estábamos allí ni en hacer el menor comentario acerca de que fuéramos «extraños» o de que «no fuéramos de la región». Nos miró con cara de pocos amigos y volvió a concentrarse en la lectura de un libro.

Luke permanecía mudo de asombro, pese a mis intentos de hacerle reaccionar dándole con el codo en las costillas. Vi una pequeña mesa con dos sillas en un rincón.

—¿Vendes bocadillos o bebidas? —pregunté, esperanzada.

—Puedo daros un emparedado de jamón o queso con una bebida caliente —respondió mientras pasaba una página.

—Dos de jamón y té, por favor. Llevamos un buen rato en la carretera.

No mostró ninguna reacción. Desapareció en la parte de atrás, y Luke y yo intercambiamos miradas.

—¡Lechera! —susurré, y Luke me arreó una patada por debajo de la mesa.

—Parece salida de una peli de zombis —contestó.

Luke no compartía mi adoración por los edificios antiguos, así que no me molesté en elogiar los gruesos muros que parecían a punto de desmoronarse o la belleza de las vigas. Habían conservado todo tal y como era originalmente, incluidas las diminutas ventanas. Oímos un ruido y me llevé el dedo a los labios para advertirle a Luke que no dijese nada. Entró una mujer de golpe, cargada con dos platos, y procuré no cruzar mi mirada con la de Luke. La recién llegada era una caricatura de la esposa de un granjero, más exagerada aún que la descripción que él había hecho: una cara gigantesca y rojiza, con hoyuelos, enmarcada con pelo gris, y un cuerpo con forma de manzana bajo un enorme delantal.

—Bueno, bueno —empezó a decir, mientras depositaba los platos ante nosotros—. ¿Qué os trae por estos lares?

Reprimí una sonrisa.

–Solo estamos… de paso. Queríamos ir por una ruta pintoresca y ver algo de campo. Somos gente de ciudad… de humo, niebla y todo eso.

–Pero ya habíamos visto alguna vaca –bromeó Luke a mi costa y, a sus espaldas, le dediqué una mueca.

–¿Lleva usted viviendo mucho tiempo aquí?

–Toda mi vida de casada –respondió, tenaz–. La granja ha pertenecido a la familia de mi esposo desde hace tres generaciones. Estáis sentados en lo que solía ser la lechería.

Luke emitió un murmullo de sorpresa, pero no le hice caso.

–Entonces, ¿conocería a toda la gente del pueblo?

Sus ojos se posaron con suspicacia en nosotros.

–Sí.

Luke abrió la boca para decir algo, pero yo me adelanté.

–Es porque… estoy intentando organizar una reunión familiar, y hay gente que vive en este pueblo que podría ser… algo así como familia mía.

–O sea, que en realidad no habéis venido a admirar el paisaje –comentó la mujer, al tiempo que removía con fuerza el contenido de una tetera. Yo estaba muerta de sed, pero no hizo intención de traérnosla a la mesa–. ¿Y cómo se llama esa gente?

–Su nombre es Morton, Jane y Paul Morton.

Su rostro se ensombreció.

–¿Son familiares cercanos?

Sentí un sofoco ya habitual que empezaba en mi cuello y se extendía hasta mis mejillas.

–Nooo… solo eran primos segundos de mi madre, o sea, nuestros abuelos eran primos. Perdieron el contacto hace una eternidad.

Sus perspicaces ojos se clavaron en los míos.

–¿Pero estás segura de que viven aquí, en Lower Croxton?

Me retorcí en mi asiento, pues la mujer no parecía dispuesta a facilitarnos ninguna información.

–Mi madre tiene una vieja felicitación de Navidad –dije, con la voz aguda–, y esta es la última dirección que conocemos.

La mujer del granjero cruzó sus brazos carnosos y meneó la cabeza con pesar.

–Vaya, siento ser portadora de malas noticias. Jane y Paul vivieron aquí, pero perecieron en un incendio hace años.

Me cubrí la cara con las manos.

–¡Qué horrible!

Ella chasqueó la lengua.

–Todo el mundo quedó conmocionado, fue algo terrible. Sucedió en Nochebuena. Nunca lo olvidaré… Nadie en el pueblo podría hacerlo.

–¿La casa…? Quiero decir, ¿sigue estando en pie?

–Quedó arrasada hasta los cimientos –respondió, sin ambages.

La voz de Luke sonó ahora suave:

–¿Hubo algún superviviente? ¿Alguien que escapara del fuego?

La mujer se apartó de nuestra mesa y fue al otro lado del mostrador.

–No. Ahora tengo que seguir trabajando. Dejad dos libras en la jarra que hay junto a la puerta cuando acabéis, y que tengáis los dos un buen día.

Su cambio de comportamiento repentino me había impactado, así que la llamé:

–Pero ¿qué hay de...?

Luke se abalanzó sobre mí y me tapó la boca con su mano. Me liberé bruscamente, enfadada.

–No nos ha hablado de su hija. Tuvo que conocerla.

Pero Luke se negó a hablar hasta que estuvimos en el exterior. Entretanto, ambos permanecimos sentados en silencio, mientras yo contemplaba cómo él terminaba su bocadillo, daba un último trago a su taza de té, contaba unas monedas y se volvía a poner la chaqueta. Me arrastré cabizbaja tras él, intentando escapar del viento.

–Siento lo de antes –se diculpó–. No quería que nos oyese.

–Pero ¿por qué habrá mentido? Leímos todo lo referente a Grace Morton en el artículo. Parece imposible que no la conociera... Es un pueblo muy pequeño.

–No podemos obligarla a que nos lo diga –repuso Luke, resignado.

–Vamos a preguntar a alguien más –anuncié, y, antes de que Luke pudiera detenerme, hice una seña con la mano a un hombre que estaba trabajando en una de las casas. Me vio, pero continuó lijando el marco de una ventana, sin reaccionar cuando me aproximé a él–. Estamos buscando información sobre la familia Morton, que vivió aquí. ¿Los conocía usted?

Su respuesta fue seca, rozando la falta de educación:

–No, no los conocí.

–¿Quizá alguna otra persona? ¿Alguien de la casa podría acordarse de ellos?

–No, nadie –gruñó.

Luke tiró de mi capucha y me llevó en dirección al coche.

–Hay una cosa que he aprendido en mi trabajo.

–¿Cuál?

–Puedes deducir cosas tanto del silencio de alguien como de lo que dice.

Me alegré de estar otra vez en el coche, pero a la vez me sentía enfadada porque nuestro viaje parecía no haber servido para nada y, encima, ahora Luke hablaba con acertijos.

–¿Te refieres a que es importante… que nadie quiera hablar con nosotros? ¿En qué sentido?

–Todavía no lo sé, pero seré feliz cuando nos vayamos de aquí. Este lugar está empezando a darme escalofríos.

Pisó el acelerador y las ruedas quedaron bloqueadas, girando sobre la gravilla. Luego, con un chirrido, el coche se puso en marcha.

–Sé lo que quieres decir –murmuré, más para mí misma que para Luke.

Eché una última mirada de derrota por la ventanilla y me llevé la mano a la boca con horror. Una ciclista se nos acercaba por la izquierda y no había tiempo para dar un grito de alarma. Se oyó un lúgubre golpe seco en el instante en que la mujer se nos venía encima.

13

Luke tenía el rostro descompuesto cuando abrió la puerta y saltó fuera del coche. Salí enseguida tras él y traté de evitar que la ciclista, una señora mayor, se levantase, temiendo que se hubiera roto algún hueso. Los dos alucinamos al ver que se incorporaba fácilmente y se sacudía el polvo en medio de un revuelo de combinaciones, pantis gruesos, una larga falda de *tweed* y un impermeable. Su cuerpo parecía perdido en el interior de las capas de ropa, pues debía de pesar apenas unos cuarenta y cinco kilos.

–Ha sido culpa mía –insistía–. Sufro de cataratas, y ya podéis ver la desafortunada consecuencia.

–¿Está usted segura de que se encuentra bien? –preguntó Luke en un susurro. Yo fingí no haberme dado cuenta de que se había apoyado contra un árbol para tranquilizarse.

–Estoy bien, la compra amortiguó mi caída.

Probablemente, la cantidad de ropa que llevaba encima hubiera sido suficiente para protegerla de todos modos, pero había aterrizado sobre varias bolsas de tela que ahora parecían decididamente aplastadas.

–Le pagaremos todo lo que se haya roto –le dije.

–Por supuesto –secundó Luke–. Es lo menos que podemos hacer.

—No, todo estará bien, de verdad —suspiró estoicamente—. No llevo nada que pueda romperse, solo un pedazo de queso, unos puerros, patatas y unas pocas rodajas de beicon...

Una vez convencido de que la señora se hallaba ilesa, Luke dirigió una mirada anhelante a su coche, pero le di un pellizco en el brazo para hacerle ver que no podíamos abandonar a la mujer allí.

—La llevaremos a su casa —sugerí—, para asegurarnos de que no se encuentre algo... mareada.

La señora señaló a Luke y cloqueó con tono travieso:

—Tu amigo parece estar peor que yo.

Sin embargo, no me impidió ayudarla a caminar. A regañadientes, Luke cerró con llave el coche y nos siguió. Después de recorrer poco más de cien metros, la mujer se detuvo frente a una casa con el techo de paja, en la que había un panel de madera en el que se leía «Rapé en el Viento», y empezó a sacar cosas de su bolso en busca de las llaves.

—Ahora, ¿os quedaréis para tomar una taza de té?

Luke rechazó el ofrecimiento con educación:

—Lo siento, pero nos queda un largo viaje por delante. Tenemos que volver a casa.

Me disculpé de nuevo justo antes de que una mano tirase de mi capucha y me sacase de allí por segunda vez en el mismo día. No habríamos dado más de diez pasos cuando escuchamos una voz a nuestras espaldas:

—Entonces, ¿no queréis que os hable de la familia Morton?

Nos paramos en seco.

—¿Quién se lo ha dicho? —le pregunté, sorprendida.

Ella sonrió con un gesto de complicidad.

–Por aquí las noticias vuelan.

Entrar en su casa fue como retroceder en el tiempo. El techo bajo con vigas del color del chocolate negro, muebles antiguos, y un suelo desnivelado y cubierto por una gran alfombra. Un gato negro estaba tumbado formando una bola, calentándose delante de una estufa de hierro que emitía un chisporroteo. A la señora no se la veía por ninguna parte, pero se oía el sonido de un grifo en la habitación de al lado.

Luke entrecerró los ojos para acostumbrarse a la escasez de luz y frunció el ceño.

–Parece muy siniestra… cara delgada, nariz grande, nos engaña con el fin de traernos aquí… Estará poniendo un caldero a hervir para cocinarnos en él, espera y verás.

–Calla, ya vuelve.

–No voy a beber una infusion de ortigas con huevas de rana.

La mujer emergió de un pasillo estrecho con dos tazas que temblaban sobre sus platillos. Me levanté de un salto para cogérselas.

–El té siempre sabe mejor en una taza de porcelana, ¿no estás de acuerdo, querida?

Luke hizo una mueca al coger su taza.

–Bien… veamos qué puedo contaros acerca de Jane y Paul Morton.

Asentí.

–Si pudiera… cualquier cosa que recuerde.

La señora se frotó las manos delante de la estufa y se acomodó en un sillón desvencijado que había sido remendado con trozos de tela de diferentes colores. Daba la impresión de que disfrutaba teniendo audiencia; se humedeció los labios para hablar y empezó:

–Eran muy reservados, eso seguro. Creo que se mudaron aquí precisamente por eso, para escapar del mundo. Parecían gente muy religiosa, pero… un tanto exagerados para mi gusto. No eran muy alegres, me temo. Más bien se preocupaban de ver pecados por todas partes.

Traté de no mostrarme demasiado ansiosa.

–¿Cuánto tiempo antes del incendio se mudaron aquí?

–Creo… No, estoy segura de que fue cuatro años antes. No llegan muchas familias nuevas, así que es algo de lo que una se acuerda.

Me aclaré la garganta, nerviosa.

–¿Estaba usted…? Quiero decir… ¿Vio usted el fuego aquella noche?

Asintió con un gesto cargado de gravedad.

–Había tormenta, y las llamas alcanzaban más de seis metros de altura… el viento las agitaba salvajemente… Había escombros, hollín y ceniza volando por los aires mientras el pueblo entero intentaba evitar que se propagase… Fue entonces cuando la vimos…

–¿A quién? –pregunté, pero la mujer parecía hallarse muy lejos, como si hubiera olvidado nuestra presencia. Pasó un minuto entero antes de que respondiera:

–Salía de la casa caminando a través de las llamas, casi paseando, como si no tuviera prisa.

–¿Quién salió de la casa? –repetí.

–Grace –suspiró–. Grace Morton miró a su alrededor con aquellos inquietantes ojos verdes. Un escalofrío recorrió mi espina dorsal.

–¿Grace era la hija del matrimonio? –preguntó Luke.

–Sí. Tenía solo siete años, pero había algo en ella que te hacía pensar que era mayor.

El asa de la taza de porcelana blanca era tan pequeña que tuve que cogerla únicamente con el pulgar y el índice. Me pregunté cómo lo llevaría Luke y me di cuenta de que tenía sus enormes manos entrelazadas alrededor de la taza, ignorando el asa por completo.

–Entonces, ¿Grace sobrevivió aquella noche? –pregunté–. Lo digo porque la señora de la granja dijo que nadie se había salvado.

La mujer se sorbió la nariz.

–A la gente no le gusta hablar. Lo que ocurrió aquella noche es algo que por aquí hemos tratado de olvidar, y vosotros deberíais hacer lo mismo.

No estaba segura de a qué se refería.

–¿Deberíamos olvidarnos de Grace? ¿Por qué?

Emitió un gruñido evasivo y encogió sus huesudos hombros.

–Quizá no me corresponda a mí decirlo, pero creo que deberíais dejar el pasado como está. Grace siempre nos hacía sentir a todos un poco… incómodos. Su mirada podía petrificar a una persona.

Luke tosió con un tono escéptico.

–Solo era una niña.

La mujer se cruzó de brazos y su voz se puso a la defensiva:

–No hablaba como una niña, y desde luego los demás niños del pueblo recelaban de ella. Creo que a sus padres eso no les importaba; de todas maneras, no creían en el colegio, le daban clase en casa.

Todos guardamos silencio, roto únicamente por el ronroneo del gato, pero yo no quise perder tiempo.

–¿Y no sabe usted cómo consiguió escapar Grace del incendio?

Su rostro se nubló.

–No. El modo en que se deslizó hacia el exterior fue irreal.

Luke apretó los puños.

–O sea, una niña pequeña se las apañó para atravesar unas llamas de seis metros de altura de manera milagrosa.

–Yo no lo llamaría así –fue la tajante respuesta–. He vivido lo bastante como para saber que hay cosas en este mundo que no pueden explicarse, y cosas a las que no querría hacer frente. Grace es una de ellas, y no necesito que un jovencito presuntuoso intente convencerme de lo contrario.

Luke retrocedió en su silla, sorprendido por el ataque. El calor que emanaba de la estufa era tal que me costaba respirar.

–¿Y dónde está ahora?

–Tiene unos tíos que viven cerca de York. Él es el vicario de la iglesia de St. John. La acogieron, y eso es lo último que supimos por aquí.

Luke se mostraba cada vez más impaciente. Su pie daba golpecitos en la alfombra y parecía que, de un momento a otro, todo su cuerpo se vería afectado por tics.

Bebí lo que quedaba de té en mi taza, me incorporé y le di las gracias a la mujer. Pero cuando llegábamos a la puerta, volvió a animarse.

–Puede que nuestro pueblo sea pequeño, pero tiene su fama –dijo.

–¿Y cuál es? –pregunté, con una sonrisa complaciente.

–El juicio a las brujas, querida. Tuvo lugar en la ciudad, naturalmente, pero la acusada era de aquí.

–¿En serio? –Noté que Luke se colocaba detrás de mí y me daba unos toquecitos en la espalda al tiempo que soltaba un bufido ahogado.

–Y el caso resultó espeluznante, porque la mujer a la que colgaron fue acusada por su propia hija… que no era más que una niña en aquel entonces.

Con toda la intención, evité mirar a Luke.

–Así que, ¿esa niña hizo que condenaran a muerte a su propia madre?

–Sí, y se rumoreaba que la bruja era en realidad ella, pero que parecía demasiado inteligente como para que la cogieran. Su disfraz era perfecto, ¿os dais cuenta? Usurpó el cuerpo de una hermosa niña, pero, al final, la maldad siempre sale a la superficie.

Me resultó imposible pensar en una respuesta adecuada.

–Eh… Bien. Gracias otra vez. Por el té y por todo.

Luke salió primero, y cuando iba a seguirle, sentí que tiraban de mí hacia el interior. La piel de quien me estaba tocando era del color y la textura del pergamino, y unos labios me susurraron al oído:

–Tú tienes el don, pero todavía no te has dado cuenta. Debes buscar sus fallos.

Me aparté, asustada, y corrí para reunirme con Luke, que dio rienda suelta a su enfado.

–¡¿Qué hace llevando una bici si no ve nada?! Y parece claro que está loca. Sabes lo que insinuaba, ¿no? Quería que nos creyéramos que Grace era una especie de bruja reencarnada.

–Yo no lo he visto así –disimulé–. Además, no es más que una historia.

–En aquellos tiempos pensaban que cualquiera podía ser una bruja. Quiero decir, mírate, Katy: pelirroja, con los ojos verdes, y tienes una gata… hubieras sido la primera en ir a la hoguera.

–Gracias por el voto de confianza –repuse, arrastrando las palabras.

–¿Y todo lo demás? –protestó–. Una niña de siete años de edad no podría atravesar las llamas y resultar ilesa.

–No paraba de hablar de sus ojos –dije, en voz baja–. Nadie que haya conocido a Genevieve podría olvidar los suyos.

–O sea, ¿piensas que es ella?

–No lo sé.

–Ha dicho que la chica tenía familia cerca de la ciudad. Si Genevieve hubiera sido Grace no habría acabado viviendo en la calle, porque contaba con familiares que se encargaban de ella.

–Quizá también los aterrorizó.

–¿Te has fijado si posee alguna cicatriz?

–No –respondí, con amargura–. Tiene una maravillosa piel aterciopelada.

En la boca de Luke se formó una mueca que pude reconocer.

—Me parece que es una pista falsa, demasiado rebuscada.

Al meternos en el coche, me mordí el lado interior de la mejilla, decidida a no contarle lo último que me había dicho la mujer.

—Sigue habiendo algo raro en todo esto, Luke. Nos advirtió que nos mantuviéramos lejos de Grace, como si estuviera asustada o como si hubiera algo que no nos ha contado.

—Probablemente sea una mujer solitaria y excéntrica y simplemente quería hablar con alguien.

Me sentí chafada y no pude aguantarme:

—¿Tú no crees que sea Genevieve?

Luke esbozó una sonrisa tristona:

—No, es todo demasiado fantástico. La gente del pueblo, recelosa, el fuego que no la quema, y la extraña viejecita con sus supersticiones.

Levanté la mano para que no pusiera el coche en marcha y, guiada por un impulso, abrí de nuevo la puerta del vehículo.

—Me he dejado la bufanda dentro. No tardo ni un segundo.

Corrí hacia la casa, con el corazón latiéndome acelerado, dominada por la necesidad de interrogar a la mujer sobre su extraño consejo. Llamé con fuerza a la puerta, pero nadie contestó, así que me asomé a las diminutas ventanas, imaginando que debía de ser dura de oído. Volví a mirar, me froté los ojos y oteé por tercera vez, pero no eran imaginaciones mías; la habitación cálida y acogedora de la que acabábamos de salir se hallaba ahora fría y desnuda; no había en ella estufa alguna encendida ni un gato perezoso frente al fuego. Golpeé de nuevo la puerta, pero me di por vencida cuando Luke hizo sonar el claxon. Al sentarme en el coche, me aseguré de que mi cara no revelase nada de lo que acababa de ver.

Luke puso en marcha el motor.

—¿Lista para largarnos?

Asentí y pisó el acelerador; los dos nos alegramos de estar en la única carretera de salida de aquel lugar.

14

Era la criatura más hermosa que jamás había visto. Su cabello parecía oro trenzado y su piel porcelana, e irradiaba inocencia. Se deslizó hacia arriba por la escalera de caracol sin que sus pies tocasen la madera, y flotó por el pasillo hacia la habitación donde estaba el espejo. La seguí, por primera vez, sin aprensión. Se trataba de Genevieve, incorrupta y pura. Me indicó con una seña que me sentase a su lado y tendió su mano para coger la mía. Nuestros dedos se entrelazaron. Pero había algo que no iba bien: sus uñas rosadas, minúsculas y perfectamente redondeadas, se clavaban en la palma de mi mano; traté de soltarme, pero no pude, y el dolor iba en aumento. Bajé la mirada y vi que esas uñas eran ahora garras amarillentas que perforaban mi piel, y que el suelo se manchaba con pequeñas gotas de sangre escarlata. Ella no me soltaba; nunca lo haría. No quería levantar la cabeza, pero tuve que mirar en el espejo, y el reflejo de Genevieve mostraba a una vieja fea y arrugada con una nariz ganchuda, dientes ennegrecidos y ojos penetrantes. Se estaba burlando de mí, meciéndose hacia delante y hacia atrás mientras se reía con una risa histérica y altisonante. Me desperté con un violento escalofrío.

Una vez que los horrores del sueño se desvanecieron, mi primer pensamiento fue que tenía que ver a Nat. No podía esperar hasta el día siguiente en la escuela. Tenía que mirarla a los ojos y ver si todavía me creía, ahora que había tenido tiempo para meditar. Podía resultar doloroso, pero era algo que tenía que hacer por el bien de mi propia cordura. Aparté el edredón y saqué los pies en busca de mis zapatillas, notando, de repente, lo fría que estaba la madera del suelo. Abrí un poco las cortinas y vi pequeños charcos de rocío en la repisa de la ventana. Parecía que hacía una eternidad desde la última vez que eso había ocurrido. En invierno hacía tanto frío en mi habitación que, a veces, mi propio aliento resultaba visible; e incluso, una vez encontré una pátina de hielo en la cara interior del cristal. Me abrigué con mi bata, pero era tan fina que consideré la posibilidad de que hubiera llegado la hora de sacar del armario el batín de lana a rayas y mis pijamas gruesos.

Solo eran las ocho de la mañana, demasiado temprano para llamar a Nat. Así que empecé a ponerme nerviosa pensando en las horas que tenía por delante, y en cómo ocuparlas mientras esperaba para averiguar si seguía teniendo alguna amiga. Mi inseguridad anterior parecía estar de vuelta. Antes de encontrar a Nat y a Hannah, siempre había temido que las otras chicas no quisieran ser amigas mías y me había esforzado mucho en gustar a la gente. Ahora sentía lo mismo, como si tuviera que demostrar mi valía de nuevo. Bajé a la cocina y vi que solo quedaban un par de cucharadas de café en el tarro, así que me preparé uno flojo mientras esperaba a que mamá se levantase. La cocina estaba orientada al norte, por lo que no recibía ninguna luz hasta avanzada la tarde, lo que producía una atmósfera particularmente depresiva. Fui a sentarme en el salón, que tenía una puerta acristalada que conectaba con el jardín, y me tomé el café absorta en mis pensamientos. Mi móvil emitió un pitido y mi corazón dio un vuelco al pensar que podría ser Nat, pero se trataba de Luke. Debía de haberse percatado de que mis cortinas estaban abiertas.

«No te molestes en buscar algo sobre la bruja de Lower Croxton. Ya lo he hecho yo y no hay nada en Internet, ni tan siquiera un rumor acerca de una leyenda urbana. Te dije que la vieja estaba como unas maracas, ja ja. X.»

Luke podía ser un sabiondo. Me molestó que, incluso sin hallarse al corriente de todo lo que había pasado, adivinara que yo estaría obsesionada con las palabras de la mujer. Permanecí sentada unos minutos más, hundida por la sensación de que el día iba a avanzar muy lentamente. Merlin estaba ocupado con trabajos escolares de última hora y mamá seguía durmiendo, así que volví a mi habitación y encendí el ordenador. Luke creía que era la única persona capaz de llevar a cabo una investigación, pero yo sentía el fuerte deseo de demostrarle que se equivocaba. No era necesario ser periodista, me dije con optimismo y cabezonería.

Me pareció que lo mejor sería ponerme directamente manos a la obra, así que mis dedos empezaron a teclear como si tuvieran vida propia. «Bruja de Lower Croxton» no obtuvo ningún resultado específico, como ya me había advertido él, por lo que amplié mi búsqueda a «Brujas», algo corto y directo. Aparecieron miles de páginas web sobre brujas de hoy en día, y visité algunas de ellas más que nada por entretenerme, pero acabé regañándome por desviarme del tema. Volví a acotar la búsqueda escribiendo «Brujas de la Edad Media en Gran Bretaña», y me resultó imposible esquivar las espantosas descripciones de cómo las torturaban, las ahogaban, las colgaban en la horca, les cortaban la cabeza o las quemaban en la hoguera. Si una bruja confesaba algo especialmente malvado, podía utilizarse una madera que ardiera lentamente para que sufriera aún más. Después de la muerte, se le clavaban remaches de hierro en las rodillas y en los codos para evitar que se levantara de la tumba. Apuré lo que me quedaba de café con una extraña sensación en el estómago.

Al cabo de un rato mamá bajó y me obligué a apartarme de la silla para reunirme con ella, pues estaba verdaderamente hambrienta. El desayuno consistió en dos rebanadas de pan acartonado y huevos revueltos, pero me sentó de maravilla.

–¿Sabes algo acerca de la caza de brujas? –pregunté a bocajarro.

Arqueó las cejas y luego agitó la cabeza a uno y otro lado de modo evasivo.

–Creo recordar que los que se dedicaban a localizar brujas, buscaban marcas del diablo –dijo lentamente–, y que esas marcas podían ser cualquier cosa: pecas, lunares, verrugas o manchas casuales.

Seguía hambrienta, así que decidí comer unos cereales. Tenía el estómago vacío porque Luke y yo no habíamos comido nada desde los emparedados en la cafetería del pueblo. Me aclaré la garganta para atraer la atención de mamá, pues contaba con lo que acababa de descubrir:

–Muchos expertos señalan que la histeria sobre brujas fue el resultado del odio y el miedo hacia las mujeres… por parte de los hombres.

Mamá asintió con énfasis.

–La mayoría de los condenados a muerte eran mujeres. Se nos consideraba taimadas y astutas.

–Mmm, pero… también hubo mujeres que acusaron a otras congéneres. Tus opciones de ser perseguida se incrementaban si eras vieja, fea, pobre y vivías sola. Además, muchas de las acusaciones de brujería comenzaron como disputas entre vecinos. Incluso los niños podían dar testimonio en un juicio y se les trataba como testigos creíbles. –De pronto, pensé en las palabras de la anciana y me estremecí.

–Eso es muy interesante, Katy –afirmó mamá, con una sonrisa–. ¿Es una tarea para la escuela?

–Algo así –mentí.

–Si necesitas ayuda, dime. Estoy fascinada con tu investigación.

–¿En serio?

–Sí, en serio.

Regresé a mi dormitorio sintiéndome animada de nuevo, y le envié un mensaje de texto a Nat, pero no contestó de inmediato, lo que, en cierta manera, me pareció mala señal. Volví a concentrarme en la búsqueda y rastreé todos los juicios de brujería documentados en los alrededores de York. Sin embargo, Luke tenía razón, pues ninguna de las brujas de Yorkshire encajaba en la descripción de una madre acusada por su hija. Cuando miré el reloj vi que llevaba casi tres horas frente al ordenador, lo que explicaba que mi vista estuviera volviéndose borrosa.

Me puse en pie, estiré los músculos, bostecé, paseé de un lado a otro y me estrujé el cerebro, decidida aún a darle una lección a Luke. La mujer me había dicho, crípticamente, que localizase los fallos de Grace/Genevieve, y yo estaba segura de que lo que pretendía era mostrarme

129

una pista de cómo defenderme. Flexioné los dedos como si fuera a dar un recital de piano y regresé a Google.

—«Cómo repeler a una bruja.»

A medida que leía, mis ojos se iluminaban. Aquello era fascinante, pues había métodos muy diversos. Iban desde utilizar acebo, espino y encina para proteger el exterior de una casa, hasta enterrar un gato en los cimientos o colocar un palo de escoba o una espada de hierro cruzada en el umbral de la puerta. Oí que mamá me llamaba a gritos para que bajase, pero algo nuevo acababa de captar mi atención. Se trataba de un pequeño fragmento que hacía referencia a un respetado historiador que había descubierto varios artefactos extraños en una casa de interés histórico que él mismo había salvado del deterioro. Lo que realmente llamó mi atención fue que la casa se encontraba en Appleby, la población más cercana a Lower Croxton. Luke y yo habíamos pasado por allí en el camino de vuelta. Era igual de pintoresca pero algo más grande, con su propio *pub,* su iglesia antigua y su colegio. Por algún motivo, mis dedos temblaron según iba avanzando por la página:

> *Thomas Winter desenterró numerosos artefactos poco comunes durante la rehabilitación de «Martinwood», y relató a los periodistas locales que, hace siglos, la superstición había provocado que se colocasen esos objetos estratégicamente, con el único propósito de repeler a los espíritus malvados. El propio Thomas era de la opinión de que en la casa había una presencia maligna. No obstante, más tarde publicó una disculpa y admitió que su informe había sido realizado con la intención de aumentar el interés por la historia del pueblo y fomentar el turismo.*

Me arrastré a la planta baja, con la mente zumbándome. Mamá parecía contenta. Debía de haber salido mientras yo estaba absorta en mi investigación, y había comprado café de verdad y unos pegajosos pasteles de chocolate. Apretó el émbolo de la cafetera y me puso una taza. Inhalé el delicioso aroma y di un trago largo antes de plantear la pregunta que me rondaba la cabeza:

–Mamá, ¿por qué se inventaría un historiador respetado una historia sobre una casa antigua que estaba encantada y donde decía que había encontrado objetos espeluznantes?

Ella se frotó la barbilla meditando su respuesta.

–La gente hace todo tipo de cosas raras, Katy.

–Parece algo demasiado extraño –insistí–, incluso a pesar de su explicación.

–Puede que desease publicidad –sugirió mamá–, o simplemente se dejó llevar porque quería encontrar cosas que no existían; o tal vez estaba obsesionado con el tema de las brujas, como nosotras. –Se echó a reír–. ¿No te parece curioso que tengamos eso en común, Katy?

La miré, mordaz.

–En realidad no, mamá. Es una cosita llamada «genética».

–Por supuesto –respondió con tono jovial, y se puso a soplar su café–. ¿Qué clase de cosas se inventó ese hombre?

–No lo sé –dije, encogiéndome de hombros–. Ocurrió hace unos años. Al parecer, escribió una columna en el periódico local a causa del interés que había en la casa, pero en Google no aparece nada más.

–¿Has probado en los archivos? La mayoría de periódicos los tienen.

Me enderecé en la silla con interés renovado, feliz de que el rastro no se hubiese enfriado aún. El día no estaba resultando tan negativo, después de todo. Mamá parecía más animada de lo que lo había estado en los últimos tiempos, y yo no podía negar que estaba disfrutando cada minuto que dedicaba a la investigación. Aparte de eso, solo deseaba que Nat se pusiera en contacto para dejar de atormentarme. Engullí el pastel de chocolate, me chupé los dedos y le dije a mamá que iba a probar suerte con los archivos. La bata se me abrió y caí en la cuenta de que eran las tres de la tarde y todavía no me había vestido.

Me senté ante mi escritorio, segura de mí misma. Tenía que afrontar la situación de manera metódica. La disculpa de Thomas Winter había sido publicada a comienzos de 2007, así que su artículo original debía de haber salido antes. Entré en el archivo, sorprendida por lo fácil que resultaba acceder a él. Había un pequeño calendario para cada mes de cada año. El periódico era semanal, lo que acortaba aún más la búsqueda. Y entonces lo encontré: un relato de la restauración de «Martinwood», llevada a cabo por Thomas Winter, y de los hallazgos de este en relación con la vida en el siglo XVII. Leí rápidamente las partes aburridas sobre técnicas para reproducir construcciones medievales, y me detuve a mitad de la página, cuando la narración se hizo más interesante.

… Comencé a retirar la estructura de la casa y hallé varios objetos que me llevaron a pensar que los habitantes de «Martinwood» habían sentido la necesidad de protegerse a sí mismos y a su morada contra alguna influencia maligna. Entre dichos objetos se incluía un zapato de niño

(considerado un símbolo de buena suerte y protección) y cruces talladas en viejas vigas junto con herraduras, que, de acuerdo con la leyenda, evitarían que el Diablo entrase en la propiedad. Al desmontar el hogar y la chimenea, quedó a la vista una repisa o nicho oculto a unos dos metros del lar. Allí se descubrió un pequeño trozo de madera con un nombre, Greta Alice Edwards, junto con la tosca talla de un ojo. En la época medieval, la chimenea tenía mucha importancia porque era una abertura por la que los espíritus malignos podían entrar en una casa. La madera, sin duda, estaba destinada a arder en lo que sería parte de un ritual para defenderse contra una persona o algún propósito malvado. Es imposible averiguar por qué ese trozo de madera nunca llegó a ser quemado.

Leí conteniendo la respiración, pues aquello significaría que el trozo de madera contenía el nombre de... la verdadera bruja del siglo XVII. Ojalá no hubiera acabado siendo un fraude. A medida que me sumergía en la historia, mis ojos se iban abriendo como platos. Había un apéndice en el que se mencionaba que Thomas Winter había comprobado el registro de la parroquia local, y que existía una persona con aquel nombre. Había nacido en 1675, y muerto en 1691, y estaba enterrada en la iglesia de St. Mary, que databa del siglo XII. Traté de olvidar que aquel extraño historiador había utilizado sus conocimientos para engañar a la gente.

Miré por la ventana. Luke, vestido con un mono de faena y cubierto de polvo, miraba hacia su tejado. Había comentado algo acerca de que tenía que ayudar a su padre a hacer arreglos en la casa, y en condiciones normales podría haberme interesado, pero no aquel día. Mantuve la cabeza gacha, no fuera a ser que me viera y comenzase a arrojar piedrecitas a mi ventana.

Una rápida búsqueda de la palabra «Martinwood» obtuvo solo una pequeña fotografía de un edificio de madera blanca y negra, tan viejo, que parecía inclinarse hacia delante sobre sus cimientos. Apenas había texto, pero daba la impresión de que hubiera sufrido todo tipo de experiencias a lo largo de los siglos. Había sido propiedad del ayuntamiento local desde los años sesenta hasta 2007, fecha en la que había sido subastado y adquirido por un comprador privado. Tamborileé con los dedos sobre mi escritorio. Era hora de hacer otra pausa.

–Parece que hayas visto un fantasma, Katy… o una bruja. –Mamá se rio con estruendo de su propia broma al ver mi expresión ensimismada.

–Acabo de leer acerca de una –suspiré–, pero no una de verdad. Quiero decir, la persona sí es real, pero no era una bruja.

–¿Estás hablando de lo del historiador? ¿El que se lo inventó todo?

Asentí, taciturna.

–Bueno, no te preocupes –repuso, alegremente–. Había un poso de verdad en ese episodio, y gran parte de la historia está entremezclada con la leyenda.

–Pero esto era distinto –masculté–. Ese hombre hizo que todo pareciera tan convincente…

–Solo es un buen contador de relatos –dijo, aún riéndose entre dientes–. Quizá debería dejar la historia y hacerse novelista.

Yo no podía quitármelo de la cabeza, y tampoco quería que mamá lo hiciera.

—Pero… es como estar viendo una buena película y no llegar a saber el final.

—A veces —me advirtió— eres demasiado curiosa y fantasiosa para tu propio bien.

—¿Ah, sí?

—Cuando eras pequeña —recordó, con una sonrisa tierna—, siempre andabas diciendo que reconocías lugares que nunca habías visto antes… y luego estaban aquellas terribles pesadillas que tenías.

—Nunca me lo habías contado. ¿De qué iban esas pesadillas?

—No lo sé, Katy, pero te agitabas mucho y llorabas… Incluso, en invierno, te negabas a que te taparamos con mantas, como si tuvieras fiebre y estuvieras… ardiendo. —Mamá tragó saliva—. Pero al crecer, eso quedó atrás, afortunadamente.

—Oh. No me acuerdo de nada. Supongo que tenía una imaginación muy viva.

Volví a mi habitación, preocupada porque Nat todavía no me había llamado.

Esa noche, cuando me quedé dormida, las palabras de mamá no pararon de dar vueltas en mi cabeza. No podía evitar preguntarme por qué todas aquellas extrañas sensaciones de reconocimiento y *déjà vu* habían reaparecido de repente, después de permanecer latentes tantos años.

15

Genevieve era un camaleón. De una semana a la otra, había vuelto a cambiar. Ahora su rostro estaba enmarcado por rizos, no descontrolados como los míos, sino bucles que caían suavemente y se agitaban y bailaban bajo el sol de octubre, dorados como las hojas del otoño. Sus rasgos parecían aún más delicados de lo habitual, y llevaba puesto un amplio blusón étnico con unas mallas que la hacían parecer una preciosa joven desamparada. Siempre que yo había intentado conseguir ese aspecto, lo único que había logrado era parecerme a una vaquilla metida en un saco. Traté de no prestarle atención, centrándome en Nat, que se encontraba de espaldas a mí. Le tiré de la manga con el corazón en un puño, por si acaso detectaba hostilidad en sus ojos. Pero al girarse, me miró de un modo tan amistoso como de costumbre.

–¿Todo bien? –pregunté, nerviosa.

Realizó un gesto de arrepentimiento y susurró:

–Perdona por lo de ayer. Tenía que pasar un poco de «tiempo de calidad en familia»… y durante ese lapso no está permitido enviar mensajes de texto. Fue una tortura.

–¿Qué hay de… ya sabes… el asunto de Facebook?

–Voy a echarle cara, simplemente –respondió, con valentía–. Pronto la tomarán con otra y lo mío será agua pasada.

Mis ojos se humedecieron de alivio al ver que se lo tomaba tan bien. Me quitó un gran peso de encima, aunque aún estaba furiosa con Genevieve, que hacía todo lo posible por llamar la atención. Vino directa hacia mí, toqueteando con vanidad sus hermosos rizos. Hannah y Nat debieron de notar que ocurría algo, pues vi cómo intercambiaban miradas de reojo.

—Me encanta tu pelo —gorjeé, en un intento de tranquilizarlas.

—¿En serio? —contestó Genevieve, como si tal cosa—. Mi alisador se rompió, y este es el resultado.

Alargué la mano y enlacé uno de sus mechones con un dedo, percibiendo cómo se sobrecogía bajo mi tacto.

—¿Qué tal tu fin de semana? —me preguntó, mordaz, y algo en su sonrisa hizo que se me helase la sangre. Probablemente había esperado que Nat rompiese relaciones conmigo, pero yo estaba muy contenta porque, al parecer, las cosas seguían bien entre nosotras dos.

—Estuvo bien, gracias.

Entramos juntas en clase.

—¿Has trabajado mucho en tu proyecto, Katy?

Conque esa era la razón por la que se mostraba tan complacida consigo misma… Aquella era la última clase antes de que tuviéramos que presentar nuestro primer proyecto semestral, y el suyo estaba claro que iba a ser fabuloso. A pesar de haber empezado la escuela más tarde que el resto, nos aventajaba a todos. Yo no podía competir con ella y lo sabía.

—No he hecho nada este fin de semana —admití—. Pero ya lo tengo terminado.

–Buena suerte, entonces –dijo, con una sonrisa burlona–. Espero de verdad que te salga bien.

Su comportamiento resultaba un auténtico misterio, así que me alegré de alejarme de ella y sentarme en mi pupitre. Cuando se hallaba cerca de mí, esa batalla de personalidades me agotaba y me dejaba sin energías. Abrí despacio la cremallera de mi carpeta. El tiempo pareció detenerse mientras descubría su contenido, sin dar crédito a lo que veía. Aturdida, fui cogiendo y examinando cada una de las hojas; creí que estaba alucinando, o que aquello era de otra persona. Los oídos me zumbaban como si hubiera estado bajo el agua, y una sensación de terror ardiente me envolvió. Los diseños, que había realizado a mano, estaban prácticamente borrados bajo una capa de pintura azul marino, y mis muestras de tela estaban irreconocibles. Semanas de trabajo arruinadas. La señorita Clegg debió de notar la expresión de horror en mi rostro y se acercó. Echó un vistazo por encima de mi hombro y dejó escapar un profundo resoplido.

–Lo siento, Katy. No deberías haber utilizado una solución de color fija… A veces puede ocurrir esto. ¡Qué lástima que haya echado a perder todos tus diseños!

Mi voz sonó asustada y aguda, de un modo antinatural:

–¡Pero el viernes no estaban así! Todo estaba seco y bien definido. No habría sido tan estúpida…

Me sonrió con simpatía y dijo:

–Podría pasarle a cualquiera. Todavía tienes una semana para rehacerlos.

–Es el trabajo de seis semanas –respondí, con lágrimas en los ojos–. No podré terminarlos, y si lo hago con prisas será una porquería de trabajo y suspenderé y…

La profesora alzó una mano para interrumpirme y habló con un tono amable pero firme:

–Inténtalo. Si no puedes terminar a tiempo, ya pensaremos en algo. Sé que le has dedicado mucho esfuerzo. –Se dio la vuelta y se alejó tan rápido como pudo.

Traté de que mi labio dejase de temblar, temiendo sufrir una crisis nerviosa. La señorita Clegg, mi profesora favorita, me había visto comportarme como una histérica y me había puesto en mi sitio. Aquello era casi tan negativo como el hecho de que mis trabajos se hubieran echado a perder. Debería haberme portado con dignidad. Cuando levanté la cabeza del pupitre, todo el mundo parecía estar mirándome. Era como en el sueño que tengo a veces, en el que estoy caminando por la calle, sin ropa, intentando llegar a mi casa. Me sentí tan desnuda que me rodeé con mis propios brazos y quise desaparecer.

Después de unos minutos, reuní el valor suficiente para levantar de nuevo la mirada. Todos seguían observándome y lanzando miradas incómodas en mi dirección. Todos, excepto una persona, Genevieve. Estaba totalmente concentrada y enfrascada en su propio trabajo, aparentemente ajena a cualquier otra cosa. El pelo de la nuca se me puso de punta otra vez, y la sospecha comenzó a abrirse paso. No podía haber hecho nada en mi carpeta, ¿o sí? Siempre la mantenía cerca de mí, pero el viernes había salido de la clase durante cinco minutos para ir a la oficina de administración a entregar mis números de contacto anotados en una hoja. En aquel momento había montones de cosas sobre las mesas y, si era lista, nadie se habría dado cuenta de lo que hacía.

¿Por qué me sorprendía tanto? Parecía típico de ella actuar de aquel modo deshonesto y vengativo. Ya me había declarado la guerra y había dejado claro que quería destruirme. Pero Luke tenía razón. Debía resistir el deseo de desquitarme, porque al hacerlo solo conseguiría perjudicarme a mí misma.

Sin embargo, no resultaba fácil. Me sentía tan enfurecida por un hecho tan injusto que mis manos temblaban y casi no podía ni sostener el lápiz. Intenté concentrarme en el trabajo, pero por mucho que me decía que tenía que mantener la calma, la rabia albergada en mi interior fue ascendiendo hasta llegar al punto de ebullición. El pelo se me pegaba a la cara por mucho que lo apartase una y otra vez. Empecé a abanicarme con un libro, sentía un calor asfixiante que emanaba de mi interior, mi respiración se volvía ahogada y mi garganta se contraía.

No pude soportarlo más. Me puse en pie y avancé como sonámbula; mi vista estaba nublada y la estancia ya no me resultaba familiar. Genevieve sabía lo que estaba ocurriendo y eso enardecía mi rabia. Era como si ella se alojara dentro de mi cabeza, alimentando la furia que había en mi interior, e incitándome todo el tiempo a que montase una escena. De pronto, decidí ofrecer resistencia. Pero no podía contener mi rabia por completo. Con un pequeño grito, salí corriendo al pasillo y golpeé mi cabeza contra los fríos azulejos de color blanco y azul de la pared.

A la hora del almuerzo, tenía la boca tan seca que no podía tragar. Mi sándwich de atún parecía serrín, e incluso una magdalena esponjosa se me atascó en la garganta. Tomé varios tragos de café, tan caliente que me abrasaba, pero eso solo hizo que el corazón se me acelerase aún más. Genevieve llegó a la cafetería junto con Nat y con Hannah.

–Nos hemos enterado de lo que ha pasado –empezó Nat–. Es horrible.

–¿Podemos echarte una mano en algo? –ofreció Hannah.

Fruncí el gesto y parpadeé, asustada ante la perspectiva de volver a lloriquear.

–No, pero gracias de todas maneras. Saldré al paso.

–Puedo ayudarte a terminar a tiempo –anunció Genevieve, y me vi obligada a mirarla fijamente. No había ninguna emoción en sus fríos ojos verdes.

–Me acusarían de copiar –le espeté, preguntándome si aquella era otra de sus estratagemas–. Sería peor que no presentar ningún trabajo.

Ella se encogió de hombros, con pesar.

–Imagino que sí.

–Muchas gracias por la oferta, Genevieve –me esforcé en decir, con los dientes apretados–. Es muy considerado por tu parte, y te lo agradezco.

Cuando terminaron las clases, me fui a casa por la ruta más larga, apartada de las calles principales, aunque mamá no habría aprobado esa decisión. El tiempo acompañaba mi estado de ánimo, una llovizna persistente que caía procedente de unas nubes bajas, negras y grises. Ni siquiera me molesté en levantar los pies al pisar los charcos, por lo que mis zapatos se empaparon por completo. La ruta me condujo por una calle estrecha que discurría junto a una hilera de casas adosadas de estilo georgiano con grandes jardines, cada una de ellas pintada en un color diferente, desde el rosa pálido hasta el gris perla. Era un lugar agradable, lejos del ruido y el humo del tráfico. La calle ni siquiera estaba bien pavimentada, y parecía no ser más que un sendero utilizado antiguamente por carruajes y caballos.

Le daba vueltas y vueltas a lo que había pasado. Incluso hablé en voz alta conmigo misma, puesto que no había nadie alrededor, aparte de un molesto cuervo que me seguía, emitiendo graznidos agudos y balanceándose arriba y abajo. Lo miré, desconfiada, intentando distinguir si le faltaba una pluma de la cola, y enseguida me eché a reír por lo ridículo de aquella idea. No escuché pisada alguna, pero una vaga sensación de intranquilidad hizo que me girara rápidamente, conteniendo la respiración. Sin tener idea de dónde podía de haber salido, me encontré frente a frente con Genevieve, que debía de haberse movido con el sigilo de una pantera. Ni tan siquiera se disculpó por acercarse a mí de aquel modo.

–Tu casa está en la dirección contraria –le dije, con brusquedad.

–Sí, pero quería decirte que te compadezco.

–¡Qué agradable! ¿Y por qué me compadeces?

–Sé cómo se siente una al ver su vida arruinada. –Dio un paso más y su nariz quedó casi tocando la mía–. No pienses que tu jueguecito con Luke tendrá resultados. Os creéis los dos muy listos…

Mi cuerpo comenzó a temblar.

–No sé de qué estás hablando… Luke es amigo mío desde hace mucho tiempo…

–Siempre iré un paso por delante de ti. Recuérdalo, Katy.

La frustración me hizo cerrar los ojos, y cuando volví a abrirlos, Genevieve había desaparecido tan silenciosamente como había aparecido.

Cuando llegué a casa, di vueltas por mi habitación, incapaz de relajarme hasta que pude hablar con Luke. En cuanto llegó su coche, salí a la calle, llamándolo a gritos por la ventanilla.

–Genevieve tiene que haber puesto micrófonos y cámaras en mi casa. Dice que sabe lo que hemos estado haciendo.

Con calma, Luke subió las ventanillas y salió del coche.

–¿Cómo iba a organizar algo así, Kat? ¿Es que también es experta en electrónica?

Me llevó adentro e hizo que me sentara en su cocina. Permanecía impertérrito ante mi histérico tono.

–Tiene que haber una explicación. No nos siguió y no posee poderes psíquicos, así que piensa, Katy.

–No puedo. Tengo la cabeza hecha un lío.

–¿Quién sabía que el sábado nos íbamos juntos?

–Nadie –me apresuré a responder.

–¿Tu madre?

–Bueno, ella sí, claro.

–Llámala –me ordenó, muy serio.

Obedecí y, en menos de dos minutos, solté mi teléfono móvil, ruborizada. Apenas podía mirarle a los ojos.

–Nat y Hannah no llamaron, pero una chica muy agradable llamada Genevieve sí lo hizo. Ella y mamá charlaron sobre todo tipo de cosas, incluyéndote a ti. Mamá se olvidó de mencionármelo.

Luke habló con voz suave:

–Te dije que había una explicación, una explicación simple y sosa. –Se sentó a mi lado y me despeinó con la mano, consciente de que era algo que me hacía rabiar–. Le has otorgado a esa chica poderes sobrenaturales y la has convertido en algo a lo que no puedes vencer. Es una persona normal y todo lo que hace es normal. No la transformes en algo ajeno a este mundo.

Apoyé la cabeza en su hombro durante unos segundos, preguntándome qué haría si él no estuviera ahí para mantenerme cuerda.

16

Merlin me envió un mensaje para que nos encontrásemos en algún sitio que no fuese la escuela y sugirió La Tasse, lo que me pareció un buen augurio: allí habíamos tenido nuestra primera cita. No podía esperar más. El fin de semana había pasado sin que apenas tuviéramos contacto, y el día anterior habían ocurrido tantas cosas que casi no había reparado en el hecho de que Merlin no estaba en la escuela. El problema era que si debía dedicar cada minuto de mi tiempo libre a rehacer el proyecto, tendríamos aún menos tiempo para estar juntos, y, seguramente, esa era la intención de Genevieve.

Por una vez, me vestí con la idea de resultar atractiva, y tuve que admitir que mis vaqueros superajustados y mi camisa blanca me daban un aire bastante *sexy,* nada que ver con el aspecto de mendiga que llevaba a menudo. Abrí la puerta de la cafetería y busqué con impaciencia a Merlin, pero no lo veía por ninguna parte. Llegó tarde, con el semblante abatido, y su poco entusiasta beso aterrizó en mi barbilla en lugar de en mis labios. Por si fuera poco, en vez de deslizarse a mi lado en el mismo banco, se sentó enfrente. Al cabo de un par de minutos bastante incómodos, me giré hacia atrás, casi esperando descubrir a Genevieve observándome. Fue entonces cuando me di cuenta de que aquel lugar también estaba contaminado por ella.

–Siento no haber podido pasar a verte el sábado –me lancé, pero Merlin parecía distraído, como si no me hubiera escuchado. Se nos acercó la camarera y pedí una patata al horno, ensalada y un batido; Merlin optó por un capuchino doble–. ¿Cómo ha ido tu fin de semana?

Suspiró.

–Bastante aburrido.

–¿Fuiste a algún sitio?

–La verdad es que no. Pinté un poco, y le eché una mano a mi madre con su clase.

Traté de que mi cara no se descompusiera. Para mí, la clase de la madre de Merlin significaba una única cosa: Genevieve.

–¿Va todo bien?

–Sí. –Al hablar, Merlin no levantaba la cabeza, sino que se dedicaba a acariciar con sus dedos las rugosidades de la madera de la mesa. De nuevo, me invadió la sensación de que se encontraba a un millón de kilómetros de mí.

–Dime qué te pasa.

Ahora sí me miró, y sus ojos se mostraban distantes como nubes de lluvia en la lejanía.

–No hay una forma fácil de decir esto…

Se interrumpió y lo mismo hicieron los latidos de mi corazón. Esperé a escuchar lo que tanto temía:

–Me he enamorado de otra persona. No sé cómo ocurrió. No lo planeamos y lamento mucho hacerte daño… Se trata de Genevieve, pero no es culpa suya, yo soy el culpable. Espero que podamos seguir siendo amigos.

–¡Cuéntame cómo ocurrió! –Exigí, incapaz de controlarme.

–¿Hay… quiero decir… está ocurriendo algo entre tú y Luke?

Apoyé mi cabeza sobre la mesa y estallé en carcajadas de alivio. Cuando al fin levanté la mirada, tuve que restregarme los ojos con la manga de mi camisa. Alargué el brazo para tocar su mano.

–No seas tonto. Es como un hermano mayor para mí. Lo conozco desde siempre, y tiene novia… prometida, prácticamente. –La expresión de Merlin permaneció invariable y tuve que continuar parloteando–: Él ni siquiera piensa en mí como en una chica, y me ha visto con el peor de los aspectos. Una vez le estornudé encima; yo tenía un resfriado de órdago y… puedes hacerte una idea de lo que aterrizó en su camiseta. Todavía me gasta bromas con aquello.

Merlin seguía sin sonreír. Se llevó la mano al bolsillo y colocó una fotografía sobre la mesa, con el gesto de quien realiza un truco de cartas. Incluso con la imagen al revés pude reconocer la identidad de las dos figuras que salían en ella. Algo se removió en mi pecho y me hizo temblar.

–¿Qué es?

–Mira –me apremió.

Alargué la mano y cogí la foto. No estaba muy enfocada, pero era lo bastante clara como para distinguirnos a mí y a Luke envueltos en un abrazo. Me cogió por sorpresa, no el hecho de que estuviéramos abrazándonos, sino lo íntima que parecía la imagen.

–No es lo que parece… Le doy abrazos todo el tiempo –me defendí–. ¿De dónde la has sacado?

—Estaba colgada en el panel de anuncios de la escuela, esta mañana. Por suerte fui uno de los primeros en llegar.

Mi mente daba vueltas, confusa, mientras intentaba seguir el ritmo impuesto por Genevieve. El viernes la había tomado con Nat; el lunes, mis trabajos estaban destrozados y, ahora, Merlin pensaba que yo le estaba engañando; y además el rumor ya se habría extendido por toda la escuela. El día anterior, Genevieve me había dicho que ni siquiera había comenzado conmigo, y parecía que su amenaza era seria. ¿Cómo podía ejercer tanto poder sobre mí?

—Hay algo más, Katy —prosiguió Merlin, con tono grave—. Luke y tú pasasteis todo el sábado juntos, pero me habías dicho que tenías que quedarte con tu madre.

Para ganar tiempo, ataqué la patata al horno sin percatarme de lo caliente que estaba, así que tuve que beberme el batido de un tirón para refrescarme la boca. Yo no había mencionado que hubiera pasado el día con Luke, por lo que solo existía una manera de que él lo supiera. Me lamí la crema de fresa de los labios y deseé que pudiéramos retroceder unas cuantas semanas, cuando entre nosotros todo era nuevo y funcionaba estupendamente.

—¿Recuerdas cuando te dije que alguien podría… decir cosas sobre mí, cosas que no son ciertas? Bueno, pues este es el tipo de situaciones a las que me refería.

Merlin asintió, pero fue un gesto carente de significado.

—¿Qué es eso tan secreto? —preguntó—. ¿Por qué no me lo dijiste?

No podía contarle la verdad. La única solución era mostrarme esquiva, para minimizar daños.

—Estoy ayudando a Luke en un asunto y por eso no podía contártelo. Ya sabes que es periodista, bueno… está investigando a alguien. No es exactamente un trabajo de incógnito, pero tampoco es algo que pueda divulgarse.

—Quizá alguien te esté investigando a ti —comentó, secamente.

Hice una mueca y dije:

—No puedo imaginarme quién.

Merlin no se hallaba al corriente de lo de mi carpeta con los trabajos, así que se lo relaté con detalle y le expliqué que no podía tratarse de un accidente. Pareció meditar sobre ello, emitiendo algún sonido comprensivo, pero continuaba sin tocarme. Yo sabía lo mal que me sentiría si él se hubiera pasado el día entero con otra chica y me hubiera mentido, por lo que no podía culparlo por comportarse así, y, en cierto modo, sus celos me halagaban. Me incorporé, me incliné sobre la mesa y le besé en los labios, inhalando el olor a pintura y a algo único e incomparable que resultaba característico de él.

—Nunca haría nada que te hiriese, y nunca te sería infiel. Eso es algo despreciable.

Merlin se echó hacia atrás en su banco de cuero y la tensión que lo atenazaba se desvaneció.

—Perdona por el interrogatorio, pero la duda me ha estado devorando. —Puso su mano en el centro de la mesa, con los dedos separados, y yo coloqué la mía encima.

Habíamos roto el hielo, así que reuní el valor para preguntarle:

—¿Quién te dijo que Luke y yo habíamos pasado el día juntos?

Por unos instantes, la culpa se hizo visible en el rostro de Merlin y, para disimularlo, se rascó, incómodo, la nariz. Al final, tuvo que admitirlo:

–Solo fue un comentario inocente –murmuró–. No pretendía provocar ningún problema. Genevieve quería ir de compras para comprar el regalo de Nat, pero no pudo localizarte. Tu madre debió de mencionarle dónde habías ido.

¡Que no pretendía provocar ningún problema! La malicia corría por cada una de las venas de Genevieve, pero yo era la única que podía verlo. Tampoco podía echarle la culpa a mamá. La única opción que me quedaba era llevar aquella especie de doble vida, como un desdoble de personalidad. Me obligué a mí misma a hablar y a actuar con total normalidad con Merlin.

Regresamos por el canal. Lo surcaban un par de barcazas de colores brillantes, y se me ocurrió pensar lo genial que sería viajar durante todo el año; no estar nunca en el mismo lugar, dormir en la cubierta cuando hiciera buen tiempo… Merlin debió de ver mi mirada pensativa y me rodeó fuertemente con sus brazos.

–Podríamos vivir así… ser como los zíngaros.

Por un instante, aparté a Genevieve y todo lo demás de mi mente, y me imaginé a Merlin y a mí solos, sin nadie que causase malentendidos entre nosotros.

–No nos haría falta mucho dinero –confirmé–. Tú podrías pintar y yo podría hacer ropa o arreglos o… cualquier cosa, en realidad. Nadie nos molestaría.

Me arrastró hasta el banco más cercano y aplastó su cara contra la mía, haciendo que nuestras narices se tocasen como si fuéramos esquimales. Me apretó el brazo con tanta fuerza que supe que al día siguiente tendría una marca, pero no me importó. Ninguno habló durante un buen rato. Yo deseaba que el tiempo se detuviese, justo entonces, y que aquel segundo no terminase. Pero, de algún modo, ese instante estaba teñido de tristeza, porque yo concebía el tiempo que pasaba con Merlin como si fuera un tesoro, como si ya hubiera terminado.

–Te veo en todas partes –susurró–. En la calle, detrás de cada esquina, cuando en realidad no estás ahí. Me has hechizado, Katy. Nunca me había sentido así antes con ninguna chica.

Por un segundo, sus palabras conjuraron una imagen horrible en mi mente: Genevieve, con su seductora belleza y su extraña capacidad de encontrarse en todas partes. Me froté los ojos para borrarla de mis pensamientos. *Nunca me había sentido así antes con ninguna chica.* Era a mí a quien Merlin se dirigía. No me estaba comparando con Genevieve en absoluto.

–Yo tampoco –respondí, tímidamente, y enseguida me di cuenta de lo que había dicho–. Quiero decir, nunca me había sentido así con ningún chico.

–¿Recuerdas que te dije que tenías un aura la primera vez que te vi? Creo que fue amor a primera vista.

Pasé mis brazos alrededor de su cuello y susurré:

–Yo también lo sentí.

–Dilo, entonces –me pidió.

–Dilo tú primero –repuse, con voz trémula, dominada por los nervios.

Merlin suspiró lentamente, echó una mirada hacia los lados y tragó saliva.

–Katy… te quiero.

La timidez me impedía mirarle a la cara. Mi cabeza buscó guarida bajo su brazo, mientras le respondía, en un susurro:

–Yo también te quiero.

Merlin acercó sus labios a mis oídos.

–Pero ¿me querrás siempre?

–Claro –contesté de inmediato.

–¿Incluso cuando sea tan viejo como Luke?

Le hice cosquillas en las costillas.

–Solo tiene veintiuno.

–Eso es ser una antigualla –se burló, al tiempo que se desabrochaba la chaqueta y me envolvía con ella.

Merlin me ama, Merlin me ama, Merlin me ama, cantaba una voz, loca de felicidad, dentro de mi cabeza, y tuve que pellizcarme para comprobar que aquello era real. De repente, me sobrecogió la idea de que todo podría haber sido muy diferente y de lo cerca que había estado de perderle. Respiré profundamente y dije:

–Merlin, deberíamos planear nuestra noche juntos y no retrasarlo más.

–¿Qué tal este viernes? –sugirió de inmediato–. Quizá podrías preparar una coartada para entonces.

Sentí que se me encogía el estómago.

–¿Este fin de semana? Pero… necesito concentrarme en mi proyecto de clase.

Más que verlo, percibí su disgusto. Podría haberme pateado a mí misma. Lo abracé por la cintura, con el corazón latiendo acelerado.

–Tal vez… si consigo… Quiero decir, sí… Sí, lo haré.

–¿De verdad?

–De verdad.

–¿Puedes preparar una coartada?

–Seguro que sí –respondí, impulsivamente–. Deberíamos disfrutar del momento y, simplemente… hacerlo.

–Disfrutar el momento –repitió él, y a punto estuvo de aplastarme entre sus brazos.

–Ya he estado preparando a mamá. Le dije que los padres de Hannah van a salir un día de estos y que ella no quiere quedarse sola en su casa.

–Yo me encargaré de hacer la reserva –dijo Merlin, impaciente–. Tendré que fingir que tengo dieciocho, pero no será un problema. ¿Te encuentras bien, Katy? Estás temblando.

Me cogió la mano, y nuestros dedos se entrelazaron.

–Prométeme que no dejarás de creer en mí –susurré, en voz tan baja que ni siquiera me oyó.

Genevieve fue la primera persona a la que vi aquella tarde en clase, sentada, con su sonrisa de autocomplacencia y atusándose el pelo. Me acerqué, incapaz de reprimir las ganas de burlarme:

–Siento no haber estado en casa cuando me llamaste –afirmé, con pesar fingido–. Querías que te acompañase a comprar el regalo para Nat. ¿Te parece que vayamos hoy después de clase?

Quería que supiera que me hallaba al corriente de sus intenciones, y forzarla a que se inventase excusas para no ir, pero, increíblemente, volvió sus iridiscentes ojos hacia mí y dijo, con desgana:

–Vale, ¿por qué no?

Aquello fue horrible. Abrí la boca para retirar mi oferta, pero Hannah se nos había acercado y me había oído. Rápidamente, le pregunté si estaba libre para acompañarnos, pero tenía que recoger a su hermano pequeño en el colegio. ¿Qué había hecho? Después de tratar de evitar a Genevieve por todos los medios, la invitaba a venir de compras conmigo. Por una vez, no podía culparla; esta me la había buscado yo solita.

17

El conductor del autobús puso cara de sorpresa.

–Hola, chicas. Por un momento he creído que veía doble.

Resultaba algo frustrante. Incluso quienes no nos conocían se percataban de lo mucho que nos parecíamos. De cerca, pude percibir aún más similitudes. Nuestros abrigos eran similares, por supuesto, y Genevieve se había cambiado el peinado y llevaba la raya a un lado, como yo, y había calcado mi maquillaje. Yo no solía llevar mucha sombra de ojos y me gustaban los tonos oscuros de pintalabios porque iban bien con la palidez de mi rostro. Además, debía de haber perdido algo de peso en las últimas semanas, pues los vaqueros me quedaban sueltos en la cintura, lo que nos hacía aún más parecidas. No dio la impresión de que a Genevieve le importase, pero a mí sí, y le di vueltas a la idea de quitarme el abrigo; sin embargo, hacía frío y la ciudad estaba envuelta en niebla: una niebla húmeda, asfixiante, y tan espesa que la sentía incluso en mi boca, con el mismo sabor que me dejaban los fuegos artificiales después de haber estallado.

–¿Qué tipo de cosas le gustan a Nat? –preguntó Genevieve al bajarnos del autobús. La gente la miraba. Yo era consciente de ello, y sabía que tenía algo que la hacía destacar entre la multitud, igual que Merlin.

Decidí hacer mi propia travesura.

—¿Qué tal una bufanda y un sombrero?

Nat odiaba toda clase de sombreros porque su pelo parecía incontrolable, y siempre decía que las bufandas le hacían pensar en espantapájaros y en gente mayor.

Genevieve me clavó su mirada gélida, sin parpadear.

—¿Crees que eso le gustará?

—Le encantará —mentí.

—Supongo que podría con ello. ¿Por qué no va a celebrar una fiesta?

Sonreí para mis adentros, recordando el año anterior, cuando bailamos hasta el amanecer y luego nos metimos en una fuente de camino a casa. Cogí un resfriado terrible y no pude ir a clase en una semana, pero valió la pena.

—Su madre se lo prohibió después de la de los dieciséis años. Fue un poco... eeh... salvaje, así que este año será solo una merienda civilizada.

—Me cuesta imaginarme algo salvaje por aquí —refunfuñó Genevieve agriamente.

Solo estábamos a finales de octubre, pero las tiendas ya se encontraban llenas de cosas de Navidad, con las ventanas decoradas de árboles falsos y nieve aún más falsa, cajas anudadas con lazos, chimeneas de cartón y todas las baratijas y artículos de fantasía que una pudiera desear. Era una cursilada, pero aun así me sentía tan excitada como cuando tenía siete años. Seguí a Genevieve al interior de una tienda de artesanía, estremeciéndome ante la perspectiva de mis primeras fiestas con Merlin.

Eligió unos de lana de un horroroso color verde botella, que yo sabía que Nat odiaría. Era una chica alegre y algo loca. Por mi parte, ya le había bordado un cojín enorme con gatos amarillos y naranjas, que a ella le encantaban. Resultaba algo ruin, pero no podía parar de sonreír para mis adentros al imaginarme a Nat intentando fingirse emocionada cuando desenvolviera el regalo de Genevieve, y después teniendo que ponerse la bufanda y el sombrero para no ofenderla.

–De acuerdo, con eso ya está –murmuré al salir de la tienda–. Yo no quiero nada más así que me voy a casa.

–No finjas, Katy –masculló ella, con un tono de incredulidad–. En realidad no puedes apartarte de mí.

–Solo he venido aquí por Nat... No quería estar cerca de ti.

Su voz sonó tan suave como la seda:

–Admítelo. Tu organizaste esto. Puede que no lo sepas, pero tu subconsciente quiere acercarse a mí.

Empezaba a darme cuenta de que Genevieve invertía el orden natural de las cosas; podía hacer que el blanco fuera negro y viceversa. Tuve que controlarme para que la rabia no me cegase; regulé mi respiración e intenté visualizar el rostro de Luke diciéndome que no le permitiese ponerme nerviosa.

–Ten cuidado con lo que deseas –continuó ella, con un suspiro, levantando sus ojos hacia el cielo–. Anhelaste el novio perfecto y conseguiste a Merlin. Quisiste que en tu vida hubiera una persona especial y aquí estoy, Katy. Alguien que te comprende... perfectamente.

Aquello se aproximaba mucho a la verdad. Yo había deseado tener novio, y también una amiga como nunca antes había tenido.

Genevieve redujo el ritmo de sus pasos y examinó su reflejo en un escaparate.

—¿Has tenido bastante ya?

—¿Bastante de qué?

No respondió. Siguió mirando fijamente el cristal, pero ahora no observaba su reflejo, sino a mí.

—¿Cómo te sientes, Katy, al ver que tu vida se escapa gota a gota? Apenas una pequeña oleada más y habrás desaparecido. Y prácticamente nadie se dará cuenta.

—Merlin sabe que la fotografía no significa nada —afirmé—. Conque ese pequeño plan tuyo ha fracasado.

Genevieve se dio unos golpecitos en un lado de la cabeza.

—Merlin dice que lo comprende, pero lo verá una y otra vez en su mente y no podrá escapar de esa imagen, por mucho que se esfuerce. Las imágenes son poderosas, las vemos incluso cuando no queremos hacerlo.

—Confía en mí absolutamente.

—Solo se necesita la pequeña semilla de una duda —siguió, con una voz hipnóticamente firme— para que esta crezca y se extienda hasta que lo pudra todo, y toda la confianza se erosione.

Me pregunté si se estaría refiriendo a Nat y a los horribles hechizos de amor. Nat siempre sospecharía que había sido yo quien había cuchicheado acerca de ella. Apreté con fuerza los puños para ofrecer resistencia al dolor.

—Te debilitas cada vez más, Katy.

Extendí mi brazo y le espeté:

—¡Aléjate de mí, Genevieve!

—No importa adónde vayas o lo rápido que corras, Katy... Estás marcada.

Aquella chica estaba loca. Sus afirmaciones parecían cada vez más intensas...

–¡Yo me voy por aquí! –gruñí, intentando apartarme de ella.

–Yo también.

Se pegó a mí como el pegamento y me imaginé que no podría deshacerme de ella hasta que llegásemos a la parada del autobús, donde cada una tenía que coger una línea distinta para ir a casa. Pasamos junto a una tienda de artículos de segunda mano y, extrañamente, las dos nos paramos en seco para mirar lo que había en el escaparate. En un cartel se anunciaba ropa para todas las ocasiones. Un maniquí masculino había sido equipado con un traje de noche negro, y otro femenino lucía un vestido largo, color crema, que dejaba la espalda al descubierto. En esa fracción de segundo supe con exactitud lo que Genevieve estaba pensando, porque yo pensaba exactamente lo mismo: el baile de Navidad de la escuela. Era un baile temático sobre Hollywood, lo cual resultaba genial, porque significaba que Merlin se pondría un frac y yo parecería una estrella de cine con un vestido maravilloso.

–Puede que merezca la pena echar un vistazo –sugirió Genevieve; y ahora su voz era normal, como si no acabase de ocurrir nada inusual entre nosotras.

La miré con suspicacia, recelando de sus propósitos, e intenté que cambiara de idea para poder entrar sola.

–Este año el baile no será gran cosa –insinué–. Lo de Hollywood ha sido una mala idea.

Genevieve resopló con fuerza y dijo:

–Bueno, si no quieres… –y abrió la puerta de cristal de la tienda. Pero yo, en lugar de aprovechar la oportunidad para huir de ella, la seguí al interior.

Su cabeza se movió a un lado y a otro, como la de un búho, mientras registraba el local, pero yo ya estaba concentrada en el vestido más fabuloso que jamás había visto, y que estaba colgado al fondo de la tienda. Lo primero que captó mi atención fue la cola, de un color verde grisáceo, hecha en una tela de dos tonos que me recordó a la cola de una sirena. Me lancé a por él y traté de coger la percha justo en el instante en que veía que alguien la cogía desde el otro lado.

–Yo lo vi primero –dijo una voz conocida, pero, con cabezonería, me resistí a soltarlo.

Genevieve asomó la cabeza por entre la hilera de vestidos, y su cara se hallaba enrojecida de rabia:

–Lo romperás si no lo sueltas.

–Suéltalo tú –respondí, con voz infantil.

–A ti no te quedaría bien.

Una dependienta debió de oír el alboroto y se acercó corriendo para interponerse entre nosotras. Su peinado parecía petrificado, y llevaba un pintalabios rosa y un pañuelo de gasa alrededor del cuello.

–Vale, chicas, ya es suficiente.

A regañadientes, soltamos el vestido y la dependienta lo sostuvo en alto. Era aún más hermoso de lo que me había parecido. Brillaba tenuemente, como el mar en un día de tormenta. Era glamuroso, aunque no en el sentido del *glamour* de las estrellas de cine, y el precio de veinte libras que aparecía marcado resultaba increíble.

–Este es el apartado de artículos defectuosos –informó la mujer–. Como veis, el vestido de noche tiene un desgarrón enorme en una de las costuras. Es casi imposible de reparar, así que quizá las dos queráis reconsiderar…

Estaba segura de que Genevieve podía arreglarlo mejor que yo y hacer que el desgarrón resultase invisible, pero aun así seguía queriendo aquel vestido. Si ella me lo quitaba delante de mis narices, el baile sería un desastre, porque no encontraría nada que pudiera competir con semejante hallazgo. La dependienta decidió comportarse como si fuera una consejera matrimonial.

–Quizá sea mejor que ninguna de vosotras se lo quede, queridas. No vale la pena estropear una amistad por un vestido.

¡Amistad! Traté de no echarme a reír y le di un golpecito a Genevieve en el brazo.

–No permitiríamos que eso pasase, ¿verdad que no?

Ella levantó, testaruda, su barbilla.

–A quien le siente mejor el vestido será la que lo lleve a la fiesta. Me lo probaré yo primero.

Bien podría haber añadido que el Príncipe Encantador sería suyo y que el zapato de cristal sería de su talla.

Percibí miradas de lástima recayendo sobre mí, y la razón resultaba obvia: el vestido le quedaría un millón de veces mejor a Genevieve que a mí. De hecho, yo probablemente haría el desgarrón mayor al tratar de ponérmelo.

No tardó mucho. Una figura presumida y segura de sí misma emergió del probador, que no era más que una cortina situada en uno de los rincones de la tienda. El vestido de sirena parecía hecho expresamente para ella, y la ya familiar cuchillada de envidia se me clavó en el estómago. Genevieve se contoneó por toda la tienda, contemplándose en el espejo de cuerpo entero. Incluso los demás clientes se pararon para admirarla. Mi rostro se congeló en una especie de sonrisa grotesca y enclenque al ver que una mujer se le acercaba y le recogía la cola. Si hubiera desviado mi mirada en ese momento, no hubiera presenciado lo que ocurrió, pero estaba hipnotizada y seguí contemplándola, casi para torturarme. Un par de manos levantaron el cabello de Genevieve desde su nuca para ver el efecto. Esperaba que ella movería su cabeza a ambos lados, celebrando la atención que todos le prestaban, pero su reacción fue sorprendente: se apartó enfurecida, meneando la cabeza de tal modo que su melena volvió a cubrirle los hombros. A continuación, regresó apresuradamente al probador y cerró violentamente la cortina.

Pero no antes de que yo hubiera visto la cicatriz que recorría su espalda, una visible contorsión de la piel que, podría jurar, parecía producida por el fuego.

18

Fue imperdonable por mi parte, especialmente después de haber recibido todo su apoyo, pero no le conté inmediatamente a Luke lo que había presenciado porque necesitaba centrarme en el acontecimiento más trascendental de mi vida. Había aceptado, en un momento de locura, pasar la noche del viernes con Merlin. El resto de la semana transcurrió en un estado de agitación. Tenía que sacar adelante mi proyecto y también asegurarme de que todos los preparativos fueran perfectos. Merlin había efectuado una reserva en un cámping a unos cuarenta kilómetros; solo era una hora de trayecto, pero lo bastante lejos como para no preocuparse de que alguien nos descubriera. Mamá me había dejado quedarme en casa de Hannah y tomarme allí el té, lo que significaba que no tendría que ir a casa después de la escuela. Ya había preparado una pequeña bolsa, y Merlin se haría cargo de la mochila con la tienda de campaña y todo el equipo. Íbamos a recogerla juntos a su casa y luego nos marcharíamos directos a la estación.

El jueves por la noche me resultó imposible dormir. Cada pocos minutos comprobaba la hora en mi reloj digital, aunque el tiempo se había detenido, así que recurrí a contar hasta sesenta mientras esperaba a que los números cambiasen. Al final, debí de quedarme adormilada.

Por la mañana tenía los nervios hechos trizas. El bol de cereales se me resbaló de la mano y volqué una taza de café, todo en un espacio de cinco minutos. Mamá ni siquiera pareció percatarse. No pude mirarla a los ojos cuando nos despedimos, convencida de que detectaría la traición, pero ella se limitó a arreglarme el cuello del jersey y a darme un beso en la mejilla. El hecho de que se mostrase casi alegre convertía mi engaño en algo aún peor. De mal humor, discutí conmigo misma de camino a la escuela.

¿Por qué habría ella de notar algo fuera de lo normal, Katy? No estás haciendo nada tan raro, solo quedarte en casa de una amiga. El objetivo de todos los preparativos se basaba en que ella no sospechase nada. Has cubierto cualquier posible eventualidad. Deja de sentirte culpable; no es más que una mentirijilla.

Fue la mejor actuación de mi vida. Mi aspecto exterior me mostraba fría y calmada, pero en mi interior mi estómago se revolvía, daba saltos mortales y volteretas hacia atrás y hacia los lados. Al salir de la escuela, Nat y Hannah me abrazaron con fuerza para desearme suerte y se despidieron con un gesto melancólico. Me volví y las dos continuaban mirándonos, lo que hizo que me sintiera extrañamente triste. Habíamos llegado al pie de las escaleras de la escuela cuando mi teléfono móvil emitió un pitido.

«Katy, ¿podrías pasar por casa antes de ir a la de Hannah? Mamá.»

La expresión de mi cara cambió por completo. Habíamos comprado billetes para el tren de las cuatro y media, con lo que solo teníamos una hora para recoger las cosas y subirnos al tren. Empecé a balbucear:

–Iré corriendo a casa para ver qué quiere mi madre y me encontraré contigo en la estación. No habrá problema. –Le besé apresuradamente–. Nada puede impedirme subir a ese tren, y de esta forma incluso es más seguro, por si acaso… alguien nos observa.

Caminé veloz, de la típica manera que es como correr, pero siempre parece una carrera poco convincente, aunque no me importó. Mamá siempre me llamaba para cualquier cosa sin importancia, pero si me veía ahora seguramente no me molestaría más tarde. Abrí la puerta principal y poco faltó para que me cayese al interior. No había presentido que fuera a encontrarme nada anormal, por lo que grité mi saludo de costumbre en el mismo instante en que una figura salía de las sombras, con el rostro pálido como la cera y una marcada expresión de furia. Mi bolso resbaló de mi mano y se estrelló contra el suelo del vestíbulo. Ninguna de las dos hablamos durante lo que se me antojó una eternidad. Finalmente, pregunté, en un susurro:

–¿Qué ocurre?

–Esto. Llegó esta mañana –graznó mamá, y su voz dejó claro que estaba al borde de las lágrimas–. Más mentiras, Katy, más engaños, más… Merlin.

La carta que tenía en la mano se encontraba tan arrugada que me pregunté si la habría estado sujetando todo el día. No me quedaba más opción que cogérsela. Lo primero que vi fue el nombre de Merlin en el sobre, pero con mi dirección debajo. Deslicé un dedo dentro y saqué, con las manos temblorosas, una hoja de papel. Se trataba de un recibo del cámping y de la confirmación de nuestra reserva. La fecha era la de hoy. La conmoción me dejó helada, incapaz de mover un solo músculo. Debí de quedarme mirando la carta un montón de tiempo, tratando de que la culpa no asomase a mi rostro, pero al final me vi obligada a mirar a mamá. Ella no parpadeó ni una vez y me pareció estar observando un abismo. Me mareé mientras mi mente avanzaba a toda velocidad hacia el cataclismo.

—¿Organizaste lo de quedarte en casa de Hannah como coartada?

—Nnno —insistí—. Hablamos de ello por… reírnos un poco, pero no íbamos a hacerlo de verdad.

Mamá se acarició la barbilla en una pantomima de personaje malvado.

—Bien, entonces ¿por qué hizo Merlin la reserva y por qué organizaste lo de quedarte con Hannah la misma noche, si todo era… imaginario?

—Es un error —grité—, o alguien que quiere hacer daño. No tienes ni idea de las cosas horribles que me han estado pasando. Mi proyecto fue deliberadamente destrozado, y eso no es lo peor…

Mamá ignoró mi arrebato.

—¿Entonces, Katy? ¿Realmente ibas a quedarte esta noche con Hannah porque sus padres se marchan?

—Sssí.

—No tires más piedras contra tu tejado —gruñó—. Ya he llamado a la madre de Hannah, y me ha confirmado que no va a salir y que no sabe nada de que tú vayas a dormir allí. Así que… ¿qué tienes que decir?

—No es lo que parece —mas_cullé_, débilmente.

Mamá cruzó sus brazos en un gesto que significaba que la situación era grave.

–Desde que conociste a este chico, Katy, te he sorprendido fumando, tu rendimiento en la escuela es un desastre y ahora has mentido y has planeado pasar la noche con él. Tu única defensa es echarle la culpa de todo a otra chica. Siento como si no conociera a mi propia hija. Estoy disgustada contigo. –Giró sobre sus talones y se alejó, dejándome en el vestíbulo, sumida en la penumbra, demasiado anonadada para moverme. Pero aquello no había terminado. Mamá reapareció unos segundos después–: Estarás castigada de aquí en adelante, y quiero que me entregues tu teléfono ahora mismo.

Me llevé la mano a la boca con horror. ¡Merlin! Estaría esperándome en la estación. Sin mi móvil, no podría enviarle un mensaje.

Fue un intento desesperado, pero no tenía nada que perder:

–Incluso a los presos se les permite una llamada.

Mamá frunció los labios, entrecerró los ojos y dijo:

–Tienes exactamente un minuto, y te voy a cronometrar.

Mis manos todavía temblaban de tal modo que se me cayó el teléfono, y luego pulsé los botones equivocados, pues mis dedos parecían inútiles, como si llevase puestas unas manoplas. Me habría destrozado el corazón escuchar a Merlin y que me colgase, así que, en lugar de llamarle, le envié un mensaje.

«Mamá lo sabe todo. Lo siento Merlin. Estoy castigada y tengo que entregar mi teléfono de inmediato. PD. Te quiero.»

Corrí arriba y me tiré sobre la cama, revolcándome en la autocompasión y la miseria. Lágrimas calientes me abrasaron las mejillas y empaparon mi almohada hasta que tuve que darle la vuelta para no mancharme aún más. Experimenté una extraña sensación de placer tortuoso al regodearme en la imagen de Merlin arrastrándose de vuelta a su casa, y en cada una de las emociones que debía de haber sentido, así como en las expresiones que su rostro reflejaría. Esperaba que se sintiera tan desgraciado como yo al pensar en lo que podría haber ocurrido y no iba a ocurrir. Después de más o menos una hora, me di cuenta de lo egoísta que estaba siendo. No solo Merlin y yo nos hallábamos involucrados, Hannah también tendría problemas por habernos proporcionado una coartada. Deseé que tuviera el sentido común de echarme toda la culpa y decir que no sabía nada de mi plan. Avergonzada, me cubrí la cara al pensar en el concepto que su madre tendría ahora de mí.

Mamá no se me acercó en toda la tarde ni me preguntó si tenía hambre, por lo que lloré hasta quedar extenuada y, hacia las ocho, caí en un irascible sueño en el que en un momento me sentía helada de frío, y al siguiente ardía de calor y apartaba la colcha. Los sueños que tuve eran fragmentarios. Me sentía como si me hubiera pasado horas corriendo para huir de algo o de alguien, pero no había dónde esconderse. Todos los edificios, todos los muros, caían al suelo cuando los alcanzaba, como casas hechas de naipes, y cada rincón se encontraba iluminado por un foco acechante. Entré en una especie de teatro y me descubrí a mí misma en el escenario. El auditorio fue encendiéndose gradualmente, primero una fila y luego otra; todos los asientos estaban ocupados, pero los espectadores tenían la misma cara, extrañamente inexpresiva, y sus ojos de cristal verde me lanzaban rayos de luz que me pinchaban como si fueran diminutas espadas. Me encogí y me hice un ovillo para tratar de escapar de los cortes, pero muy pronto todo mi cuerpo se convirtió en una masa sollozante cubierta de sangre, mientras la risa de Genevieve resonaba en mis oídos.

En cuanto desperté, todos los horribles detalles del día anterior se agolparon en mi cabeza. La luz de la mañana me dañaba los ojos, y aunque era tentador darme la vuelta y quedarme en la cama, estaba decidida a enfrentarme a mamá y a acabar con aquella situación. Bajé de puntillas a la cocina, con los ojos y las mejillas hinchadas, como las de un hámster. La encontré untando mantequilla en una tostada, y el olor me hizo darme cuenta de lo hambrienta que estaba. Ningún tipo de comida o bebida había cruzado la barrera de mis labios en casi veinticuatro horas. Me aclaré la garganta. Ella no dijo nada ni me miró, así que me giré, abatida, para marcharme, pero no llegué a cruzar la puerta de la cocina. Todo se oscureció como si se estuviera produciendo un eclipse; ante mis ojos aparecieron estrellas, multiplicándose hasta quedar unidas, formando una negrura borrosa, y mis pies resbalaron bajo mi cuerpo. Perdí el conocimiento hasta que mis párpados aletearon para abrirse y me encontré con mi cabeza en el regazo de mamá, sus ojos abiertos como platos, su rostro contraído en una expresión de alarma.

–Lo siento. Todo se ha vuelto negro.

–¿Cuánto tiempo hace que no comes? –preguntó, con la voz ronca.

–No sé. No me acuerdo.

Me ayudó a llegar hasta una silla, y me recostó en ella para que no me resbalara y me cayera. Mi visión todavía parecía algo borrosa, pero la sensación de desvanecimiento ya había pasado. Mamá metió en la tostadora dos rebanadas de pan cortadas con prisas, esperó a que saltaran y luego untó mermelada en ellas. Colocó el plato delante de mí junto con una taza de té bien fuerte.

—Ningún chico merece que te desmayes por él –me espetó, y cuando reuní el valor para mirarla, distinguí una especie de destello húmedo en sus ojos. Se sentó a mi lado–. ¿Crees que no me acuerdo de cómo es tener dieciséis años?

No estaba segura de si se trataba de una pregunta retórica, así que continué comiendo con ansia.

—Bueno, pues lo hago, y por eso no quiero que cometas un tremendo error. Tus hormonas van como locas, tu sentido común ha salido corriendo por la ventana y crees que eso es amor.

—Es amor –repuse, quedamente, esperando que mamá me saltase al cuello.

—Katy –suspiró–. A los dieciséis siempre parece amor verdadero, pero no puedo esperar que me creas. Tienes que descubrirlo por ti misma. –Definitivamente, estaba a punto de echarse a llorar, pero había tomado la determinación de dejar clara su autoridad sobre mí–. El castigo continúa. No puedes mentirme, y tienes que entender que es por tu propio bien. Puedes ir a la merienda de Nat dentro de dos semanas, pero estás castigada hasta entonces.

Asentí, obediente.

—Y, por cierto, mira lo que he encontrado. –Abrió su mano y me mostró el colgante, que reposaba sobre su

170

palma–. *Gemma* estaba jugando con él en el jardín… No sé cómo lo habrá arrastrado escaleras abajo.

Me vi obligada a cogerlo. Imaginé que *Gemma* debía de haber roto la bolsa de basura para buscar algún manjar y ahora yo tenía que volver a deshacerme del colgante. Era un alivio que la tensión se hubiese relajado con mamá, pero mi corazón estaba tan herido que sentía como si estuviera arrastrando a mis espaldas una cadena y una bola de hierro. Volví a mi cuarto y miré mi ordenador. Mamá no había dicho nada de que no pudiera utilizarlo; no obstante, me resistí a la tentación de encenderlo. Si me sorprendiera hablando con alguien, podría ampliar el castigo otra semana y me perdería el cumpleaños de Nat. Ahora ya no tenía excusa para no ponerme a rehacer mi proyecto de clase; me hallaba aislada del mundo exterior, en una suerte de extraño limbo, con nada que hacer ni nadie con quien hablar.

Luke debía de haber estado enviándome mensajes. Llamó a casa poco después de la hora del té. Lo vi avanzando por el sendero y corrí hasta la puerta para decirle con los labios que estaba castigada. Pero él no pensaba rendirse tan fácilmente y se negó a marcharse, susurrándome al oído que tenía un plan. Meneé la cabeza y le dije que no funcionaría, pero me empujó adentro justo cuando mamá acudía a la puerta.

–Los deberes de Lengua de Kat están listos –anunció con su sonrisa más cautivadora–. Hay unas cuantas cosas que necesito repasar con ella.

–Tráelo aquí –contestó mamá, con desconfianza, pero al mismo tiempo atusó el irritante mechón de pelo de Luke como si aún fuera un niño.

—La cuestión es... que los tengo en mi ordenador.

Mamá nos miró alternativamente al uno y al otro y dijo, resignada:

—Puedes ir, Katy, pero no tardes más de media hora.

—Eres un genio –dije, y empecé a hablar a borbotones, atropelladamente, para ponerlo enseguida al corriente de la campaña de Genevieve contra mí. Debió de percatarse de lo angustiada que estaba, porque se mostró más comprensivo de lo habitual, me cedió su silla y emitió sonidos de preocupación en los momentos adecuados.

Lo único que me reprochó es que no se lo hubiera contado antes.

—He... he estado tan empantanada con mi proyecto que no he tenido tiempo, y todo ocurrió casi a la vez. –Mi rostro se ensombreció–. Genevieve ha estado increíblemente ocupada toda la semana.

—Obviamente.

—Bien, Luke, dime cómo ha podido hacer todas esas cosas horribles.

Luke puso cara de hallarse solemnemente concentrado.

—Dijiste que estaba en la feria de artesanía, así que... te oyó hablar de hechizos o manifestaciones y esperó a poder utilizarlo contra ti. Destrozó tu carpeta cuando la dejaste sin vigilancia, nos hizo la foto... en algún momento... No la vimos porque no estábamos buscando a una loca con una cámara; llegó temprano a tu escuela y la colocó en el tablón de anuncios... Es simple.

—¡Pero eso no es todo! –repliqué, furiosa–. Mira esta carta... la enviaron a mi casa pero lleva el nombre de Merlin. Ni siquiera ha sido franqueada. Genevieve debió de meterla ella misma en el buzón el viernes por la mañana, después de que yo me fuera a la escuela.

Se la entregué y le di tiempo a que la leyese. Su reacción me cogió totalmente por sorpresa. Abrió la boca con estupor y repugnancia.

–Esto va más allá que todo lo que había hecho hasta ahora, Kat. De hecho, lo lleva todo a otro nivel.

–Bueno… sí, está claro que es un juego sucio.

–Tenderte una trampa así y hacerle creer a tu madre que te ibas con Merlin… cuando apenas os conocéis.

Tragué saliva. Había algo en todo aquello que no le había explicado, y que era también el motivo por el que me había preocupado tanto hablar con él.

–En realidad… sí habíamos… quiero decir, íbamos… solo… eeh… íbamos a ir de acampada una noche.

No había esperado sentirme tan azorada, por lo que estuve a punto de añadir «en tiendas separadas», pero mi facilidad para sonrojarme siempre me traicionaba, y Luke me conocía desde hacía tanto que resultaba difícil engañarlo.

Se limitó a bajar la cabeza y a emplear un tiempo exagerado en examinar el sobre, como si fuera Sherlock Holmes.

–De acuerdo… Esto se resuelve fácilmente. Genevieve estuvo en casa de Merlin, para sus trabajos artísticos… registró su habitación y descubrió el recibo.

–Puede que tengas razón –murmuré.

–¿Dónde está esa foto nuestra? –preguntó de repente.

De ningún modo quería que la viera. La había metido en el fondo de uno de mis cajones.

–No… no la tengo. Merlin la debió de tirar.

–¿Qué tal salíamos?

Hice un mohín y me encogí de hombros.

–Como un par de amigos…

–¿Y por qué se puso Merlin tan celoso, entonces?

–Es un tanto… inseguro.

Observé cómo anotaba los últimos acontecimientos en la pizarra.

–Kat, Genevieve es realmente inteligente. Puede que la haya infravalorado, y el problema es que no tenemos más pistas. No sé adónde ir desde este punto en el que nos encontramos ahora.

Lentamente, mi rostro se fue iluminando.

–Esa es la cuestión, Luke. Hay algo más que no te he contado. Me he guardado lo mejor para el final.

19

El lunes por la mañana la vuelta a la escuela me resultó extraña, era como si me hubieran dado un permiso para salir de la cárcel. La idea de ver a Hannah me ponía nerviosa, pero ella parecía tranquila y me contó que había convencido a su madre de que todo era un enorme malentendido: Katy Rivers nunca haría algo tan arriesgado. Merlin y yo nos escabullimos en la primera ocasión que tuvimos y se adjudicó toda la culpa por lo de la carta, seguro de que había cometido una equivocación al reservar por Internet. Ni siquiera me tomé la molestia de discutirlo y hacerle ver lo poco factible que era.

Debíamos tener mucho cuidado para que no se nos viera juntos, pues me preocupaba que alguien nos observara y luego utilizara cualquiera cosa en mi contra. Nos robábamos besos donde podíamos, y descubrimos un pequeño portal en la parte trasera de la escuela, en el que podíamos escondernos. Daba a las vías del ferrocarril y a los contenedores de reciclaje; el olor a basura se nos metía en la nariz, el viento nos atravesaba y el sonido chirriante de los trenes retumbaba en nuestros oídos. Comencé a observar furtivamente a Genevieve, del mismo modo que ella me observaba a mí. Me sorprendió la sensación de satisfacción que me producía, como si hubiera absorbido parte de su vengativa y depredadora personalidad. Conté los días y aguardé mi momento hasta que llegase el fin de semana. Había muchas cosas que esperaba con ansia, el sábado por la noche se acababa mi castigo y podría ver a Merlin y, además, Luke y yo teníamos algo importante que hacer por nuestra cuenta.

Íbamos a volver a las afueras de York, a la vicaría donde habían enviado a Grace/Genevieve a vivir después del incendio. Fuera lo que fuera lo que ocultaba, descubriríamos su secreto y la desenmascararíamos como la retorcida mentirosa que era. Finalmente, había aceptado que nunca detendría voluntariamente su campaña contra mí. Tendría que hacerlo yo misma.

El sábado por la mañana nos pusimos en marcha antes de las siete.

—¿Cómo está el mago? —preguntó Luke, sutilmente, a la vez que tomaba una curva cerrada que me lanzó contra la puerta del pasajero.

—Está… eeh… bien.

—¿No le importa que pases otro día conmigo?

—Claro que no —respondí, con firmeza—. Le veré esta noche. Hemos tenido que pasar la mayor parte de la semana separados, pero al menos pude terminar mi proyecto a tiempo. La señorita Clegg me ha puesto la mejor nota.

—Eso es genial, Kat.

—Así que… algo bueno ha salido de mi castigo.

Luke no hizo ningún comentario. Las cosas habían permanecido un tanto tirantes entre nosotros desde que se enteró del viaje al cámping, lo cual resultaba, cuando menos, intrigante, porque yo siempre había dado por hecho que podía contarle cualquier cosa.

–¿Estás enfadado por algo?

Empezó a toquetear el aparato de CD, y le obligué a volver a colocar la mano en el volante.

–Venga, escúpelo.

–No… Es solo que… no quiero verte herida, eso es todo.

–Merlin no me haría daño.

Luke seguía taciturno, así que le presioné:

–Hay algo más, ¿verdad?

–No, bueno, más o menos. Creía que te conocía muy bien, Kat.

Me dolió tanto su crítica que me hundí en mi asiento, destrozada anímicamente por completo. Un instante después, esa sensación se convirtió en enfado y tuve que defenderme. Mi voz sonó fría y seca:

–Me conocías, Luke. Ahora me he hecho mayor.

Empezó a asentir como un poseso.

–Tienes razón, esto no tiene nada que ver conmigo.

–No –le corregí, con un tono más suave–, tiene algo que ver contigo porque eres mi amigo, y si no me hubieras apoyado como lo has hecho, me habría vuelto loca.

Mis palabras parecieron alegrarle. Alzó su mano y esperó a que yo se la chocase:

–¡Por los amigos, Kat!

–¡Por los amigos! –repetí.

Sin embargo, parecía no poder evitar tener la última palabra:

–Pero no dejes que el primer chico que conozcas te rompa el corazón.

Cerré los ojos y me concentré en el movimiento del coche, rememorando el episodio de Genevieve y el vestido de fiesta, la auténtica razón por la que otra vez estábamos en la carretera. Al ver la mirada de sobresalto de la dependienta, se lo había quitado inmediatamente, afirmando que era «horrible». Yo fingí haber estado absorta en la lectura de un libro sobre labores de punto y alcé la mirada con gesto inocente, como para preguntar si había algún problema. Tenía el rostro descompuesto y salió apresuradamente de la tienda. Disfrutaba tanto con su malestar que la seguí, pero apenas dijo nada más, y nos separamos en la parada del autobús.

Aquella era la evidencia que necesitaba, algo concreto que aportaba una prueba sobre el pasado de Genevieve. Había creído que podía reinventarse y borrarlo todo, pero sin duda se trataba del recuerdo permanente e indeleble de su vida anterior.

Luke me sacó de mi ensimismamiento:

–¿Crees que deberíamos haber llamado a la vicaría? Seguro que el número aparece en el listín.

–No queremos poner a nadie sobre aviso –respondí, con un bostezo–. Y es más difícil interpretar lo que la gente no dice cuando no estás cara a cara.

–No atesores muchas esperanzas –me advirtió–. Podría ser que el vicario haya cambiado de parroquia o haya muerto o algo…

–Todavía estará allí –insistí–. Si se hubiese mudado, la anciana de Lower Croxton lo habría dicho.

–Podría estar de vacaciones o de retiro, o lo que sea que hagan los vicarios.

–Estará allí, cuidando de su rebaño –dije, y me reí.

–No tiene por qué hablar con nosotros, y no podemos mentirle a un...

–Hombre del Señor –terminé yo su frase–. ¿Por qué no iba a hablar con nosotros?

Luke tamborileó el volante con sus dedos.

–La gente no siempre hace lo que tú quieres, Kat. Él podría pensar que es un asunto privado.

–Su trabajo es ayudar a las personas –insistí, irritada–. Se llame Grace o se llame Genevieve, sigue siendo su familia. El vicario no tiene derecho a dejar que ataque a otra gente... a dejar que acose de manera horrible o que intente arruinarles la vida o apropiarse de ella... o sea lo que sea que esté haciendo...

–Estoy de acuerdo –dijo, para serenarme y, con un guiño de astucia, añadió–: ¿Por fin has superado tu obsesión de que posee poderes sobrenaturales?

–Supongo –respondí, en un murmullo.

–¿Ves, Kat? –me aleccionó–, todos esos trucos mágicos son producto de una mente crédula. Si no crees en ello, no puede hacerte daño...

De pronto, me cubrí el rostro con las manos y grité al ver que algo golpeaba el parabrisas. A través de los dedos vi cómo Luke giraba frenéticamente el volante para intentar mantener el control del coche, que serpenteaba por la carretera. Consiguió detenerlo con un frenazo que nos lanzó a los dos hacia delante. Instintivamente, me protegí la cabeza con los brazos y oí una voz, en estado de *shock,* que me decía:

–Solo es un pájaro, Kat… No mires si no quieres.

Fue perverso por mi parte, pero en cuanto dijo eso, sentí la necesidad de mirar, y descubrí el cuerpo de un cuervo esparcido por el cristal, con sus ojos sin vida mirándome fijamente.

–¡Menos mal que no estábamos en la autopista! –exclamó, con fingida alegría–. Y menos mal que ha chocado en tu lado, porque si no habría sido mucho peor.

Tenía el cuerpo como si lo hubieran introducido en una lavadora. Procuré no mirar mientras Luke utilizaba una bolsa de plástico para limpiar la sangre del parabrisas, las plumas y el cuerpo destrozado del pájaro. Volvió al coche y puso en marcha los limpiaparabrisas para deshacerse de los últimos restos.

–Probablemente le había disparado algún granjero –añadió, dejando escapar un bufido, y yo respiré profundamente varias veces para alejar de mí la sensación de náusea. Abrí la ventana e intenté no pensar en alados presagios de desastre que quisieran impedirnos llegar a la iglesia. No intercambiamos ninguna palabra más hasta que arribamos a St. John's Place.

Creí que la iglesia sería minúscula y antigua, con vidrieras de colores y una marquesina sobre la entrada, pero resultó ser bastante moderna y carente de adornos, asemejándose más a un salón de actos que a una iglesia. Había muchos coches aparcados enfrente, y un cartel en el tablón de anuncios informaba de un mercadillo para ayudar a la beneficencia local.

–Al menos podemos entrar con toda esa gente y no llamar la atención –dijo Luke, estirando las piernas al salir del coche. Su cabello parecía recién peinado, y sus pantalones, estilo militar, no estaban demasiado arrugados. Lo miré con afecto, preguntándome por qué se mostraría tan dispuesto a dedicar otro día más a echarme una mano–. Venga, vamos a ver si tropezamos con alguna ganga –me apremió–, y de paso hacemos de detectives.

Por lo general, me encantan los mercadillos, porque son una oportunidad para comprar ropa de segunda mano que luego puedo alterar a mi gusto o, simplemente, descoser una prenda para convertirla en otra distinta; pero aquello era, sin dudas, territorio de marujas. Las únicas prendas de ropa que había eran faldas de *tweed,* pantalones a cuadros y camisas de cachemira con bufandas a juego. Sobre las mesas se alineaban tarros de mermelada, confituras, cebollas en vinagre y remolacha, junto con gigantescos bizcochos de crema y pasteles de frutas. Había también una selección de plantas, figurines de porcelana horrorosos y libros de aspecto lamentable. Me alegré de haberme decantado por mis respetables vaqueros ajustados en lugar de por los de cintura baja.

–Estate atenta por si ves al vicario –me recordó Luke, al tiempo que me dirigía una sonrisa y me señalaba a las mujeres que atendían los puestos.

Se vio obligado a comprar una porción de pastel de frutas y mermelada de albaricoque para su madre, mientras que yo me decanté por una planta de interior poco vistosa que se suponía que no necesitaría excesiva atención. Luke parecía ser el único hombre menor de sesenta años, así que corrió a echar una mano cuando una de las mesas se vino abajo, y, enseguida, le pidieron que levantase varias cajas llenas de libros y lo pusieron a cargo de la tómbola. Yo me quedé cerca, tomándome un café instantáneo, asqueroso, en un vaso de plástico, y escuchando a una señora mayor que se quejaba de sus juanetes.

En cuanto entró en el vestíbulo de la iglesia, el hombre con alzacuellos y traje oscuro se hizo notar, pues todo el mundo acudió junto a él para saludarlo. Intenté hacerle señales a Luke, pero un grupo de no menos de cinco señoras, con las canas tintadas y onduladas, le tapaban la visión. El vicario parecía rondar los cincuenta, tenía el pelo gris, barba y gafas de montura dorada. Era alto y enjuto.

¡Y habíamos pretendido pasar desapercibidos entre el gentío! Luke atraía la atención como un faro encendido y el vicario fue directo hasta él. Vi cómo estrechaban sus manos y me levanté, dejando a medias el relato de la extirpación de una vesícula biliar, para acercarme a ellos por si Luke necesitaba mi apoyo.

—Solo estaré aquí hoy —le oí decir—, con una amiga.

—Necesitamos más gente joven involucrada en nuestra comunidad. Qué lástima que solo estés de visita.

Luke hizo una pausa.

—En realidad, otra amiga mía solía vivir por aquí… Me pregunto si se acordará usted de ella.

El vicario sonrió, alentándole:

—¿Su nombre?

La determinación de Luke pareció palidecer, pero se aclaró la garganta y dijo, con tono de confidencia:

—Es Grace… Grace Morton.

La reacción fue brutal. El vicario se encrespó y la expresión de su rostro se endureció. El cambio fue tan rápido que dio miedo, como ver a tu personaje favorito de Disney transformándose en Freddy Krueger.

–Lo siento, no recuerdo a nadie con ese nombre.

Puse un gesto de malestar y luego levanté las manos para indicarle que no había nada que pudiéramos hacer, pero Luke no se desalentó tan fácilmente. Siguió afuera a la figura veloz del vicario, mientras yo intentaba alcanzarle.

–Discúlpeme, pero creo que debe recordarla. Es difícil no acordarse de un miembro de su propia familia.

El vicario se dio la vuelta y parecía que sus ojos lanzaban llamaradas:

–Ella no es un miembro de mi familia.

Luke no pudo evitar sonreír.

–Entonces, la recuerda. Necesitamos hacerle unas preguntas. Es muy importante.

El vicario no estaba dispuesto a dejarse convencer:

–No deseo responder a vuestras preguntas y os agradecería que me dejaseis en paz y que no volvieseis a poneros en contacto conmigo ni con nadie cercano a mí.

Vimos cómo volvía a entrar, y luego me senté en un muro que había cerca, jugueteando con la cremallera de mi chaqueta y frotándome las manos. El nerviosismo, o el frío, que parecía atravesarme, me había helado hasta los huesos. Intenté quitarle hierro al asunto:

–Parece que la cosa ha ido bien.

Obviamente, Luke estaba enfadado, pero lo disimuló bien.

–Es un borde, ¿no? Pero no estaría bien que le retorciese el brazo.

–No hay nada más que podamos hacer –suspiré–. Sin embargo, hay algo que llama la atención: nadie quiere hablar sobre Genevieve... Grace. Es como si nunca hubiera existido.

Luke se sentó a mi lado y se entretuvo golpeando el muro con sus talones.

–Quieres decir que desearían que nunca hubiera existido.

–Supongo que esto es el fin, ¿no? Es decir, no hay por dónde tirar.

Luke dejó que su lengua asomara por la comisura de sus labios y soltó una carcajada hueca.

–¿Y tú te llamas periodista? Esto solo es el principio…

–Pero lo único que conseguiremos será hacerle enfadar aún más…

–Al vicario puede, pero ¿y qué pasa con los otros?

–¿Qué otros?

Al mirar hacia delante, los ojos de Luke parecían duros como el acero.

–Ha dicho que no volviéramos a ponernos en contacto con él ni con nadie cercano a él… así que… eso es justo lo que haremos. No es el único que la conoció, y si no quiere hablar sobre ella, entonces esperaremos hasta encontrar a alguien que sí quiera.

–¿Y cuánto deberíamos esperar?

–Tanto como sea necesario –respondió, con determinación.

20

–Estoy congelada.

–Si pongo la calefacción sin encender el motor, se agotará la batería.

Mi respiración se condensaba delante de mí.

–¿Podríamos salir del coche? ¿Movernos un poco?

–Tenemos que vigilar la vicaría –me recordó Luke por tercera vez–, y no prestarnos atención a nosotros mismos.

–¿Queda algún sándwich?

–No.

–¿Agua?

–No.

Luke estaba allí para ayudarme, y yo me comportaba como una niña malcriada, pero pensaba que los periodistas vivían experiencias excitantes, no que permanecían durante tres horas sentados en un coche vigilando la misma casa.

Echó un vistazo a su reloj y dijo:

–Sé que estás harta. Yo también lo estoy. Vamos a darle otros treinta minutos y se acabó.

–Perdona que me pase todo el rato quejándome –me disculpé, pero a continuación me quejé un poco más–: ¿Por qué la vida no es como en televisión? Todo solucionado en un día, los cabos sueltos atados y los buenos ganando al final.

—Porque resumen meses de grabación en media hora y hacen que todo parezca tan fácil, lo cual...

Le apreté el brazo al ver que la puerta principal de la casa se abría.

—Sale alguien. Es él... y está solo.

Observamos cómo la enjuta figura avanzaba a grandes zancadas por el sendero y luego quedaba fuera de la vista, tras una curva de la calle. Sabía lo que Luke planeaba, y el corazón me dio un vuelco.

—Podría... podría volver en cualquier momento.

Luke quitó las llaves del contacto y abrió la puerta del coche.

—Creo que va a estar fuera un buen rato, Kat. Ahora iba bien abrigado, con chaquetón, bufanda y sombrero.

Me quedé inmóvil en el asiento del pasajero, mirando hacia abajo, con las manos sujetas entre mis rodillas.

—No creo que pueda hacer esto...

Luke rodeó el coche para venir a mi lado y me sacó con suavidad.

—¿Qué es lo peor que podría pasar? Nos cierran la puerta en las narices o regresa el vicario y coge un berrinche al vernos ahí. No estamos haciendo nada ilegal, y te arrepentirás si te rindes ahora.

Tenía razón, como siempre. Me odiaría si me fuera de allí sin saber lo que podríamos haber descubierto.

—Tienes razón... por supuesto que sí... Ya voy.

Una mano reconfortante me tomó del brazo.

—Soportar a Genevieve exige mucho más valor que esto.

Le sonreí agradecida, porque siempre se las apañaba para decir las palabras adecuadas en el momento justo.

Respiré profundamente y atravesé la puerta de la verja, pero el sendero que llevaba hasta la vicaría parecía haber duplicado su longitud y mis zapatos crujían sobre la gravilla. Levanté la mirada hacia el cielo para distraerme. La noche se aproximaba, una mancha púrpura y negra avanzaba para hacer desaparecer el rosa, el blanco y los toques de polvo azul. Ahora nos hallábamos frente a la puerta roja con la pintura descascarillada y un cristal coloreado, y ya no podíamos darnos la vuelta. Podíamos elegir entre una aldaba de metal o un timbre antiguo con un tirador de cuerda. Luke dudó un instante, y supe que aquella iba a ser la parte que nos daría más miedo, esos segundos frente a la puerta sin saber quién abriría y qué le diríamos. Pero no ocurrió ninguna de esas dos cosas, porque, de repente, la puerta se abrió.

—Ssé popor qué estáis aquí —balbuceó una mujer—. Mi… mi marido me dio vuestra descripción y os he visto por la ventana.

Era pequeña y parecía un pájaro, con el pelo gris despeinado y unos ojos asustados que se movían rápidamente de Luke a mí y otra vez a él.

Luke dio un paso hacia delante.

—Hemos hecho un viaje muy largo hasta aquí. Lamento insistir, pero es importante.

La mujer retrocedió hacia el interior del porche, con la mano en el marco de la puerta.

—No puedo deciros nada… Por favor, dejadme… Dejadnos en paz.

—Déjame a mí —susurré. Ya no me sentía acobardada. Luke tenía razón, lo único que debía asustarme era no tener ni idea de por qué Genevieve me odiaba y por qué quería destruir mi vida. Miré a la mujer directamente a los ojos y traté de mantener la voz calmada–: No sé qué he hecho, pero, desde que Grace vino a nuestra ciudad, parece empeñada en arruinarme la vida. No puedo seguir así, sin saber por qué. ¡Por favor, ayúdeme!

La mujer del vicario unió sus manos como si se dispusiera a rezar, y su rostro mostró un conflicto de emociones. Al fin, echó una mirada hacia el jardín y luego nos dijo, con voz apremiante:

–Seguidme. Si mi marido vuelve, tendréis que salir por la cocina… enseguida. La verja trasera está cerrada con llave, pero hay un agujero en la valla y es fácil colarse por él.

Nos guió por un amplio vestíbulo de baldosas geométricas de color azul y terracota. Frente a la puerta que daba al porche había un reloj de pie. A la izquierda nacían unas escaleras de caracol con una baranda de madera nudosa y varillas con volutas. Todo olía a húmedo y a moho, mezclado con cera de abeja. Noté que la piel se me erizaba y que una sensación de frío invadía todo mi cuerpo, y me froté los brazos.

–¿Qué ocurre? –preguntó Luke.

–Nada. Solo es un escalofrío… como si hubiera estado aquí antes.

–No digas que soy periodista –me susurró.

Llegamos a una cocina de gran tamaño con un aparador, un carro de carnicero y una estantería llena de ollas y cacharros, tarros y platos. La esposa del vicario nos indicó que nos sentásemos a una vieja mesa cuya superficie estaba llena de profundos surcos. Con los labios temblorosos, dio un trago de un vaso de agua.

–¿Cómo seguisteis el rastro de Grace hasta nosotros? Hacía mucho que no oíamos hablar de ella.

–Luke es un genio con los ordenadores –expliqué, con la esperanza de que ella no lo fuera–. Le hablé de Grace y él se las ingenió para localizarles.

La mujer retorció un pañuelo entre los dedos.

–¿Qué necesitáis saber?

A pesar de lo que nos había costado llegar hasta allí, de pronto se me quedó la mente en blanco y Luke tuvo que intervenir:

–¿Qué fue de Grace cuando se marchó de aquí? ¿Qué puede usted contarnos?

–No mucho –repuso, con voz rotunda–. La llevaron a un centro de acogida de menores. Yo intenté mantenerme en contacto con ella, y la habría visitado, pero ella no quería verme. Se mostraba muy hostil... hacia nosotros.

–¿Cuántos años tenía?

–Puede que ocho.

Me quedé boquiabierta.

–Entonces, ¿apenas estuvo con ustedes? Quiero decir, solo tenía siete años cuando se produjo el incendio...

Interrumpí la frase bruscamente, y ella, en voz muy baja, dijo:

–Veo que ya conocéis esa parte.

Los dos asentimos y la mujer respiró profundamente.

–No, no se quedó mucho tiempo con nosotros.

No ofreció más explicación, y yo me quedé pensando en aquel período de la vida de Genevieve/Grace (seguía costándome cambiar de un nombre a otro) sobre el que no sabíamos nada.

–¿No fue una época feliz? –preguntó Luke, con tono compasivo, y los ojos de la mujer se humedecieron, pero se recompuso y se arrebujó bajo su rebeca gris.

–No, no lo fue. No sabíamos que hubiera problemas antes de que Grace viniera, pero después…

Dejó la frase a medias. Dio un respingo al oír un ruido en el jardín, lo que demostraba la tensión que sentía ante la posibilidad de que su marido volviera.

–¿Tiene alguna fotografía de ella? –pregunté.

–No. Se destruyeron todas en el incendio, y las que yo le hice… se perdieron.

–¿Le habló usted a alguien de esos… problemas? –tanteó Luke.

–No puedo entrar en detalles. Grace fue puesta bajo supervisión y quedó fuera de mi control. No se trataba de un centro de acogida para niños normales…

Luke y yo necesitamos un momento para digerir aquella información.

–¿Qué hizo Grace cuando estuvo aquí? –pregunté.

Dio la impresión de que no iba a responder a la pregunta, pero finalmente lo hizo, con una voz apenas audible:

–Se sentaba arriba… mirándose en el espejo que hay en el tocador. Día tras día… aquellos ojos no hacían otra cosa que mirarse. A veces decía cosas muy extrañas…

–¿Como qué?

–Que alguien le había robado su reflejo… y que le habían cortado el corazón en dos.

El viento entró por el hueco de la chimenea y una sensación gélida me atravesó («como si alguien caminase sobre tu tumba», diría mamá).

–¿Mostró interés por algo?

La esposa del vicario asintió, recordando:

–Adoraba el mar. Siempre quería que la llevásemos a verlo; y cuando lo hacíamos, no paraba de recoger conchas, guijarros, trozos de cristal, y luego los convertía en collares y cosas así. A mi marido no le parecía bien, pensaba que eran objetos paganos.

Luke trató de que no se le notase, pero pude ver en su expresión que estaba muy enfadado.

–Debió de ser muy duro perder contacto con su sobrina –comentó–. ¿Era la hija de su hermana?

La reacción de la mujer fue tan brusca como lo había sido la de su marido:

–¡Grace no era hija de mi hermana! Adoptó el apellido de casada de mi hermana para empezar de cero.

Le di a Luke con el pie por debajo de la mesa.

–¿Perdón? ¿No era la hija de su hermana?

–No su verdadera hija –fue la escueta respuesta–. Mi hermana adoptó a Grace cuando era un bebé.

Miré a Luke, estupefacta, pero él se contuvo.

–¿Sabe usted algo acerca de su verdadera madre?

–La verdad es que no… Solo que no era muy estable. Mi hermana nunca quiso hablar de lo que le había pasado a Grace, aunque puede que los de la agencia de adopción se lo contaran a ella.

–¿Era de la zona? –pregunté, tratando aún de absorber aquel último dato.

La mujer asintió. Hubo un instante de silencio y luego pareció que su resistencia se venía abajo:

–Una cosa sí sé, adoptar a Grace fue lo peor que mi hermana pudo hacer.

–Solo era una niña –arguyó Luke.

–No se trataba de una niña normal. –Carraspeó para aclararse la garganta–. Mi marido considera que nadie nace perverso. Cree que aprendemos a serlo por la maldad que existe en el mundo...

–Pero usted no está tan segura –dije.

Su mirada se clavó en el vacío.

–Todavía siento su presencia. Sé que es imposible, pero es como si... algo de ella permaneciera aquí. –Miró el reloj que había sobre la chimenea y se incorporó con rapidez–. Debéis marcharos, por la puerta de atrás.

Pero yo no me moví.

–Aún no nos ha contado la verdadera razón por la que Grace tuvo que irse.

–Os he dicho todo lo que puedo revelar.

La cogí por la muñeca y me pareció tan frágil que podría quebrarse en dos.

–Me culpa por algo y dice que me arruinará la vida.

La mujer se llevó una mano al pecho, como si quisiera comprobar que su corazón continuaba latiendo.

–Entonces deberías tener cuidado. Es capaz de hacer cosas que la mayoría de nosotros no podría ni imaginar.

–No puede usted decir eso sin explicarme a qué se refiere –le supliqué.

La esposa del vicario estaba tan pálida que parecía a punto de desmayarse, así que me acerqué a ella para evitar que se cayera. Su respiración alterada revelaba su lucha interior, y mis nervios crecían por la expectación. Su boca se abrió y volvió a cerrarse, hasta que por fin habló, con voz áspera:

–Si repetís esto a alguien, lo negaré. Grace me dijo que había asesinado a mi hermana porque ella tenía la culpa, la culpa de todo, y que no se detendría ahí.

Luke mantuvo su tono moderado:

–Estaba enfadada y probablemente se sentía herida. Son solo palabras. Los niños sufren ataques de ira.

–Tenía siete años y una carita de ángel, pero los quemó vivos porque creía que decían mentiras sobre su verdadera madre y… no lo hizo sola. Contó con ayuda.

Fruncí el ceño.

–¿Qué clase de ayuda?

–El tipo de ayuda que no pertenece a un lugar sagrado.

La conversación había terminado. Nos echó prácticamente a empujones por la puerta trasera al frío aire nocturno, pero todavía quedaba algo en mi cabeza que quería preguntarle. Di un paso atrás y logré poner el pie en el quicio de la puerta para evitar que la cerrase.

–El centro de acogida –susurré–. ¿Cómo se llamaba?

Los ojos que me devolvieron la mirada parecían apagados y sin vida. Sus labios apenas se movieron y escuché una sola palabra que era casi un suspiro:

–Martinwood.

Envueltos en la oscuridad, Luke y yo cruzamos el jardín y nos arrastramos por un agujero de la valla. Se me rasgó la camisa y varias ramitas se me enredaron en el pelo, pero no me detuve, desesperada por volver al coche. En cuanto Luke abrió la puerta, me metí dentro y me encogí en el asiento, con cada mano en el interior de la otra manga de la chaqueta, para calentármelas.

Mientras los dos mirábamos fijamente hacia delante, caí en la cuenta de que había olvidado algo y me mordí los labios.

–Deberíamos haberle preguntado cuál era el verdadero apellido de Grace.

–¿Quieres volver? –se rio Luke.

–Mejor no –dije, meneando la cabeza.

–Esta gente es muy supersticiosa e ignorante –apuntó con desdén–. Ya puestos, podría haber dicho que Grace contaba con el apoyo del diablo. ¿Has conseguido lo que viniste a buscar, Kat?

–Más o menos, pero seguimos sin tener pruebas. La mujer del vicario no repetirá nada de lo que nos ha contado.

–Probablemente no –contestó.

Mis dientes comenzaron castañetear.

–¿Qué te pareció la casa?

Luke se encogió de hombros.

–La típica vicaría, grande, llena de corrientes de aire, vieja y húmeda. ¿Por qué? ¿Viste algún fantasma?

–He… he estado ahí antes –titubeé.

–¿Cuando eras pequeña, Kat?

De pronto, me alegré de poder esconderme en la oscuridad reinante.

–No… solo en mis sueños.

Luke se echó a reír.

–Todos tenemos pesadillas con lugares tenebrosos.

Negué con la cabeza y me giré para mirarlo.

–No como mi sueño; llevo toda mi vida subiendo por esa escalera.

21

Se nos había hecho tan tarde que imaginé que media hora más no tendría importancia. Le pregunté a Luke si podía dar una vuelta por el pueblo de Appleby, porque me parecía una oportunidad que no debíamos dejar pasar. No mostró sorpresa ni me preguntó el motivo. Creo que ambos nos sentíamos conmocionados por los sucesos del día, y nos habíamos cerrado en nosotros mismos, perdido cada uno en sus pensamientos. El pueblo no se encontraba a más de diez minutos, pero decidí ofrecerme a pagar la gasolina, aunque lo más seguro era que Luke no lo aceptara. Las calles parecían estrechas y apenas había tráfico, a pesar de que solo eran las nueve. Me pregunté qué haría allí la gente los sábados por la noche, aparte de quedarse en casa y ver la televisión.

Luke se dirigió a la calle principal, que discurría junto a la plaza del mercado. Vi bancos colocados alrededor de una pequeña fuente, y un monumento en memoria de la guerra, con varias coronas de flores en su base. Había solo un par de coches aparcados, así que encontramos sitio sin problemas. Un *pub* tenía la luz encendida, pero todo lo demás estaba vacío y a oscuras. Luke apagó los faros y se quedó en silencio, a la espera de mis instrucciones. Parecía contento con el paseo turístico. Sin decir nada, abrí la puerta y me siguió afuera, con un pequeño gesto de asentimiento. Estaba bien que, por una vez, fuera él quien me siguiera a mí.

Con una sonrisa maliciosa, le llevé hacia la iglesia de Saint Mary; iba unos pasos por delante de él y gesticulaba con la mano para atraerle. Vigilando la entrada había un árbol de espino, retorcido y desnudo. Me hizo pensar en una mano rugosa alzada hacia el cielo, suplicante. Había un candado en la verja, por lo que le indiqué por señas a Luke que tendríamos que saltar el muro. Esperó a que yo lo hiciera primero y me ayudó a trepar. Me encaramé al pretil sin reparar en lo afiladas que eran las piedras decorativas, y me las ingenié de algún modo para quedarme colgada, balanceándome hacia delante y hacia atrás como una marsopa varada. Luke tuvo que saltar y ayudarme a bajar, sujetándome con suavidad cuando caí. Me froté el vientre dolorido, enfadada por mi torpeza. Por fortuna, la iglesia se hallaba algo apartada, porque seguro que a los habitantes del pueblo no les hubiera hecho gracia vernos merodeando por allí en plena noche. Abandoné el sendero y empecé a vagar entre las tumbas. El suelo estaba alfombrado de helechos entremezclados con bellotas tan duras que parecían piedras bajo los pies. Había cáscaras cubiertas de púas por todas partes, vacías, sin sus castañas rojizas y brillantes, y manzanas silvestres podridas que se me pegaban a los zapatos. Una pequeña luz, colocada en lo alto de uno de los contrafuertes de la iglesia, nos ayudaba a ver por dónde pisábamos.

–Hay luna llena –observó Luke, doblando el cuello para mirar hacia arriba–. Y estamos en mitad de un viejo cementerio, a kilómetros de casa. ¿Debería preocuparme?

–Necesito encontrar a Greta Alice Edwards –me limité a responder.

No podía ver con claridad la expresión de su cara, pero Luke parecía algo desconcertado, aunque no enfadado.

–Entiendo que está muerta. ¿Cuándo falleció?

–Eh... En 1691. Nació en 1675.

Se rio suavemente.

–No la encontrarás aquí, Kat. Mira a tu alrededor.

Observé una lápida y luego otra, con el ceño fruncido, pero seguí sin entender a qué se refería. Solo cuando Luke usó su dedo para dibujar una línea bajo las fechas correspondientes a los nacimientos y a las muertes comprendí lo que me decía. La más antigua databa de 1820.

–Pero... ella estaba aquí –le dije–. Al menos, en cierta época.

–Podría seguir aquí –repuso él–, pero después de tantos años se quedaron sin espacio y tuvieron que... bueno... reutilizar el terreno.

–Así que... ¿enterraron a alguien en su sitio y quitaron la lápida? –pregunté, incrédula.

Asintió con gesto de disculpa, como si de algún modo fuera responsable.

–O peor, Kat. A veces las tumbas se vacían y los restos se amontonan en un osario, con el fin de dejar espacio para nuevos entierros.

–¿Qué es un osario?

–Un lugar para almacenar huesos desenterrados –respondió, sin rodeos.

La idea se me antojaba increíble, pero no había motivo para no creerle, pues era una fuente de información sorprendente.

–No tenía ni idea.

–¿Por qué habrías de saberlo? No es el tipo de tema sobre el que uno habla.

–Entonces, estamos en otro callejón sin salida –gruñí–. Esperaba encontrar alguna señal. No sé cuál, pero algo que tuviera significado.

–¿Vas a decirme quién es, Kat, o tengo que adivinarlo?

Miré a lo lejos, inhalando el olor a madera de las piñas de los pinos mezclado con el de la tierra húmeda. No sabría decir si fue por lo hermosa que era la noche bajo la luz de la luna o porque Luke parecía más receptivo que de costumbre, pero ni siquiera intenté modificar la parte sobrenatural del relato. Con mi voz convertida en poco más que un susurro, pues allí cualquier sonido parecía amplificado, le conté lo que había descubierto acerca de Thomas Winter, esperando que se burlase de mí.

–¿Averiguaste todo eso tú sola? –Sonó verdaderamente impresionado.

–Bueno…, mamá me dio algunas ideas –admití.

–¿Y el tipo se inventó esa historia de terror para llamar la atención?

Mis mofletes se llenaron de aire como si fuera una gárgola, hasta que lo solté y respondí:

–Eso parece.

–Pero… tú no lo crees, de lo contrario no estaríamos aquí.

Luke era capaz de ver mis intenciones con tanta nitidez que resultaba imposible esconderle nada.

–Cuando leí su informe… Tenía la certeza de que decía la verdad.

–Porque lo sentiste muy dentro de ti –bromeó.

Examiné su rostro en la oscuridad aterciopelada mientras me disponía a soltar mi último bombazo:

–Hay algo más... un punto de unión que he descubierto esta misma noche. La esposa del vicario dijo que el hogar de acogida de Genevieve era «Martinwood», la misma casa sobre la que escribió Thomas Winter.

Luke hizo que sus nudillos crujiesen con un sonido que hacía que siempre me encogiese de miedo, como si alguien estuviera caminando sobre ramas secas.

–De acuerdo, entonces. Cuéntame tu teoría –me animó.

La luna desapareció detrás de una nube y comencé a hablar, contenta de no poder verle la cara.

–Creo que todo lo que ponía en el artículo de Thomas Winter era cierto –empecé, muy seria–, y que se retractó porque... sucedió algo.

–Algo o alguien –murmuró Luke, y me sopló en la nuca haciéndome dar un salto.

–Vale... Alguien –asentí–. Martinwood es el enlace entre Greta, la bruja, y Genevieve.

Luke empezó a balbucear al comprender a lo que me refería.

–¿No querrás decir que Genevieve y Greta... son la misma persona?

–Quizá –mascullé, a la defensiva–. Y después de que Thomas recogiese todos los... bueno... los objetos que protegían la casa, el mal pudo escapar y fue a por él...

–Y le hizo prisionero hasta que se retractó de la historia –se burló Luke.

Moví mis cejas arriba y abajo y puse una voz lúgubre:

–Genevieve deja a su paso misterio y destrucción...

–Todo tiene que ver con Genevieve, ¿no es eso? –comentó Luke, con tristeza–. No puedes quitártela de la cabeza.

Me quedé callada un momento.

–Puede que de verdad me conozca de algo.

–Nunca la habías visto hasta que llegó a tu escuela, Kat.

–Quizá no en esta vida –dije en voz baja pero firme.

Luke emitió un ruido a medias entre un gruñido y una carcajada.

–De acuerdo –le reté–. Vamos a ver, ¿cómo es que reconozco lugares en los que nunca he estado y tengo esa fuerte sensación de *déjà vu* con Genevieve?

–No lo sé –respondió–. Pero… si la historia se está repitiendo y la bruja ha regresado para continuar su búsqueda de trescientos años, o su venganza… entonces no tendrás que preocuparte mucho tiempo.

–¿Por qué?

–Porque murió a los dieciséis años.

No lo había pensado antes. Me quedé abstraída, mordiéndome el labio con gesto pensativo.

–Kat Rivers –continuó Luke, con fingida exasperación–, eres desesperada e indignantemente cabezota, y estás loca de remate.

No me sentí ofendida, así que me eché a reír. Arrugué la nariz y aspiré un poco más el aroma que me envolvía. Detecté olor a madera quemada flotando en el aire y vi una pila de hojas y rastrojos en un rincón, con un rastrillo abandonado al lado.

–Parece que seamos las dos únicas personas que existen en el mundo esta noche –dije, maravillada–. ¿Verdad que es un lugar muy extraño? Ya sé que hay un muro, pero si miras a lo lejos da la impresión de que el cementerio se extiende sin fin... hasta meterse en el bosque.

–Solo es una ilusión óptica –murmuró Luke.

–Y esta iglesia lleva aquí desde el siglo doce. Imagina todo lo que habrá visto.

Sonrió.

–No estoy seguro de querer saberlo.

De pronto, se me erizó el pelo de la nuca.

–Luke, ¿qué ha sido eso? He oído voces.

Me tomó de la mano y nos agachamos para dirigirnos al muro del fondo del cementerio, que se hallaba cubierto de hiedra y otras enredaderas. Definitivamente se oían voces, altas y estridentes, lo que indicaba que alguien nos había visto. Me pareció escuchar cómo se abría la verja, y unas pisadas que venían tras nosotros. El corazón me latía tan fuerte que sin duda tenía que resultar audible.

Luke lo solucionará, me dije. No es como si estuviéramos haciendo algún daño. Tiene labia para salir de cualquier situación problemática. Se escuchó una especie de crujido que parecía proceder de todos lados, lo que significaba que muy pronto nos íbamos a encontrar rodeados. Se acercaba el momento en que tendríamos que ofrecer una explicación, así que miré a Luke con preocupación. Él cerró sus ojos y puso su cuerpo en tensión, como si se dispusiera a actuar. Lo último que había esperado que hiciese era lanzarse hacia mí, rodearme con fuerza con sus brazos y pegar sus labios a los míos.

–Finge que estás disfrutando –creo que le oí susurrar.

No fue un simple beso, sino uno largo, muy largo, persistente, ante el que no pude hacer otra cosa que responder del mismo modo. De forma automática, mis labios se separaron, mi cabeza se inclinó hacia un lado y mis manos buscaron su nuca. Uno de nosotros, incluso, emitía ligeros gemidos, y me horrorizaba pensar que podría ser yo. Besar a Luke me resultó tan normal que me asusté. Permanecimos así durante al menos cinco minutos, hasta que oí una profunda risotada:

—No son más que chicos enamorados. Dejadlos tranquilos.

Las pisadas se alejaron y se hizo el silencio.

Finalmente, reuní la fuerza necesaria para apartar a Luke, y me senté en el suelo a recuperar el aliento y detener el temblor de mis rodillas.

—Lo siento, Kat —se disculpó, con tono jovial—. Es lo que hacen siempre en las películas cuando tratan de no llamar la atención, y parece que ha funcionado.

—Buena idea —jadeé, incapaz de mirarlo.

—Parecías muy asustada —se rio—. Yo también lo estaba, pero lo hemos superado.

Permanecí en el suelo intentando recomponerme, y no muy segura de qué era lo que más me había afectado, si la amenaza de un grupo de gente rabiosa o el beso de Luke. Para apoyarme, puse mi mano sobre una piedra situada más o menos a un metro del muro. Solo cuando me levanté del todo pude distinguir unas letras desgastadas entre el liquen y las malas hierbas. Debía de ser una vieja lápida que se había hundido en la tierra por uno de los lados, dejando un trozo que asomaba sobre la superficie.

—¡Hala, mira esto!

Me puse en cuclillas y Luke hizo lo mismo.

–¿Puedes descifrar el nombre? –le pregunté.

Meneó su cabeza, me miró con intención y dijo:

–Solo se puede leer la letra G, Kat, pero no quieras interpretar eso de ningún modo.

–Sin embargo, hay también un número –dije, triunfante, rozando con mi dedo la piedra erosionada–. Un uno y un… seis. Esta tumba es del 1600. La persona que yace aquí no fue desenterrada.

–Puede que tengas razón –repuso Luke–, pero he encontrado algo más interesante. Echa un vistazo a esto.

Apartó una de las plantas trepadoras y pude ver la forma de una mano claramente tallada en la piedra.

–¿Qué es? O sea, parece claro que es una mano, pero ¿qué significa?

Luke se puso en pie y se llevó las manos a la cara con expresión de concentración.

–Lo he visto antes. Estoy intentando acordarme.

Permanecí en silencio mientras él caminaba de un lado a otro, golpeando sus tacones contra el muro. Al fin, hizo un gesto de triunfo con el puño en el aire.

–Nunca olvido una historia. Era Halloween cuando lo leí (todos los relatos de fantasmas aparecen en Halloween); hablaba de un cementerio, en alguna parte de las Midlands, en el que había unas manos y unos pies tallados. Los lugareños decían que son la marca de una bruja, y se cree que aquella persona cuya mano o cuyo pie encaje en la huella se enfrentará a una grave desdicha.

–¿Y tú lo crees? –pregunté, sintiendo un escalofrío involuntario y apartando rápidamente mi mano, no fuera a ser que se acoplase a las líneas de la silueta tallada.

–Por supuesto que no, pero... podría explicar por qué Thomas cambió su historia. Si la tumba hubiera sido descubierta, junto con lo que él había encontrado, hordas enteras de cazadores de brujas y fantasmas vendrían al pueblo.

–Supongo que sí –contesté, aún con dudas.

Luke miró hacia arriba y sentí un fuerte impulso de rodearle de nuevo con mis brazos. Es solo Luke, me dije, pero era como si alguien esa noche hubiera ocupado su lugar. Resultaba una sensación desconcertante.

–¿Esa es la Estrella Polar, Kat?

Lo miré de reojo.

–No tengo ni idea.

–Otra cosa más que podría asustarte –sonrió–. Si este lado del cementerio da al norte, entonces se le llama «lado del Diablo».

–¿No lo dirás en serio? –estallé–. ¿Por qué?

–Es donde se enterraba a quienes no habían sido bautizados, a los suicidas y a los que habían sido excomulgados, en tumbas sin nombre.

Me parecía algo muy triste. No quería quedarme más tiempo allí. Teníamos que alejarnos un poco el uno del otro.

–Deberíamos irnos –dije, con voz quebradiza–. No tendría que haberte traído hasta aquí, solo era un capricho estúpido.

–Kat, mírame. –El tono de Luke hizo que me detuviera y que me diese lentamente la vuelta. En su cara no había ni rastro de su habitual expresión de broma–. Esta noche ha sido un tanto... distinta, pero tiene que acabar aquí. Estoy preocupado por ti.

–En realidad no creo en nada de esto –mentí–. Solo se trataba de un buen hilo del que tirar para impresionar a mi periodista favorito.

Pero no se dejó engañar.

–Venga, Kat. Prométeme que lo olvidarás –me rogó–. A Thomas Winter, su casa decrépita y todo el rollo sobrenatural del pasado.

–Lo prometo –respondí, con tono solemne, y lo decía en serio. Luke tenía razón, aquello era una locura demasiado grande para insistir por más tiempo, y no quedaba ya ningún otro sitio al que ir. Debía darme por vencida.

Cuando volvimos al coche y salimos del pueblo, miré hacia atrás una sola vez y vi un edificio con marcos de madera blanca y negra en una pequeña pendiente, encajonado entre andamios. En la valla de metal que impedía el acceso había varios carteles de advertencia; parecía que se encontrara en obras. Recordé la fotografía y no tuve ninguna duda de cuál era su nombre: «Martinwood», abandonada de nuevo.

22

Esa noche no soñé; dormí tan profundamente que parecía que nunca volvería a recuperar la conciencia. La luz que se filtraba a través de las delgadas cortinas de mi dormitorio acabó finalmente por despertarme a eso de las diez, pero me quedé bajo la calidez de la colcha, meditando sobre lo que había descubierto el día anterior. Ahora sabía más acerca de Genevieve. Tenía unos orígenes y un pasado, lo que para mí significaba munición para luchar contra ella. A la fría luz del día, no estaba convencida de que fuese capaz de cometer un asesinato, pero Luke y yo habíamos obtenido la confirmación de que estaba perturbada y de que necesitaba ayuda.

–Esta mañana tienes un aspecto radiante –trinó mamá cuando bajé las escaleras. Me escudriñó de modo crítico–. Pero has perdido peso…, tienes que comer más.

Insistió en prepararme un desayuno en condiciones, y fue agradable relajarme y sentarme con tranquilidad a esperar. Definitivamente, parecía que mamá estaba haciendo un esfuerzo desde que habíamos mantenido nuestra conversación. No se había quejado tanto y ya había ido a ver al doctor para probar una nueva terapia. Yo me sentía optimista y creía que iba a mejorar.

–Ayer te buscaba todo el mundo –anunció al colocar delante de mí un plato con huevos revueltos, tomates, champiñones y una tostada.

–¿Todo el mundo?

–Nat, Hannah… Merlin. No podían contactar contigo por el móvil y parecían desesperados.

Me llevé las manos a la cabeza, recordando de pronto mi cita con Merlin. Ni siquiera le había llamado para decirle que no podía ir, pero… habría tiempo de sobra para compensarle en el cumpleaños de Nat.

–La recepción era horrible, mamá, luego perdí la cobertura por completo y lo apagué. Estaba preocupada porque no podía decirte lo tarde que llegaríamos.

–No me pongo nerviosa cuando estás con Luke –respondió–. ¿Cómo fue el viaje?

Hice un gesto impaciente con la mano.

–Fue genial, pero ¿qué querían todos?

–Oh, algo sobre una fiesta.

Sentí alivio al saber que solo se trataba de eso.

–El cumpleaños de Nat es hoy. Probablemente habrá cambiado la hora o algo así. La llamaré más tarde.

Cuando encendí mi teléfono, había ocho o nueve llamadas perdidas y el mismo número de mensajes de texto. Uno de los que había en el buzón de voz era de Hannah, que chillaba, excitada, con un montón de ruido de fondo. Decía: «Katy, no me puedo creer que no estés aquí, llámame urgentemente». Hannah era muy dada a los dramatismos. Probé a llamarla, pero tenía el móvil apagado. También resultó imposible contactar con Merlin o con Nat, así que me pareció que lo mejor sería ajustarme a lo que tenía planeado, y acercarme a su casa al mediodía. Vi que mamá se hallaba en el jardín, quemando las últimas hojas caídas en un pequeño incinerador. Se me ocurrió que era la oportunidad perfecta para deshacerme del colgante de una vez por todas. Aproveché cuando no miraba para introducirlo por el embudo y dejarlo arder a fuego lento hasta que se convirtiese en polvo. El día se me antojaba un nuevo comienzo para mí.

El cielo estaba de un azul cegador, con cremosas nubes deshilachadas por el viento, y la escarcha, que no se había derretido todavía, provocaba que todo tuviera una belleza efímera. Me tomé mi tiempo y caminé por el parque; me detuve, incluso, a observar a los patos que buscaban comida en el lago y le sonreí a una niña pequeña que arrojaba pan al agua. Por culpa de Genevieve había renunciado a mi chaqueta y la había guardado en lo más profundo de mi armario. Llevaba un jersey grueso sobre una camisa que me había metido por dentro de los pantalones. Mi fondo de armario no resultaba tan amplio como el de Hannah, pero desde que había perdido peso toda mi ropa me quedaba diferente; sentía que me deslizaba en lugar de arrastrarme de manera descoordinada. Estar feliz conmigo misma era una sensación embriagadora. Por el camino, intenté distinguir caras en las nubes, uno de mis entretenimientos favoritos, aunque tan extraño que no pensaba contárselo nunca a nadie.

La casa de Nat presentaba un aspecto extrañamente desierto, y las cortinas de la planta baja seguían cerradas. Tuve que esperar una eternidad en la puerta hasta que su madre vino por fin a abrir.

–¿Katy? Dios mío. Nat todavía está en la cama, terriblemente agotada. Tú también debes de estarlo. Me sorprende que te hayas levantado tan temprano.

La miré sin parpadear. Ya era más de mediodía. Tenía en una mano el cojín de gatos de Nat, envuelto en tres hojas de papel de plata, y en la otra, mi contribución al almuerzo: un pastel enorme de queso y fresa. La madre de Nat pareció darse cuenta de que yo no sabía de qué estaba hablando. Su rostro revelaba incomodidad al invitarme a entrar, mientras decía algo sobre que iba a despertar a su hija para que me lo explicara. Desapareció escaleras arriba.

¿Explicarme qué? Llegaba tarde. Merlin y Hannah deberían encontrarse allí, pero la casa estaba en silencio. No había globos, ni regalos esparcidos por ahí, ni olor a comida saliendo de la cocina. Una voz me llamó desde la planta superior:

–Puedes subir, Katy.

Subí las escaleras y abrí la puerta solo unos centímetros. El dormitorio de Nat se parecía a ella: desordenado, cálido y lleno de color; una variedad de estilos diferentes que deberían chocar entre sí pero que parecían congeniar. La persiana se hallaba bajada y apenas pude distinguir una figura tumbada en la cama. De repente se me ocurrió que debía de estar enferma y que nadie había podido localizarme para decírmelo. Me acerqué más, percibiendo ahora su palidez y las ojeras, que subrayaban unos ojos que casi no podían enfocar.

–Estás horrible –dije, con compasión–. ¿Es gripe?

Se llevó una mano a la frente y graznó algo que resultó inaudible.

Deposité el regalo con suavidad sobre la cama.

–Te dejaré para que puedas dormir. Siento lo de tu almuerzo de cumpleaños. Siempre podemos dejarlo para el fin de semana que viene.

–Katy, no te vayas.

Intentó sentarse y la observé con más atención. Me di cuenta de que el negro de sus ojos era producto del lápiz de ojos y de que su palidez se debía a una capa de maquillaje, que también cubría su almohada. Su pelo parecía enredado caóticamente, y se hallaba cubierto de serpentinas de colores.

–Lo siento mucho –masculló, y luego dio un trago largo de agua de un vaso que tenía en la mesita de noche–. Tratamos de localizarte montones de veces. Yo no sabía nada… la fiesta era una sorpresa, y Merlin dijo que estarías de vuelta por la tarde.

–¿Fiesta? –pregunté–. ¿Aquí?

–No… en casa de Merlin.

–¿En casa de Merlin? –repetí, a punto de caerme por la impresión.

Nat prosiguió hablando de forma atropellada:

–Su madre tenía una carpa en el jardín, para algún acto social con sus alumnos, y Genevieve la persuadió para montarme una fiesta sorpresa. ¿No es genial? Todo fue a última hora, y la mayor parte de la comida procedía de las sobras, pero…

Dejó el relato a medias porque debió de notar mi reacción. Me invadía una sensación de decepción, envidia, dolor, rabia y prácticamente todas las emociones negativas que había sentido alguna vez en mi vida. La casa de Merlin era preciosa, señorial, y más aún con él en ella.

La idea de que hubieran celebrado una fiesta allí sin mí me resultaba insoportable, como si alguien me hubiera dado un puñetazo en el estómago.

–¿Adónde fuiste, Katy? Estuvimos una eternidad tratando de contactar contigo.

Algo extraño le había ocurrido a mi cara. Se mostraba tensa, como si llevase una mascarilla y no pudiera sonreír o gesticular por si se me agrietaba. Apenas pude abrir la boca para contestar:

–Me retrasé… no hubo forma de evitarlo. Luke y yo tuvimos que esperar mucho rato para hablar con alguien. –Nat me miró fijamente e intenté, desesperada, aparentar normalidad y rescatar parte de mi orgullo–. ¿Y qué tal fue la fiesta?

Se frotó los ojos y se desperezó con una sonrisa soñadora en los labios.

–¡Increíble! A la madre de Merlin no le importaba cuánta gente asistiese, y en cuanto se corrió la voz, la lista creció y casi todo el mundo apareció por allí. La noche era fría, pero había calefactores exteriores y luces navideñas, y un grupo que tocó en directo todo tipo de música, desde algo clásico a canciones de rock. Fue genial celebrarlo al aire libre, bajo la luna y las estrellas, bailando en el césped hasta las cuatro de la madrugada, que fue cuando me caí redonda y… Adam tuvo que traerme a casa.

–Me alegro muchísimo por ti –murmuré, desgarrada entre querer sentirme feliz por ella y mi propio sufrimiento.

Sus ojos se posaron sobre el burdo envoltorio del regalo que le había llevado y le cambió la cara.

–Katy, lo siento mucho. No supe nada de la fiesta hasta que llegué a casa de Merlin, desde donde tratamos de llamarte hasta que se hizo muy tarde…

–No pasa nada –repuse, pero mi voz sonó poco convincente–. Fue una estupenda sorpresa y te lo merecías.

–Habría sido mejor si tú también hubieras estado allí.

Intenté emitir un sonido de gratitud, aunque se pareció más al maullido de un gato estrangulado.

–Merlin se encontró en un dilema terrible, deberías saberlo. Se sintió fatal toda la noche.

–¿Ah, sí? –Aquello me animó un poco. Lo que más me dolía era la idea de que Merlin se lo pasase bien sin mí.

El móvil de Nat emitió un pitido y lo cogió para ver los mensajes.

–Perdona que no oyera tu llamada –se disculpó–. Y aquí hay un mensaje de Gen.

Hice una mueca, pero estaba ocupada leyendo el texto y no se percató.

–Mmm… Dice que ya ha colgado las fotos en Facebook.

Debo de ser masoquista, porque cuando Nat se arrastró fuera de la cama para encender su ordenador no me marché, sino que me quedé detrás de ella, con un rictus de sonrisa empastado en la cara. De mala gana, tuve que admitir que las fotos eran estupendas. No parecían las típicas imágenes con todos posando para la cámara o haciendo gestos cómicos. Genevieve debía de haberse movido sin ser vista para captar la atmósfera y el ambiente de la fiesta. Mis favoritas eran una de Nat, con los ojos cerrados, soplando las velas de su tarta de cumpleaños, y otra de la carpa en mitad de la noche, rodeada de robles inmensos iluminados por bombillas de colores. Me di cuenta, aliviada, de que Genevieve no salía en ninguna, puesto que había estado siempre detrás de la cámara.

–¡Hala… Son muy buenas! –dijo Nat, con un suspiro.

–Están bien –admití, y le di un abrazo–. Me alegro de que disfrutases de la fiesta, de verdad, y no te sientas culpable. Me aseguraré de no perderme la próxima.

Nat movió el ratón para salir de la pantalla, pero en ese mismo momento apareció un nuevo grupo de fotografías. Dudó y pareció quedarse congelada. Mis ojos siguieron a los suyos y recayeron en la imagen central, de donde no pude apartar la mirada a pesar de que deseaba hacerlo desesperadamente. «Soy tu peor pesadilla», me había dicho Genevieve la primera vez que habíamos hablado; y esa pesadilla se hallaba justo delante de mí, y se quedaría grabada para siempre en mi mente: Genevieve y Merlin bailaban una canción lenta, los brazos de ella rodeaban el cuello de él mientras Merlin la contemplaba embelesado. Lo peor fue que reconocí esa mirada; era el modo en que solía mirarme a mí.

23

–¡**M**uy bien por parte de quien sacase esta foto! –exclamé–. Me alegro mucho de que Merlin me echase tanto de menos.

Nat soltó una risa nerviosa y chillona.

–¡No fue nada, Katy! Solo una broma al final de la noche, todo el mundo bailó canciones lentas, como se hacía antes. Todos lo hicimos, e intercambiamos parejas. No quieras interpretar nada por la foto… De verdad que Merlin se pasó todo el rato suspirando por ti.

Pero no importaba lo que ella dijera o cómo intentase explicarlo, la cámara nunca mentía. Genevieve me lo había dicho y tenía toda la razón. Puede que el momento hubiera durado solo un segundo, pero ahora estaba congelado en el tiempo, y, cuando mirase a Merlin, lo que vería sería esa imagen. Di vueltas por la habitación, intentando pensar con calma e incapaz de disimular mi frustración.

–Sé que a ella le gustó Merlin desde el principio. Esperó a que yo no estuviera para organizar una fiesta y tirarle los tejos.

–No fue así –repuso Nat con paciencia. Ahora estaba situada frente a su tocador, tratando de desmaquillarse y de poner su pelo en orden–. No organizó la fiesta para que tú no estuvieras. Esperábamos que volvieras a tiempo, ¿recuerdas? Le dijiste a Merlin que os veríais el sábado por la noche.

Eso era cierto, pero no me hacía sentir mejor.

–Sé que lo hice, Nat, pero me llevó más de la cuenta volver, y ella sabía que eso pasaría.

Nat se volvió hacia mí y me miró con sus ojos grises, que mostraban una tranquilidad total .

–¿Cómo? ¿Una premonición o simple telepatía?

–No estoy segura –respondí, enrabietada–, pero lo sabía. Es una verdadera manipuladora, vil y auténticamente...

Conseguí detenerme a tiempo, y la palabra «malvada» quedó retenida en mis labios. Una vez más, había caído en la trampa de criticar a Genevieve y mostrarme celosa y vengativa. Se había acabado lo de permanecer fría y jugar a su mismo juego, pero me había golpeado justo donde más me dolía: Merlin. Nat dio unos golpecitos en su taburete acolchado y se separó para que me sentase junto a ella. Me sentí como una niña de cinco años a la que un adulto va a reñir.

–Mira, sé cómo te sientes –empezó–. Genevieve es divertida, inteligente y muy guapa, y a las dos parece que os gustan las mismas cosas, pero... ella no es lo que tú crees.

–Tú no ves el lado malo de nadie –respondí con cariño–. Ese es tu problema. Imagina que fuese Adam, ¿cómo te sentirías entonces?

–Has cambiado desde que apareció –continuó Nat, ignorando mi comentario. Me revolvió el pelo–. ¿Recuerdas cuánto nos divertíamos?

–Aún lo hacemos... ¿no?

Agachó la cabeza y se puso a jugar con el botón de la camisa de su pijama.

Me sentí fatal. Si a Nat le parecía que estar conmigo era un rollo, ¿qué le parecería al resto de la gente?

–Sé que los últimos meses han sido difíciles para ti, Katy, y sé que no os soportáis la una a la otra, pero creo que estás siendo demasiado dura con Genevieve.

–Gracias por decirme lo que piensas –mascullé, malhumorada.

Se pasó la mano por sus deslavazadas trenzas.

–No importa lo que haga porque tú siempre le ves el lado negativo, y cuando hablas de ella parece que fuese otra persona, una que nadie más ve.

–Lo sé –admití, mientras me mordía ferozmente el labio.

–Lo de anoche no fue culpa suya, pero tú la has acusado inmediatamente sin tener ninguna prueba. Y no es la primera vez.

–No necesito ninguna prueba… Simplemente lo sé.

Nat señaló un rincón de su habitación.

–Mira eso. Genevieve lo hizo para mi cumpleaños. Es alucinante, debió de tardar una eternidad en pintarlo.

Era un biombo de varios paneles, casi tan alto como yo, compuesto de tres secciones diferentes unidas mediante bisagras, y cada panel estaba pintado a mano, con una flor distinta y con colores muy suaves, rosa, lavanda, azul pálido y marfil. Era una preciosidad, y odié aún más a Genevieve por ello, especialmente después de que me hubiera mentido diciéndome que no tenía ni idea de qué regalarle a Nat. A su lado, mi cojín parecía insignificante. Vi cómo mi futuro se desplegaba ante mí y resultaba aterrador.

Genevieve nunca se detendría, y cada semana se le ocurriría un tormento nuevo para alejarme o para hacerme quedar mal. Había creído que era lo suficientemente fuerte como para resistir sus burlas, pero no era así, y si tenía que obligar a mis amigas a que eligiesen entre nosotras, quizá no me quedase más remedio...

Humedecí mis labios, secos y agrietados, al tiempo que sentía los latidos de mi corazón como si fuera un tambor dentro del pecho.

–Hay algo que deberías saber acerca de Genevieve. No quería decírselo a todo el mundo, pero creo que es hora.

Nat se apresuró a replicar:

–Hay algo que tú deberías saber, Katy. Anoche nos contó a Hannah, a Merlin y a mí un secreto, y es muy gordo.

Estaba desesperada por descubrir qué nuevas mentiras habría contado, así que apremié a Nat para que hablase ella primero, pero se puso en pie de un salto y dijo:

–Voy a traer algo de beber. Espérame aquí.

Me acerqué a la ventana y pasé la mano por el biombo; era intrincado y espléndidamente original. Algo así se vendería por cientos de libras en una tienda de arte, y resultaba evidente por qué a Nat le gustaba tanto. Atisbé el exterior por la persiana y presencié una escena muy normal: el padre de Nat estaba lavando su coche, su madre rastrillaba las hojas mojadas y su hermana pequeña pasaba con su bicicleta por un charco. Me encontraba en un punto crítico. Tal vez nunca volviese a sentarme allí, ni volviese a hablar con Nat normalmente, porque lo que me disponía a contarle sobre Genevieve no podría borrarse. Iba a llamarla asesina y a decir que tenía pruebas que lo demostraban. Su secreto podía ser muy gordo, pero el mío lo era aún más.

Nat regresó cinco minutos más tarde con dos tazas de té humeantes. Su cara todavía relucía por el desmaquillador, y se había puesto una pinza enorme en el pelo que lo hacía parecer todavía más fuera de control. Se la veía tan adorable y graciosa que estuve a punto de echarme atrás, pero me contuve; tenía que hacerlo. Nat se puso un batín de felpa que descansaba colgado en el lado interior de la puerta, y se calzó un par de zapatillas de andar por casa con forma de cerdo.

—Los padres de Genevieve no murieron en un accidente de coche —comenzó a decir, y mis oídos enseguida reaccionaron—. Fallecieron en un incendio, en su casa, y ella estaba dentro.

—¿Y, entonces, por qué mintió? —pregunté, con una terrible sensación de congoja.

—Todavía le atormenta el recuerdo de aquello —respondió, a la defensiva—. Saber que se quemaron vivos y que solo ella escapó. Y eso no es todo…

—¿Hay más?

—Después del incendio, Genevieve se fue a vivir con unos tíos suyos, pero eran muy crueles y se dedicaron a proferir mentiras sobre ella.

No daba crédito a cómo se estaba desarrollando la situación.

—¿Qué clase de mentiras?

Nat soltó una risa cínica:

—Que era peligrosa y necesitaba asistencia profesional. ¡Solo tenía ocho años!

Mi mente se rebelaba a gritos, pero no podía articular mis sentimientos, porque saltaba a la vista que Nat no albergaba ninguna duda sobre la historia de Genevieve.

¿Y si las acusaciones fuesen ciertas y Genevieve era realmente malvada, y ningún niño se le acercaba e incluso los adultos le tenían miedo, pero ahora hubiera aprendido a disimular su naturaleza y yo fuera la única que podía verla tal y como era de verdad?

–Todavía no he llegado a la peor parte –continuó, y me sentí aún más devastada–. Genevieve fue adoptada cuando era un bebé, porque su verdadera madre se suicidó y la dejó sola en el mundo.

Me cubrí el rostro e intenté poner en orden mis pensamientos. El gesto tenía la ventaja de que daba la impresión de que me sentía traumatizada y que albergaba compasión por ella.

–Sabía lo disgustada que te sentirías. –La voz de Nat sonó inusualmente adulta.

–Es terrible –respondí, preguntándome cómo podía sonsacarle información sin parecer insensible–. Supongo que entonces Genevieve debió de cambiarse el nombre en algún momento.

–¿Qué te hace decir eso?

–Solo se me ha ocurrido –mentí, e imaginé que habría elegido un nombre tan hermoso y lírico para que la gente la recordase.

–No lo mencionó, pero sí insistió en que la persona que había sido antes estaba ahora muerta para siempre.

–Imagino que no me he mostrado muy comprensiva, una vez más –dije, inexpresivamente–, pero la forma en que se comporta con Merlin es demasiado para mí.

Nat asintió efusivamente.

–Me sentiría igual que tú si estuviera saliendo con alguien como Merlin, pero de verdad que solo son amigos. Le ha estado ayudando con algo… con un regalo para ti.

–¿En serio? –me sobresalté.

–La verdad, Katy, es que Hannah y yo hemos notado que últimamente estás muy irascible.

Así que habían estado hablando de mí y de lo desconfiada que me había vuelto. Me alegré de que Nat tuviera las agallas de decírmelo, pero aun así era doloroso.

–Siento que os haya resultado incómodo –murmuré–. Ya está bajo control, sobre todo después de lo que acabas de contarme.

Una vez más, Genevieve había previsto de algún modo todo lo que yo pretendía y se me había adelantado. Me estaba llevando al límite. La primera vez que nos vimos me había dicho que no me merecía la vida que tenía y que me la iba a arrebatar. Tenía que asegurarme de que no lo consiguiera. Le di otro abrazo a Nat y me despedí de ella.

–El problema de Genevieve –empecé a decir, como si acabase de ocurrírseme–, es que nunca encontrará lo que está buscando y, por tanto, nunca será feliz.

–¡Qué extraño! –exclamó Nat, casi sin aire.

–¿Por qué?

–Porque es exactamente lo mismo que dijo ella de ti. Por cierto… ¿qué querías contarme?

Esbocé una pálida sonrisa en mis labios.

–Ya no importa… No era nada.

24

Di vueltas por mi habitación como si fuera un tigre enjaulado. No había forma de que Genevieve pudiera haber sabido que la noche anterior Luke y yo íbamos a retrasarnos, porque ni siquiera nosotros mismos lo sabíamos. Era imposible, y ardía en deseos de ver cómo Luke hallaba una explicación con su lógica habitual. ¿Cómo lo había hecho? Y el maldito colgante había vuelto a aparecer, esta vez envuelto en una nota de mamá en la que me decía que tuviera más cuidado. Debía de haberse colado por alguno de los agujeros de ventilación del incinerador. Lo miré fijamente, mientras oía de nuevo las palabras de Genevieve, atormentándome: «No me hace falta seguirte, Katy... Estás marcada». Sostuve el cristal verde en mis manos, intrigada porque su peso parecía haber aumentado, y de pronto perdí los nervios y lo arrojé contra la pared. Cuando lo recogí y lo examiné, el colgante estaba intacto, pero había hecho un agujero en la escayola. Me apresuré a cambiar de sitio uno de mis pósteres para taparlo.

Esa tarde trabajé con tal ahínco y furor que fue un milagro que el papel no prendiese en llamas. Mi móvil no dejó de sonar y pitar al recibir mensajes de texto, pero ignoré a conciencia a todo el mundo, e intenté consumir la rabia contenida que sentía.

–Se me da muy bien escuchar –me dijo mamá, discretamente, cuando al fin bajé a merendar.

En mi cara parecía haberse instalado una mueca permanente de enfado, y recordé que mi abuela solía advertirme:

–Si el viento cambia de dirección, Katy, te quedarás con esa cara para siempre.

–Gracias, mamá, pero es algo que tengo que solucionar por mí misma.

–¿Es por esa chica otra vez?

Estaba decidida a no contarle nada, porque, hasta el momento, ella no me había creído y yo me sentía agobiada solo de pensar en Genevieve.

–Estaré aquí cuando quieras hablar –añadió, y frunció los labios.

Mamá no había llegado aún a la cocina cuando mi determinación se vino abajo.

–En serio, tenemos los mismos gustos en todo, nos gusta el mismo chico, y ahora resulta que también hemos dicho lo mismo la una de la otra. Nos estamos fusionando tanto que ya no sé quién soy.

–Debe de tener una autoestima muy baja –repuso mamá con diplomacia–. Puede que no suene como un cumplido, pero es probable que te admire.

–¡Qué va! Me desprecia y, de todos modos, es mejor que yo en todo.

–Estoy segura de que eso no es así. Necesitas creer en ti misma.

La bruma roja volvía a cegarme y, una vez que había empezado, ya no podía dar marcha atrás.

–Me mira como si fuera un gato, con esos enormes ojos verdes que me dan escalofríos. Todo el mundo piensa que los gatos son bonitos, pero en realidad son horribles, fríos, egoístas, presumidos, arrogantes, vanidosos y agresivos… Solo se preocupan de sí mismos.

Gemma soltó un maullido de protesta, como si hubiera comprendido cada una de aquellas palabras, y meneó su cola mientras me miraba.

–Se te ha metido entre ceja y ceja –comentó mamá, con voz triste.

–Se hace llamar Genevieve –despotriqué–, pero se ha cambiado el nombre, aunque el verdadero no le pegaba en absoluto, es demasiado bonito para ella.

Mamá sofocó una risita indulgente.

–¿Por qué? ¿Qué nombre era?

–Grace.

Había desviado un instante mi mirada. La taza de mamá resbaló de su mano y estalló contra el suelo de la cocina, rompiéndose en mil pedazos. Su expresión reflejaba tal conmoción que me quedé sin habla, y fui incapaz de reaccionar en un primer momento. Mis ojos se clavaron en los suyos durante lo que se me antojó una eternidad, hasta que se agachó, con las manos temblorosas, para recoger los restos de la taza y entonces se cortó un dedo con un trozo de porcelana.

La llevé al fregadero, limpié su herida y la cubrí con una gasa y una tirita, tratando mientras tanto de ignorar la sensación de desasosiego que acechaba en mi interior.

–No saldré –murmuró–. No deberías quedarte sola así.

Noté una punzada de culpa. Mamá se había ofrecido a ayudar en el mercadillo de la iglesia, en un intento de salir y conocer gente. Puede que no parezca gran cosa, pero viniendo de ella era un gesto enorme y yo acababa de echarlo a perder.

–Me encuentro perfectamente –la tranquilicé–. Ve y pásatelo bien; y no tengas prisa por volver.

Mamá seguía estando un tanto pálida, pero se puso en marcha con expresión decidida, sin tan siquiera detenerse en su obsesiva rutina de comprobar puertas y ventanas antes de salir. Y no me había preguntado cómo había averiguado el verdadero nombre de Genevieve. Por alguna razón, me daba la sensación de que quería alejarse de casa lo máximo posible.

Volví a concentrarme en el trabajo, conté las llamadas perdidas de Merlin y experimenté una perversa sensación de placer al ver su cantidad y frecuencia, en especial cuando llegaron a trece. Ahí estaba otra vez esa inquietud horrible que no desaparecía. Tenía que seguir el consejo de Luke, dejar de nublar mi mente con historias de brujería y aplicar el sentido común al problema de Genevieve. Respiré hondo al recordar la reacción de mamá cuando oyó el nombre de Grace, y las palabras de Luke giraron como un torbellino en mi cabeza.

–Genevieve te conoce de algo… te ha elegido como objetivo por algo que cree que ha ocurrido…

La misma expresión de miedo se había reflejado en el rostro de la anciana de Lower Croxton, en el de la esposa del vicario y ahora en el de mi madre. ¿Formaba ella parte, de algún modo, de la enrevesada red de Genevieve? No podía quedarme quieta, así que le envié un mensaje a Luke. Cinco minutos después estaba llamando a la puerta de mi casa, con su aspecto habitual de recién levantado de la cama.

–No hacía falta que vinieras tan rápido –me disculpé–, pero no sé a quién recurrir para analizar esto.

–¡Cuéntamelo todo, Kat! –dijo, ansioso, y me dio la impresión de que, aunque no le gustaba verme sufriendo, disfrutaba con aquel juego del gato y el ratón.

Le relaté todo lo de la fiesta y las confesiones de Genevieve, y lo de la reacción de mi madre al mencionar el nombre de Grace. Luke se atusó el pelo, luego se levantó y encendió el hervidor de agua. Puso dos cucharadas de café bien llenas en una taza con tres terrones de azúcar, vertió el agua del hervidor en la taza antes de que el avisador hubiese saltado, lo removió todo con fuerza y dio un trago. A continuación asaltó la caja de galletas, introdujo dos de chocolate en el café y me miró con gesto pensativo.

–¿Por qué no le preguntas y ya está?

–A mamá no le gusta hablar del pasado –le recordé–. Nunca habla de mi padre, o de dónde trabajaba, y solo veo a mis abuelos una vez al año. Es como si se aislase de forma deliberada.

–Podrías hacerlo con delicadeza… sin prisas.

Suspiré ruidosamente.

–Está esforzándose y no quiero estropearlo. Cualquier contrariedad y volverá otra vez al mismo sitio donde empezó… será casi una prisionera.

Luke arqueó las cejas.

–Entonces no veo qué podemos hacer.

–Hay una cosa… Solo es una idea y puede que no sea la correcta; y además necesitaré algo de ayuda…

Luke soltó un gruñido y se tapó los oídos.

–Sé que eso traerá problemas o algo peor. ¿De qué se trata?

–El ático –contesté rápidamente–. Es donde mamá guarda todas sus fotos, cartas, libros, muebles... toda clase de objetos del pasado.

Luke pareció dudar.

–No creo que ocultase ahí ningún secreto si pensara que puedes subir a husmear.

–Esa es la cuestión. Antes teníamos una de esas escaleras plegables que cuelgan del techo; y una vez, cuando yo tendría unos diez años, subí y ella se enfadó un montón...

–Puede que le preocupase que te cayeras.

Le lancé mi mirada más siniestra.

–O puede que esconda algo. Después de aquello, la escalera desapareció misteriosamente, casi de un día para otro...

–Los áticos son asquerosos –refunfuñó Luke–. Odio el polvo y las telas de araña, y las cosas horrorosas como los murciélagos y los esqueletos...

–Ahí arriba no hay esqueletos –me reí, y eché un vistazo a mi reloj–. Mamá no volverá hasta dentro de dos horas, por lo menos. ¿Estás dispuesto?

Asintió a regañadientes y se arremangó. Pero ahora que había accedido, yo era incapaz de ponerme en marcha, pues había un buen número de cosas en las que no había pensado. Me vi obligada a expresar mis preocupaciones en un vergonzoso cambio de opinión:

–Lo siento, pero es que solo tenemos una escalera de esas plegables, de tijera, y no es lo bastante alta como para alcanzar la trampilla; si mamá volviese temprano, nunca me perdonaría, en especial por involucrarte a ti. –Nerviosa, di un trago del café de su taza–. Quizá no sea tan buena idea.

–No estás pensando con lógica, Kat. Hay una manera más sencilla de acceder a tu ático, y tu madre nunca lo descubrirá.

Odiaba que fuera tan listillo, pero por mucho que me estrujase el cerebro, solo se me ocurría un modo de entrar en el ático, y era a través de la trampilla.

Luke hizo un gesto hacia la puerta.

–Ven conmigo y te lo enseñaré.

–¿Cojo un abrigo?

Negó con la cabeza, guardando todavía su secreto para mi exasperación. Dos minutos después, ambos estábamos subiendo las escaleras de su casa. Nos detuvimos en el rellano, frente a cuatro puertas que reflejaban perfectamente la disposición de mi propia casa. Sabía que la primera era su dormitorio; la siguiente, el de sus padres; la siguiente, la del cuarto de aseo; y la última, la de una habitación minúscula en la que apenas cabía una cama individual y que mamá utilizaba como cuarto de la plancha. Le di con el codo, impaciente, pero él se limitó a sonreír de forma irritante y abrió aquella última puerta. La estancia se hallaba vacía, excepto por una escalera de madera que subía, casi vertical. Luke inclinó su cabeza y realizó un ademán exagerado con la mano.

–Mi padre está transformando nuestro ático en un despacho y me ha obligado a ayudarlo. ¿Y adivinas qué?

–¿Qué?

–El tejado de tu casa y el de la mía están unidos. Todo lo que tienes que hacer es pasar por el hueco.

Me abalancé sobre él, rodeé su cuello con mis brazos y lo apreté con fuerza.

25

El ático de los Cassidy era luminoso y claro. Habían limpiado y puesto un suelo nuevo. Solo faltaba revestir las paredes y el techo. Este tenía una ventana, como la del estudio de Merlin, y a través de ella se veía una hilera de chimeneas, retazos de cielo azul y una pareja de mirlos posada sobre el tendido eléctrico. Una mirada a mi casa me reveló lo oscura, sucia y llena de cosas que estaba. Me quedé allí quieta un minuto, agudizando la vista para intentar reconocer las cajas y formas extrañas que había. En algunas tejas se veían agujeros que dejaban pasar pequeños focos de claridad, como minúsculos rayos de sol, y me pregunté cuánto haría desde que mamá había mandado reparar el tejado.

–En una semana más todo esto estará terminado –dijo Luke, hablando como un experto–. Tenemos que adecuarnos a las normas de prevención de incendios, así que ya no habrá forma de acceder a tu casa y no podré colarme a robarte, Kat.

Sonreí, distraída, comprendiendo que aquella era mi última oportunidad para echar un vistazo en el ático. Casi parecía cosa del destino. Allí había algo que mamá no quería que yo supiera, pero ahora que había llegado el momento, los nervios me dominaban. Dirigí a Luke una mirada ansiosa, me llené de valor y di un paso adelante.

–Asegúrate de dónde pones los pies –me advirtió cuando pasé de una casa a la otra.

–Creo que no hay peligro… Ya he estado aquí arriba antes, ¿recuerdas?

Luke me seguía a corta distancia, moviendo con nerviosismo sus gigantescos pies.

–Han puesto planchas nuevas de madera –dijo, aliviado.

Aparté una telaraña húmeda que se me había pegado a la mejilla y, durante unos instantes, me quedé mirando a mi alrededor, sin saber por qué la primera emoción que sentí fue una tristeza abrumadora. No se trataba solo del polvo, el abandono y los trastos viejos; era algo tangible; y, una vez más, me alegré de contar con el apoyo de Luke.

–Un maniquí –señaló–. Y una jaula de pájaros.

Hurgué en unas cajas llenas de libros y juguetes viejos, sorprendida de que mamá se hubiese molestado en guardarlos.

–¿Qué hay ahí? –preguntó Luke.

Era un baúl de viaje pasado de moda, con varias bolsas de cojines y cortinas sobre él, pero se hallaba cerrado a conciencia, y la llave no estaba a la vista. Lo incliné un poco y se oyó un golpe seco.

–Lo reventaré –dijo Luke.

Le puse una mano en el brazo para detenerlo.

–No hace falta… Las bisagras parecen oxidadas. Esta ya se ha hecho pedazos. –Deslicé una mano en el interior del baúl y toqué un pedazo de tela que envolvía algo alargado y fino. Mis dedos entraron en contacto con un objeto de metal frío en el que había varios agujeros.

–Sé lo que es. La flauta de mamá.

–No sabía que tocara.

–Ya no, pero me contó que lo hacía realmente bien.

Revolví entre cestas de mimbre, plantas de plástico, raquetas de tenis, una vieja estufa de parafina y un hervidor de agua, y empecé a temer que me hubiera equivocado y que aquello no fuera más que un trastero de trastos inútiles.

–Algunas de estas cosas tienen valor –exclamó Luke, acariciando un pequeño escritorio de roble con un tapete de cuero.

Me acerqué y levanté la tapa. En el interior había una serie de fotografías de diversos tamaños. Las pasé, aleatoriamente, sorprendida al ver algunas de mamá cuando tenía mi edad, algunas tomadas en la playa y otras en un parque de atracciones. Su pelo era largo y el viento se lo removía; aparecía riéndose, despreocupada, tan diferente a la madre que yo conocía, que la tristeza regresó otra vez, cubriéndome en oleadas. Era extraño, pero parecía que mamá hubiese dejado allí a aquella persona sonriente y feliz para acumular polvo con las demás cosas, incluidos sus sueños de dedicarse a la música. Me senté sobre mis rodillas, mirando fijamente aquellas imágenes mientras Luke continuaba con la búsqueda. Me dio la impresión de que me estaba concediendo un rato a solas conmigo misma. Resultaba tentador llevarme alguna foto, pero solo servirían para recordarme lo infeliz que se sentía mamá ahora. Las devolví con cuidado a su sitio.

Mi atención recayó entonces en una gran bolsa de viaje, y me apresuré a abrirla.

—Aquí hay hasta ropa de bebé —le dije a Luke—. Un muñeco diminuto, una rebequita, unos patucos y una mantita. —Sostuve en alto un chal blanco y bordado, con una cinta de satén enhebrada en el borde—. ¡Guau, esto es precioso!

Luke señaló algo que había cosido en un lado de la prenda.

—Hay una palabra escrita.

—Pone *Hope*. ¿No es extraño? Tal vez sea una especie de deseo para el bebé, como paz y amor.*

—Era un nombre común hace unos años —replicó Luke—. Algunos padres ponían a sus hijos nombres de virtudes: *Hope, Patience, Chastity, Mercy* y…

Se interrumpió, y aproveché para guardar el chal de nuevo en la bolsa. Sabía lo que Luke estaba pensando: *Grace*, el nombre que nunca querría volver a oír. Eché un último vistazo a las fotos de mamá y cerré la tapa del escritorio, luego me senté en el suelo.

—Me equivoqué al arrastrarte hasta aquí, Luke… No hay nada que pueda interesarnos.

—Bueno, se parece a la mayoría de áticos. El nuestro estaba igual; mi padre y yo llenamos cuatro veces el coche con trastos para tirar.

Una sensación de desesperación me invadió.

—Este asunto con Genevieve me ha desquiciado. Estoy mirando siempre por encima de mi hombro por si me está siguiendo; me crispa los nervios tener que esperar su próximo truco, y mi vida real ya no existe…

---

* La palabra *hope*, en inglés, significa «esperanza». *(N. del T.)*

–No estás desquiciada –me tranquilizó Luke; y vino a sentarse a mi lado, cruzando las piernas sobre la madera sucia del suelo–, aunque puede que esa sea su intención.

Solté una carcajada que sonó hueca.

–Pues creo que lo está consiguiendo. Quiero decir, ¿qué hacemos aquí? Es de locos.

–Pero resulta divertido –dijo con una sonrisa, intentando subirme el ánimo.

–Y lo peor –me quejé– es que ha hecho salir una parte de mí misma que ni yo sabía que existiese.

–¿Qué parte?

–Una que se encuentra llena de odio –respondí, categóricamente. Luke no dijo nada, y mis manos golpearon mis muslos con frustración–. Además, veo conexiones estúpidas por todas partes… hasta el punto de arrastrar a mi propia madre a este juego absurdo.

–Tienes que ser fuerte y centrarte, Kat; ella quiere que te vengas abajo.

Con esfuerzo, me puse en pie.

–Venga, vámonos.

Cuando me giré hacia él, Luke sostenía en alto una caja de madera oscura tallada, con incrustaciones de tonos más claros.

–Este tipo de cajas tienen mucho valor –afirmó, admirado.

–¿De dónde la has sacado?

–Se había caído cerca del depósito de agua. Vi algo que brillaba.

–Me acuerdo de eso –dije, con un suspiro, al pensar en cómo mi abuelo lo abría delante de mí y me hacía creer que se trataba de un cofre lleno de joyas de piratas.

–¿De quién era?

–De mi abuelo, y el forro está hecho de seda roja.

Luke abrió la caja y dejó a la vista el rojo todavía brillante del interior. Aspiré el olor familiar de los puros que mi abuelo había guardado allí.

–Siempre me gastaba bromas diciendo que cuando fuese mayor me mostraría el secreto.

–¿El secreto de qué?

–El del tesoro escondido.

–¿Y dónde estaba?

–Esa es la cuestión. Nunca lo descubrí; probablemente era solo una invención.

La frente de Luke se pobló de arrugas mientras le daba vueltas a la caja en sus manos. Con gesto impaciente, me la tendió.

–Inténtalo.

Deslicé un dedo por el borde y la cara inferior, y acabé sacudiendo la caja con fastidio.

–Me pasé años enteros intentando averiguarlo.

Luke soltó una risa cínica.

–¿No hay un doble fondo?

–No.

–Es muy complejo –reflexionó–. Si te fijas bien, hay dos grupos de grabados diferentes, y se acoplan perfectamente el uno con el otro.

No tenía ni idea de qué estaba hablando. Mi cara debió de reflejarlo, porque Luke volvió a coger la caja y presionó hábilmente con sus dedos en distintas partes de la madera de dos colores. Aquello pareció extenderse por espacio de varios minutos, y ya estaba perdiendo el interés cuando algo se movió, y un compartimento oculto salió impulsado hacia fuera.

Luke sonrió.

–Me encantan los puzles. Tienes que apretar a la vez los dos grabados perfectamente alineados o de lo contrario no funciona.

Me tendió con cuidado la caja, como si realmente contuviese algún tesoro, aunque lo único que yo podía ver en su interior eran papeles plegados. Tuve la certeza de que albergaba en mi mano algo trascendental, pero no quise examinarlo allí. Escalé entre los obstáculos de la estancia para regresar a la casa de Luke, con la esperanza de poder calmar mis nervios entretanto. Pasamos de un tejado a otro y los músculos de mi estómago empezaron a contraerse. Luke me dio un trapo para limpiarme las manos y vi que tenía la cara cubierta de hollín, lo que le daba un aire gracioso en contraste con su pelo rubio. No había razón para andarse con rodeos, así que, con los dedos temblorosos y una sonrisa nerviosa, desplegué con suma precaución la primera hoja de papel.

–Es mi certificado de nacimiento –expliqué, en un susurro, sin entender por qué mamá lo habría escondido; pero, entonces, recordé la cuestión más obvia: la identidad de mi padre. Comprobé, acto seguido, la casilla donde indicaba «Padre», y mi rostro se encendió de ira. Estaba vacía. Agaché la cabeza y fingí mirar otra cosa, para que Luke no se diera cuenta. Un pequeño anillo de plástico transparente, aún en el fondo del compartimento, captó mi atención. Lo cogí y lo alcé hacia la luz.

–Es una pulsera para bebés –me dijo Luke–. Debería haber un nombre escrito en ella.

–«Bebé Rivers» –leí–, y dos números de seis digitos.

–Números de hospital –explicó enseguida–. ¿Hay algo más en el compartimento?

–Solo una foto de un bebé. –Le di la vuelta y vi que había algo garabateado en el dorso, pero estaba tan borroso que resultaba ilegible–. Creo que mamá ha intentado retrasar lo inevitable. Cuando cumpla los dieciocho podré seguir el rastro de mi padre. Quizá por eso ha estado tan tensa. Hay algo acerca de él que teme que yo descubra.

–Entonces, ¿todo esto no tiene nada que ver con Genevieve? –preguntó Luke, dejando escapar un suspiro.

–Parece que no. La foto debe de tener importancia, pero no se me ocurre quién puede ser el bebé. –Su voz sonó ligeramente divertida–. Tienes que ser tú.

–No lo soy –afirmé–. Hay algo escrito en la parte de atrás, pero está borrado.

–¿Y qué pasa con ese truco que aprendimos en el Club de Espías para hacer que un texto reaparezca?

–No me permitiste unirme al club –le recordé, sacándole la lengua–. «No se admiten chicas», era vuestra norma.

Luke me tiró del pelo y sacó un lápiz de su bolsillo. Observé, fascinada, cómo rayaba con cuidado el dorso de la foto. Si mirabas con atención, el texto iba emergiendo gradualmente en blanco sobre el fondo gris.

–¿Qué pone?

Parecía tan absorto, que en ningún momento levantó los ojos.

–Solo puedo distinguir una fecha... 5 de junio, y el año... 1994.

–¡El día que nací! –exclamé, desconcertada.

Luke aguzó la vista.

–Hay un nombre también, Kat. Pone «Katy Rivers».

–Ese bebé no soy yo, de verdad –dije, con un bufido.

–No te reconoces –se rio–. Todos los bebés se parecen, o eso dice mi madre.

–Algo se nos escapa –refunfuñé–. Es como cuando tienes una palabra en la punta de la lengua pero no consigues recordarla.

Volví a mirar el certificado de nacimiento y lo leí entero.

–¡Hala! Mira esto. Nací en la maternidad de un hospital de North Yorkshire.

Uní las manos en gesto de sorpresa, pero Luke no pareció impresionado.

–¿Y?

–Ahí es donde hemos estado rebuscando información sobre Genevieve. ¿No es una coincidencia asombrosa?

–Bueno, se trata de uno de los condados más grandes de Inglaterra, pero... si tú lo dices, Kat. ¿Qué hacía tu madre allí?

Negué con la cabeza.

–No lo sé. Nunca me ha dicho que viviera allí, y nunca se me había pasado por la cabeza preguntarle.

Ahí estaba otra vez. La sensación de que tenía algo delante de mi cara y era tan tonta que no lo veía. Traté de juntar todas las piezas, pero no dejaban de separarse unas de otras, y poco me faltó para ponerme a gritar de exasperación. Sin previo aviso, sentí que las fuerzas me abandonaban y quise salir de allí. Desde arriba, la escalera de madera por la que habíamos subido daba mucho más miedo y me dio vértigo, pero me lancé hacia ella y descendí tan rápido, que tropecé en el último peldaño y me torcí el tobillo.

Luke me encontró tirada en el suelo, agarrándome el pie, casi contenta de sentir el dolor.

26

–Ponte enseguida un poco de hielo, Kat. Te vendrá bien para la hinchazón.

–Ni siquiera puedo levantarme. ¿Puedes echarme una mano?

Luke tiró de mí hasta ponerme de pie, rodeó mi cintura con su brazo y pasó el mío por encima de su hombro para cargar con mi peso, mientras yo iba dando saltitos para salir. Incluso los pocos pasos que separaban su casa de la mía parecían una misión imposible. El tobillo ya se me había hinchado como un globo y el zapato me quedaba más apretado a cada segundo.

–Si me diera por hacerte cosquillas en este momento no tendrías escapatoria –bromeó.

–Ni se te ocurra. –Me reí débilmente, sintiendo náuseas por la intensidad con que el dolor se extendía por mi pie.

Una tos me hizo alzar la vista y estuve a punto de perder el equilibrio. Si Luke no me hubiera sujetado con fuerza, me habría caído de bruces sobre el rosal de mamá. ¿Por qué me sentía tan culpable, y por qué no podía evitar sonrojarme? La maldición de tener el pelo rojo hacía que, una vez que mis mejillas alcanzaban el tono de la remolacha, permanecieran así durante una eternidad.

–Hola, Merlín –logré murmurar–. Me he hecho daño en el tobillo y Luke me estaba ayudando a llegar a casa.

–Ya lo hago yo –dijo, con los ojos encendidos de rabia. Luke me lanzó un guiño furtivo y le dejó ocupar su lugar, tras lo cual regresó con discreción a su casa. El problema era que Merlín era tan alto que no podía apoyarme en él. Por poco se me disloca el brazo, así que tuve apartarme y entrar en casa a la pata coja, deteniéndome solo para buscar la llave en el bolsillo de mis vaqueros. Me fui apoyando en la pared hasta llegar a la sala de estar, y me dejé caer en el sofá, sintiendo un escalofrío al ver mi reflejo en el espejo situado sobre la chimenea. Mi cara estaba aún peor que la de Luke. Debía de haberme frotado sin darme cuenta, y la suciedad se extendía por ambas mejillas. Además, tenía una gigantesca tela de araña en el pelo. Merlín había pasado la noche anterior con una Genevieve perfectamente peinada y despampanante con su vestido negro, sus tacones altos y sus medias, y ahora se hallaba frente a frente con su novia la deshollinadora. Y lo que era aún peor, en ese momento mi teléfono soltó un pitido, con lo que ni siquiera podía mentirle y decirle que no había recibido sus mensajes.

–Perdona que no respondiera a tus llamadas –me disculpé con una sonrisa tonta–. Estábamos en el ático de Luke y no podía ni ver el teléfono. Por eso me ves tan sucia y cubierta de… de polvo.

Merlín suspiró con desesperación fingida y me quitó algo del pelo.

–No puedes quedarte aquí sola… Puede que te hayas roto el tobillo. Ven a mi casa; mi madre le echará un vistazo.

–No. En serio, me encuentro bien, necesito limpiarme y…

Merlin no me dio opción a terminar la frase. Ya tenía el teléfono en la mano y estaba marcando el número para pedir un taxi. Normalmente me gustaba cuando se mostraba decidido, pero en esa ocasión me irritó, me sentí como si, simplemente, estuviera ignorando mi opinión. Menos de cinco minutos después, oímos el claxon de un coche, y esta vez Merlin me permitió salir sin ayuda. Durante todo el trayecto hasta su casa, el taxista no paró de charlar, lo que evitó que habláramos entre nosotros. No se me había pasado por alto que ninguno de los dos había mencionado la fiesta.

Cuando entramos no había señales de que hubiera nadie más, y Merlin intentó, tímidamente, dar la impresión de que no se lo esperaba, pero no le creí ni por un instante. Me llevó a la cocina, me hizo una taza de té e insistió en vendarme el tobillo. Pero no lo hizo bien, porque por poco tropiezo otra vez al acercarme cojeando al fregadero para dejar la taza ya vacía. Al mirar al jardín, distinguí un círculo de césped aplastado donde había estado la carpa, y vi que de los árboles aún colgaban bombillas de colores. Distinguí también el lugar exacto donde se había hecho la foto con Genevieve, y todavía podía ver en mi cabeza la mirada que había en su cara mientras bailaba con ella. Me aferré al borde del fregadero, sintiendo que un cuchillo se retorcía en mi interior.

–¿Estás bien?

–Sí, estoy bien –mentí, y me di la vuelta, esbozando algo parecido a una sonrisa.

–Se suponía que íbamos a vernos anoche, Katy.

Su tono era de reproche. No me lo esperaba. Con la excitación de vigilar la vicaría, se me había olvidado por completo nuestra cita.

–No fue a propósito, Merlin. Ocurrió algo... inesperado. Luke y yo teníamos que ir a un sitio, no había cobertura, y se nos hizo muy tarde.

Merlin frunció el ceño.

–Después de pasarte escondida toda la semana, era la oportunidad para que nos viéramos y hablásemos.

Percibí su enfado, pero de pronto yo también me sentí dominada por una sensación de injusticia. ¡¿Cómo se atrevía a hacer que me sintiera mal por haberme ido con Luke, cuando él se había pasado la noche anterior flirteando con Genevieve?!

–¿Qué tal estuvo la fiesta? –pregunté, con poco disimulado desdén.

Su rostro se ensombreció.

–Habría estado mejor si hubieras aparecido, pero no podíamos cancelarla. Iban a quitar la carpa hoy, así que era anoche o nunca.

–Eso lo entiendo.

–Entonces, ¿por qué me siento tan mal? –replicó, volviéndose hacia mí.

Miré a lo lejos, y respondí:

–No lo sé. ¿Por qué te sientes tan mal? Si te sientes culpable por lo de anoche, no es por mi causa.

–¿Por qué habría de sentirme culpable? –preguntó, acalorándose–. Me pasé toda la noche intentando localizarte.

Quise parar, pero era como si un demonio se hubiese apoderado de mí. No podía apartar de mi cabeza la fotografía de Merlin y Genevieve.

–No toda la noche. Te las apañaste para encontrar tiempo para un baile…

Merlin entendió enseguida a lo que me refería y su rostro se contrajo de rabia.

–Eso no es justo. Solo fue un baile. Ahora sabes cómo me sentí yo al ver tu foto con Luke.

–O sea, que lo hiciste para devolverme el golpe –dije, sin poder dar crédito.

–No seas tan infantil. Yo no soy así.

–Pues lo parece. Suena a que donde las dan, las toman.

–Ya que estamos con ese tema –gruñó Merlin–, siempre hemos sido tres en esta relación, y no estoy hablando de Genevieve. No puedo creer que no lo veas.

–Bueno, pues no lo veo.

–Ese… Luke. La única razón por la que investiga contigo es para pasar tiempo a tu lado.

–Por si quieres saberlo –repuse, irritada–, es mi investigación. Luke me está haciendo un favor.

–He visto el modo en que te mira.

–Eso es absurdo y ridículo –repliqué, con mi tono de voz más maduro–. La novia de Luke también es amiga mía. La conozco desde hace años. Salimos juntas por ahí.

–¿Cuándo, por ejemplo? –preguntó con calma.

No tenía respuesta, porque acababa de darme cuenta de que no había visto a Laura hacía un montón de tiempo, como si estuviera evitándome.

–Es Genevieve la que está metiéndose todo el tiempo entre nosotros –dije, ignorando su pregunta anterior.

–Necesita mucho apoyo.

Cojeando, me aparté de él todo lo que pude, hasta el extremo opuesto de la amplia cocina.

–Míralo desde mi punto de vista. Ella aparece en todas partes, se apropia de mi vida y lo hace todo mejor que yo. Es como mi reflejo en un espejo, solo que más bonito.

Le estaba dando pie a que me reconfortase.

«No seas tonta, Katy. Por supuesto que no es mejor que tú en todo. Tampoco es más guapa, ni más inteligente, ni más bonita. No está a tu altura. Tú eres única y te quiero tal y como eres.»

Pero no dijo nada de eso. Con aire taciturno, murmuró:

–Últimamente, Katy, parece que nunca estás disponible para mí.

–No puedo dejar lo que estoy haciendo, es algo importante –repuse con frialdad.

–Todo parece más importante que yo.

–Creo que necesitamos darnos un descanso –solté, y mis propias palabras me cogieron por sorpresa, pero una vez dichas ya no era posible borrarlas.

Merlin hundió la cabeza entre sus manos y dejó escapar un largo gemido de abatimiento. Luego se levantó, se acercó a mí y me cogió de la mano.

–Katy, yo no quiero eso. Hablemos… Arreglemos esto. Todo iba muy bien.

Su súplica no surtió efecto; era como si me hubiera convertido en hielo. Su tacto me recordaba a ella, podía olerla e incluso escucharla cuando él hablaba. Permanecí en silencio, sin contestar.

–No quiero que rompamos –me pidió–. Puede que Genevieve haya estado viniendo a mi casa demasiado a menudo, sentía lástima por ella. No te dejaré ir así.

–No tienes opción, Merlin.

–No me rendiré sin pelear –insistió–. No puedes ser tú la que esté diciéndome estas cosas.

–Soy yo.

–Sigo teniendo tu mensaje en mi móvil. «PD: Te quiero. X.». ¿No lo decías de verdad? ¿Era solo una mentira?

Dudé un instante, mientras mis ojos se regodeaban en el aspecto que Merlin tenía en ese momento: su hermoso rostro mostraba una expresión de desesperación, sus ojos llameaban y, a la vez, suplicaban.

–Merlin, debería irme.

–No puedes marcharte aún. Hay algo que necesito darte, una especie de regalo adelantado de Navidad.

Me arrepentí de haber ido allí tan pronto después de la fiesta.

–No puedo aceptar nada…, de verdad.

–No le sirve a nadie más –dijo Merlin–, y lo pasaré muy mal si no lo aceptas. ¿Crees que podrás subir las escaleras? Quiero que lo veas en el escenario adecuado.

Ante tanta insistencia, no pude seguir negándome. Me ayudó a llegar a su estudio, donde nos recibió una ráfaga de aire frío. La ventana del techo estaba abierta y unas cuantas hojas mustias se habían colado en el interior, quedando esparcidas por el suelo. Ahora Merlin parecía más animado. Posó sus manos en mis hombros y mi estómago dio un vuelco al sentir su tacto. Me sentí invadida por una acumulación de todo lo que habíamos perdido, las palabras que nunca habíamos dicho, las cosas que no habíamos hecho juntos. Esa sensación subió por mi garganta y se instaló allí, ahogándome. Una parte de mí quería empujar a Merlin para apartarlo, y la otra quería hundirse entre sus brazos.

Vi nuestro reflejo en el espejo y me sobrecogí. Hacíamos muy buena pareja. ¿Qué más prueba necesitaba de que me quería a mí y no a Genevieve? Yo era la que se encontraba allí con él, y él estaba intentando arreglar las cosas entre nosotros. Mi decisión comenzó a flaquear y giré la cara hacia él, justo hasta que algo captó mi atención. Había algo colgado de un gancho, sobre la ventana lateral, retorciéndose y girando empujado por la brisa, despidiendo destellos de luz esmeralda. No había duda de dónde había salido. Me aparté rápidamente y la cara de Merlin se ensombreció.

Fui a la ventana y arrugué el entrecejo.

–Reconozco este colgante. Es de Genevieve.

–Ni siquiera me había dado cuenta de que estuviera ahí –murmuró–. Hace montones de ellos y se los regala a todos los alumnos de mi madre.

–No uno como ese –insistí, muy segura.

–Debe de haberlo dejado por accidente.

–¿Ha estado aquí? ¿En tu habitación?

–Estuvo ayudándome con algo. Para ti –enfatizó.

Ni siquiera pude reunir ánimos para hacer comentarios. Giré el cuello para mirar el cielo y contemplé las nubes que se movían arrastradas por el viento, perfectamente enmarcado por la lámina de cristal, como una hermosa obra de arte viviente. Merlin se acercó a su caballete y, de repente, me sentí horrorizada. Con todo lo que había sucedido me había olvidado del retrato, pero resultaba obvio que ese iba a ser su regalo.

–No puedo aceptarlo, Merlin. No ahora.

–Tienes que hacerlo –insistió–. Está acabado y es para ti. –Se pasó una mano por el pelo y añadió–: No es algo que pudiera darle a nadie más.

–¿Es con esto con lo que te ha estado ayudando Genevieve? –le pregunté, desconfiada.

Él asintió.

–Pero… dijiste que podías pintarme con los ojos cerrados.

Merlin vino hacia mí y me acarició la cara.

–Podía, Katy, pero entonces pasó algo… cuando sentía celos de Luke… Dejé de poder verte.

–Dejaste de poder verme –repetí, desamparada.

–No duró mucho. Mira, podía haber pintado algo que se pareciera a ti en cualquier momento, pero tenía que captar tu alma… De lo contrario, no sería más que otro cuadro.

–¿Y Genevieve? ¿Cómo te ayudó?

Su frente se llenó de arrugas al intentar explicarse:

–Las dos sois creativas y algo espirituales… Su sola presencia me hacía recordar lo increíble que eres tú.

Así que Genevieve había sido su musa en mi lugar. Definitivamente, no quería mirar el retrato, estaba mancillado. Traté de marcharme, pero Merlin ya había comenzado a retirar, muy despacio, la sábana que cubría el lienzo, y me vi obligada a contemplar cómo el cuadro iba surgiendo gradualmente ante mí. En algún momento del proceso se habían producido pequeños cambios: los ojos parecían ahora más grandes y más luminosos, los labios eran más gruesos y visiblemente más crueles, los pómulos más altos… como si, poco a poco, estuviera formándose un extraño híbrido de Genevieve y de mí. Sus ojos me seguían a todas partes.

Miré el retrato, y a continuación a Merlin para comprobar si se trataba de una broma. La bilis me subió por la garganta y creí que iba a vomitar. Él se mostraba orgulloso, no tenía ni idea de lo que ocurría. Si no hubiera sido algo tan trágico, podría haberme echado a reír.

–¿No tienes nada que decir, Katy?

Dije solo dos palabras:

–Adiós, Merlin.

27

Llegaron las vacaciones de mitad de curso y me alegré de tener la oportunidad de lamer mis heridas sin tener que tropezarme con Merlin en la escuela cada cinco minutos. Todo lo que Genevieve había prometido se había hecho realidad: había raptado a mis amigas y a mi novio y había saboteado mis estudios. Había adivinado mis reacciones. Pero lo que más me dolía era el retrato, la humillación y la vergüenza extremas que me había hecho sufrir. Por fortuna, había roto con Merlin antes de que me lo enseñara. Había tomado la iniciativa y había mantenido mi dignidad, lo cual era un pequeño consuelo. Parecía una locura, pero la incertidumbre de estar con él me resultaba casi más difícil de soportar que la certeza de que ya no era mío. No tenía muchas distracciones. Hannah se había ido unos días a París para mejorar su francés y Nat tenía que cuidar de su hermana pequeña durante la mayor parte de las vacaciones. Por una vez, tenía tiempo de sobra para dedicarlo a mis diseños, pero todos ellos eran enfermizos, con colores sosos y sombríos, como si alguien me hubiera pedido que esbozase una colección entera de ropa para un funeral. Me pasé una eternidad en mi dormitorio para evitar a mamá, que continuaba comportándose de manera extraña. Sin previo aviso, sacó a colación el tema de mudarnos a otra ciudad para empezar de cero. Mamá odiaba los cambios, y eso me hizo sospechar que aquella repentina idea tenía algo que ver con su reacción al escuchar el verdadero nombre de Genevieve.

Cuando Luke se enteró de lo ocurrido con Merlin, apareció después del trabajo con unas flores y habló en voz baja, como si se hubiera muerto alguien. Yo todavía no podía caminar bien, así que entró a la cocina, las puso en agua y las colocó realmente mal.

—¿Cómo va el tobillo?

—Sigue hinchado. —Me levanté la pernera del pantalón. En mi tobillo se podían distinguir todos los colores del arco iris, y continuaba teniendo un extraño aspecto esponjoso.

Luke cogió una manzana de la cesta de la fruta y le dio un buen mordisco. El jugo le resbaló por la barbilla.

—Deberías ir a que te hicieran una radiografía, por si acaso.

—Eso dijo mamá.

—¿Te duele?

—Es una agonía.

—Si no consigues unas muletas, no podrás ir a clase. —Agitó en su mano las llaves de su coche y dijo—: Vamos. Te llevo al hospital, ahora mismo, para acabar de una vez con esto.

Refunfuñé, porque, como era habitual, tenía razón. A regañadientes, cogí mi bolso y fui dando saltitos hasta el coche. Mientras él conducía, le miré de soslayo, recordando lo que Merlin había dicho sobre Laura, pero no pude reunir el valor suficiente como para preguntarle. Llegamos al hospital y nos dirigimos a urgencias. Nunca había estado en las urgencias de un hospital y me sorprendió el enorme número de personas que esperaban a ser atendidas.

–Menos mal que no hemos venido por la noche –me susurró Luke–. No es un muy divertido.

–Estaré bien –le dije, valiente–. Déjame aquí y volveré a casa en taxi.

–Ni lo sueñes –insistió, y empezó a silbar alegremente.

–Laura debe de odiarme –murmuré, nerviosa.

–¿Por qué?

–Por monopolizarte.

–A ella no le importa.

–Siempre dices eso, que a Laura no le importará.

Luke cambió de posición y me miró fijamente. Sus ojos solían brillar y sonreír, pero ahora me parecieron de un azul tan frío y profundo como un fiordo.

–¿Y qué, Kat?

–Solo que… ¿por qué no ha venido a verme últimamente? Lo pasábamos bien los tres juntos.

Se encogió de hombros.

–Ha estado ocupada, y ahora es diferente. Quiero decir que ella te hacía peinados y ese tipo de cosas… Tú solo eras una niña.

Pensé en ello durante un momento. No sabía adónde quería ir Luke a parar, pero tenía un mal presentimiento. Tal vez Laura estaba evitándome.

–Bueno, solo quería decir que no la desatiendas, Luke. Mira lo que pasa luego.

–¿Es que Merlin se sentía desatendido? –preguntó con cuidado.

–Eso parece.

–Pronto te dolerá menos –murmuró–, y encontrarás otro novio.

–¿Encontrar? –repetí, consternada–. No estoy buscando otro novio; y fui yo la que rompió con él.

De inmediato, Luke mostró su arrepentimiento.

–Lo siento, Kat, no me había dado cuenta. Pensé que…

–¿Que tenía el corazón roto?

–No, simplemente que estabas triste.

No había hablado con nadie de la ruptura, y fue un alivio poder hacerlo con Luke, aunque no logré animarme a mencionarle el retrato ni lo que Merlin había dicho de él.

–Algo cambió entre nosotros. Merlin parecía y sonaba igual, pero faltaba algo… como si me hubieran robado una parte de él. Resulta absurdo, ¿no?

–No, para nada –respondió, con aire meditabundo–. Suena muy agudo. Eres muy madura, emocionalmente.

–Deja de reírte de mí, Luke.

–No lo hago –afirmó, y por una vez no apareció en sus labios el menor rastro de sonrisa burlona. Hizo una mueca–. ¿Y qué ocurre con Genevieve? Estabas muy nerviosa cuando salimos del ático. Creí que habías visto algo.

–No he pensado en otra cosa… pero tengo un bloqueo mental sobre esa conexión con York.

Una mujer embarazada pasó a nuestro lado bamboleándose y la miré asustada. ¿Cómo podía la barriga de alguien estirarse tanto? Los engranajes de mi cerebro volvieron a ponerse en marcha, pero en esta ocasión cobró forma una idea tan aterradora, que tuve que inclinarme hacia delante y poco me faltó para poner la cabeza entre mis rodillas.

–¿Estás bien, Kat?

–Luke... Estamos en un hospital –dije, en un susurro–. ¿Qué pasa en los hospitales?

–Eh... La gente recibe tratamiento cuando se encuentra enferma.

–Y tienen bebés.

–Sííí.

Enterré mi rostro entre las manos.

–¿Te das cuenta?

–¿Cuenta de qué?

–Es horroroso, y sin embargo...

En ese momento, una enfermera dijo mi nombre y me alegré de levantarme de la silla y de que me pinchasen el tobillo, lo toqueteasen y le hicieran radiografías; cualquier cosa serviría para dejar de pensar en la idea que se hacía a cada instante más y más grande y más fuerte. Me negué a decir una palabra más hasta que estuvimos de vuelta en casa, con el tobillo firmemente vendado y un par de muletas. Era tarde y la luz del dormitorio de mamá estaba apagada. Luke me siguió adentro, y cerró con cuidado la puerta tras él. Empezó a pasear de un lado a otro por la sala de estar, con las manos a la espalda, lo que, en condiciones normales, me habría hecho reír, pues le hacía parecer un miembro de la familia real.

–¿Bien? ¿Me lo vas a contar de una vez?

–Hay un álbum de fotos en ese aparador, Luke. ¿Podrías acercármelo?

Obediente, se puso en cuclillas, abrió las puertas del mueble y rebuscó en el interior. Me tendió el álbum encuadernado en cuero marrón sin preguntar. Fui pasando las páginas hasta detenerme más o menos a la mitad, y entonces incliné el libro para mostrárselo a Luke.

–Esta soy yo, recién nacida.

–¿Y?

–Resulta tan obvio… Deberías ser capaz de ver lo diferente que soy.

–En realidad no. Ya lo dije antes, un bebé es un bebé.

Saqué la otra foto de mi bolso y la agité delante de él.

–Fui un bebé prematuro y estaba prácticamente calva. Este bebé es más gordo y tiene el pelo negro azabache. Lo digo en serio: este bebé no soy yo.

Luke resopló.

–Entonces, o tu madre se hallaba cansada después de tantas noches sin dormir y etiquetó mal sus fotos, o en el laboratorio fotográfico le dieron las copias equivocadas.

–Y nunca se dio cuenta de que eran de otro bebé –repliqué, con sarcasmo.

–Los bebés cambian en cuestión de días. Pierden peso o lo cogen, se les cae el pelo…

–No es mi cara –insistí–. Esa foto estaba escondida con el certificado de nacimiento y con la pulsera por una razón importante, y no puedo creer que no te hayas dado cuenta de la trascendencia de este hallazgo. El hospital me ha dado la clave.

Luke parecía exasperado.

–¿Y qué, Kat? ¿Crees que Genevieve y tú podríais haber nacido en la misma sala de maternidad?

Respiré hondo.

–Más que eso. Sé que suena increíble… impensable y una verdadera locura, pero… creo… que sería posible que… mamá se llevase al bebé equivocado del hospital.

Luke tuvo que taparse la nariz y cubrirse la boca para ahogar el sonido de sus carcajadas. Unos instantes después, se disculpó:

—Ni siquiera a mí se me habría ocurrido algo así. Se supone que yo soy el periodista, el de las teorías de conspiraciones y esas cosas.

No me sentí ofendida, porque era consciente de que mi idea parecía extravagante, pero intenté sonar comedida y creíble para que me tomara en serio:

—Es el punto de unión entre Genevieve, mamá y yo. Nací en otra ciudad; un bebé que tiene mi nombre no soy yo; y mamá se quedó blanca cuando mencioné el nombre de Grace. Quizá por eso Genevieve me odia.

—¿Sabes lo que estás diciendo, Kat? Genevieve es la hija de tu madre y tú eres... la hija de otra mujer.

—Supongo.

—¡Ah!, y tu madre lo sabe todo. Pero ¿por qué iba a permitir entonces que sucediera algo así?

—Eso todavía no lo he averiguado, pero... ¿crees que es imposible?

Puso los ojos en blanco.

—Creo que has leído demasiadas novelas basura o que has visto demasiadas series americanas.

—Mira, eso estaba escondido en la caja secreta para que yo nunca lo encontrase. Mamá nunca me dice dónde nací, y se ha aislado del mundo, incluso de su familia. Ha huido de algo durante toda mi vida, y hasta ha dejado entrever que podría perderme.

—Esto es Inglaterra. Los bebés no se intercambian en los hospitales, y más sin que nadie se dé cuenta. Para eso sirven las pulseras. No se quitan hasta que el bebé es entregado a sus padres.

Tragué saliva y hablé más para mí que para Luke:

–Todas las amenazas de Genevieve tienen sentido. Dice que no hay sitio suficiente para las dos... Que tiene derecho a mi vida porque debería haber sido la suya. No puede perdonarme porque tuvo una infancia horrible, y vino a ver a mamá, fingiendo que vendía joyas, pero en realidad lo hizo para verla cara a cara.

–¿Cómo iba ella a descubrir algo así?

–No lo sé, pero sabemos lo inteligente que es.

Luke tamborileó con los dedos sobre la mesa mientras yo seguía pensando en voz alta:

–Así se explicaría por qué mamá siempre se muestra tan reservada y por qué no le gusta hablar del pasado. Yo creía que era por mi padre, pero tal vez no sea así.

–Tendré que meditarlo.

–¿Podrías investigar un poco más? Acceder a los archivos del hospital o al registro de nacimientos o..., no sé; eres un hombre de recursos.

–Aún no conocemos el verdadero apellido de Genevieve/Grace –me recordó, a la vez que se ponía la chaqueta. Dudó un momento, con un pie dentro y el otro ya fuera–. Existe una solución más sencilla: averiguar cuándo es su cumpleaños. Tendríais que haber nacido con pocos días de diferencia para que tu hipótesis fuera válida.

–Eres un genio –le dije, agradecida–. Pero ¿cómo? Luke me miró, perplejo.

–Es una pregunta bastante simple.

–Nada es simple con Genevieve –murmuré–. Y de ningún modo debemos hacer que se ponga en alerta. Ni siquiera me atrevo a preguntárselo a Nat o a Hannah, por si ella acaba enterándose.

–Lo siento, pero tendré que dejar que te encargues tú, Kat. Sé que se te ocurrirá algo.

En cuanto se marchó, subí a mi habitación y abrí el cajón de mi mesita de noche. Había una cosa que no le había dicho, mi obsesión con el colgante. No era mi imaginación; cada vez que lo cogía pesaba más, como si estuviera creciendo con el poder de Genevieve. ¿Y por qué no podía deshacerme de él o destruirlo? Siempre que lo intentaba, regresaba a mí. No sabía cómo explicarlo. Me tumbé bajo la colcha, cavilando acerca de todo lo que había ocurrido, mientras el colgante arrojaba extrañas sombras sobre la pared.

«Estás marcada, Katy.»

Me acordé de la esposa del vicario, que aseguraba que todavía podía sentir la presencia de Genevieve en la casa, como si algo de ella se hubiera quedado atrás desde hacía tantos años. ¿Acaso también ella estaba marcada? Luke encontraba una explicación racional para todo, pero eso no evitaba que siguiera teniéndole miedo a aquel trozo de cristal esmeralda. Mamá había abierto las puertas de la casa al colgante, y yo tenía la extraña sensación de que la única forma de deshacerse de él era devolvérselo a Genevieve. Ya lo había intentado y había fracasado, pero ahora sabía lo que tenía que hacer.

28

Luke debía marcharse fuera una semana para realizar un curso o algo parecido, pero se ofreció a acercarme a la escuela el primer día después de las vacaciones. Me dejó delante de la puerta, justo en el momento en que Genevieve pasaba, y un montón de alumnos entraban en el edificio. Mereció la pena soportar el dolor en el tobillo solo por ver los celos de Genevieve cuando todos corrieron a ayudarme. Alguien me cogió la bolsa y la carpeta, otros empezaron a bromear sobre mi lesión e intentaron caminar con mis muletas. Tenía el pie demasiado hinchado como para que cupiera en uno de mis zapatos, así que llevaba un par de cómodos mocasines de mamá, que parecían enormes barcazas y eran tan feos que casi resultaban chulos, y se convirtieron de inmediato en tema de conversación. Fui directa a clase y me senté con algo de esfuerzo, contenta de no tener que seguir de pie.

La señorita Clegg se me acercó con una sonrisa y dijo:

–Katy, la secretaria me ha dado un mensaje para que te pases por la oficina. Estoy segura de que se trata de una formalidad para asegurarse de que no intentas realizar ninguna acrobacia mientras estás lesionada.

Me estaba acostumbrando a las muletas, aunque, para utilizarlas, empleaba músculos que ni siquiera sabía que existían y los brazos me dolían una barbaridad. La secretaria, la señora Wright, me invitó a sentarme frente a su mesa y me leyó un aviso sobre salud y seguridad, referente a todo lo que no debía hacer. Mis ojos debieron de revelar mi aburrimiento, porque la mujer se disculpó diciendo que era cuestión de sentido común. Mientras hablaba, las palabras de Luke volvieron a resonar en mi cabeza: «Lo siento, pero tendré que dejar que te encargues tú, Kat. Sé que se te ocurrirá algo».

¿Quién más tendría acceso al expediente de Genevieve? Esta podía ser la oportunidad que estaba buscando.

–¿Podría pedirle un favor? –le solté, tratando de levantarme de la silla y haciendo un gesto exagerado de dolor–. La chica nueva, Genevieve, es encantadora, pero... muy tímida, y no le dice a nadie cuándo es su cumpleaños porque no quiere que se monte ningún jaleo. –Realicé una pausa para comprobar su reacción, con la esperanza de que la señora Wright picase el anzuelo y no me obligase a preguntárselo directamente, pero su rostro permaneció inexpresivo–. ¿Podría usted decirme su fecha de nacimiento para que podamos prepararle una fiesta? Es muy triste, porque es huérfana y todos queremos darle una gran sorpresa.

La mujer sacudió la cabeza con pesar.

–Lo siento, Katy, no puedo hacerlo. Quizá te parezca una nimiedad, pero va en contra de las normas de confidencialidad. No está permitido divulgar información referente a los alumnos.

Me incorporé y empecé a arrastrar los pies hacia la puerta, dominada por la decepción. Estar en la oficina me había parecido una gran oportunidad, pero no había dado resultado, y no se me ocurría otra manera de conseguirlo. Sería demasiado peligroso intentarlo con sus nuevos padres de acogida, porque podrían ponerla sobre aviso.

—¿Katy?

Me paré, mantuve el equilibrio y me di la vuelta. La señora Wright me lanzó una sonrisa.

—Si quieres, Katy, podrías preguntarme la fecha de mi cumpleaños.

Al ver que me hacía un guiño pícaro, me pregunté si no habría estado trabajando demasiado.

—Verás, una de las nuevas alumnas nació el mismo mes que yo; la diferencia es que yo lo hice cerca del final de mes y ella al principio, muy al principio.

No parecía difícil comprender a qué se refería, así que me eché a reír. Era muy amable por su parte esquivar una infracción de las normas de la escuela de aquella manera.

—¿Cuándo es su cumpleaños, señora Wright? —inquirí, con una sonrisa.

La mujer cruzó los brazos sobre el pecho.

—Vaya, gracias por preguntar, Katy. Es el veintinueve de junio.

Le agradecí profusamente el detalle y ella me sujetó la puerta al salir. Así que Genevieve debía de haber nacido el 1 de junio, lo que significaba que nuestros cumpleaños estaban separados por cuatro días solamente. Eso fortalecía mi idea de que nuestras madres podrían haber estado juntas en el mismo hospital. No me hallaba más cerca de la verdad, pero al menos se trataba de otra pista, y eso ya era algo.

Sin embargo, había otro obstáculo. Tenía que ver a Merlin tarde o temprano, y necesitaba hacerlo cuanto antes, porque me sentía demasiado nerviosa; parecía que mi estómago estuviera lleno de mariposas. A la hora del almuerzo, mi corazón dio un vuelco al verlo cruzar la puerta de la cafetería. Nuestras miradas coincidieron enseguida. Me lanzó una sonrisa dolida que me hizo contener la respiración, pues estaba muy atractivo y parecía lleno de deseo. Me sentía como en una de esas películas en blanco y negro, en las que el héroe y la heroína se ven separados para siempre y se observan conteniendo las lágrimas porque tienen que ser valientes; pero la escena es conmovedoramente desgarradora y el tren se pone en marcha, melancólico, y se aleja de la estación mientras suena una música triste.

Oh, los pies en la tierra, Katy Rivers.

Después de clase, esperé junto a las puertas automáticas, en lo alto de las escaleras, a que apareciera Nat, porque había insistido en que su madre me acercaría con el coche a casa. Me apretujé en un rincón para evitar que me aplastasen o tropezasen conmigo. Estaba sola, pero un instante después, Genevieve apareció junto a mí, extendiendo sus brazos como para hacer barrera, con la intención de ayudarme. Era un día claro, y nos hallábamos la una frente a la otra bajo el sol de finales de otoño. Me sentí hipnotizada, incapaz de desviar la mirada. Tenía una cicatriz casi imperceptible en un lado de la nariz, y yo toqué la mía de forma consciente, notando el minúsculo bulto de una cicatriz similar que me había hecho al caer de un columpio cuando tenía unos diez años. Genevieve se apartó con una mano el flequillo de delante de los ojos, y en el dorso vi un grupo de pecas con la forma de una estrella. Yo tenía una marca parecida, pero en la otra mano; mamá siempre decía que era una señal de buena suerte.

Llevaba una semana sin verla y casi me había olvidado de lo desagradable que resultaba la sensación de tenerla cerca. Hoy percibía en ella una curiosa mezcla: triunfo y satisfacción fundidos con un estado de expectación nerviosa.

–Siento que te perdieras la fiesta, Katy. Todos nos sentimos fatal.

–No pasa nada, Genevieve, no pudo evitarse. Fue muy amable por tu parte organizarla para Nat. Estaba emocionada.

–Sí lo estaba, sí. –Examinó sus uñas como si estuviera afilándolas–. Ya te he quitado a tus amigas, y ahora solo me queda una persona por arrebatarte.

–¿No te estarás refiriendo a Merlin?

Genevieve hizo un mohín despreocupado.

–¿Quieres decir que todavía no te lo ha contado?

–¿Contarme qué?

–Rompí con él.

–¡Sí, claro! –dijo, arrastrando las palabras–. ¿Tú has roto con Merlin?

–Pregúntaselo si no me crees.

Le costó unos segundos digerirlo, y mientras lo hacía, la punta de su lengua asomó entre sus labios.

–¿Quieres decir que él quería romper contigo pero tú te adelantaste para salvar el tipo?

–Para nada –la corregí–. Él quería pasar más tiempo conmigo, pero me sentía un poco asfixiada.

–Quizá si hubierais logrado tener vuestra noche romántica, todo habría sido distinto –lanzó, con la voz aguda de una niña pequeña y embadurnada de sarcasmo– . Pero nunca lo sabrás.

Avancé para acercarme a ella, sonriendo todo el tiempo con exagerada dulzura.

–Ahora es todo tuyo, y todo el mundo sabrá que no eres más que la sustituta, un sucedáneo, porque yo no lo quise.

La cara de Genevieve parecía un cuadro mientras se esforzaba por controlar sus sentimientos y yo le retorcía la puñalada más aún.

–Ya no te resulta tan atractivo, ¿verdad, Gen? Disfruta de él mientras puedas.

Por un instante, pensé que realmente le había dado un buen golpe, pero de pronto soltó una carcajada que me heló la sangre.

–Nunca fue tuyo, ni siquiera un segundo. Os concedí un poco de tiempo juntos solo porque me convenía.

–Como si fuera a creerte.

Suspiró con gesto de tristeza y levantó la vista hacia el cielo gris.

–Podría darte un empujón, solo un pequeño empujón, y todo el mundo pensaría que te habías tropezado. La imprudente de Kat, esperando junto a las escaleras en vez de coger el ascensor.

Había sido poco cuidadosa dejándome arrinconar de aquel modo, al salir por la puerta principal en lugar de usar el ascensor que llevaba directamente al nivel de la calle.

–Sería un alivio –dijo en un susurro.

–No podías encontrar una vida por ti misma –la desafié–, así que tenías que robarme la mía. ¿No te resulta patético?

Trazó un remolino con sus manos, como si escribiera en el aire.

–Solo hubo que dar unas pocas pinceladas y quedaste completamente borrada.

¿Se refería al retrato? No dio más explicaciones, así que imploré, contra toda esperanza, que Merlin no le hubiera permitido verlo. Mi pie avanzó lentamente hacia delante y miré hacia abajo, percibiendo que me tambaleaba. Me sentí indefensa, consciente de que algo me pesaba en la mano, y del frío del cristal y el metal. Estuve a punto de perder el equilibrio y alargué el brazo para agarrarme a su chaqueta, lo cual me dio la oportunidad que tanto había buscado. Deslicé el colgante en su bolsillo, y a continuación enderecé mi cuerpo, sintiéndome enseguida más estable.

–¿Es eso lo que les ocurre a todos los que te molestan? –le pregunté, con renovada seguridad en mí misma.

Genevieve levantó la barbilla con insolencia.

–Tal vez deberías ser más precavida.

–Lamento mucho lo de tus padres adoptivos –me burlé–. Me he enterado de tu triste historia, pero… da la impresión de que todos los que se acercan a ti mueren.

Pareció satisfecha con mis palabras, y las comisuras de sus labios se curvaron hacia arriba.

–Es bueno que te hayas dado cuenta. Otros me subestiman, pero tú no. Nos entendemos.

En mi cabeza surgió la extraña idea de que, a las tres y media de la tarde de un lunes, estaba escuchando una confesión de asesinato. De pronto su mano se cerró sobre mi muñeca y mi mente se llenó de sus horribles pensamientos. Estaba en la casa, viendo cómo las llamas lamían la madera, oyendo cristales que estallaban en pedazos y los gritos horrendos de la gente que permanecía atrapada en el interior. Y ella parecía contenta. Pude sentir su satisfacción y la ausencia de tristeza alguna. Si realmente era capaz de aquello, entonces yo tenía que hacer algo.

—Puede que mi madre y yo nos mudemos —me apresuré a decir—. A otra ciudad, para empezar de nuevo.

—Es demasiado tarde, Katy.

—¿Demasiado tarde? —repetí—. Pero tú querías que me fuera, para dejarte el camino libre.

Hizo una mueca de fingido pesar.

—Sí, quería, pero ahora ya no es suficiente. Siempre estarás ahí, en algún lugar… y eso no me vale.

—Entonces, ¿qué tendría que hacer? ¿Morir?

—Debería ser como si nunca hubieras nacido. Por eso es por lo que nos encontramos la una a la otra.

Era uno de sus acertijos, pero tuve que hacerle la pregunta:

—¿Cómo me localizaste?

Genevieve pareció suspirar levemente, y una suave brisa me acarició la cara. Uno de sus rizos me rozó la mejilla.

—Sabes la respuesta, solo que todavía no te has dado cuenta.

Parpadeé y ella desapareció. Ahora era Nat la que se hallaba a mi lado, regañándome por no haber cogido el ascensor.

264

Me sentía tan conmocionada cuando llegué a casa que me encerré en mi habitación. La idea de que Genevieve pudiera haber visto el retrato me hacía sentir físicamente enferma. Me aparté el pelo de la cara y solté un largo gruñido de abatimiento. Al ver mi reflejo en el espejo de mi armario di un respingo, proyectaba una imagen tan cruel y vengativa que apenas pude reconocerme. Resoplé varias veces y me pasé las manos por la frente, las mejillas y la boca, tratando de eliminar aquella horrible expresión. Habría sido agradable hablar con Luke, pero no tenía sentido contarle lo que había ocurrido hasta que regresase de su viaje. Lo de hoy parecía un progreso, pero ¿qué haría a partir de ahora?

29

El tren ya estaba lleno de gente. Mi cojera generó algo de simpatía y me ofrecieron un asiento junto a la ventana, al lado de un tipo de mediana edad que tenía su almuerzo en una fiambrera sobre la mesa y masticaba ruidosamente un sándwich de huevo, y que, de cuando en cuando, daba sorbos de un termo. Probablemente, el resto de viajeros había evitado sentarse junto a él, pero yo necesitaba pensar y no podía hacerlo de pie, dando bandazos de un lado a otro del vagón. El paisaje fue cambiando a medida que dejábamos atrás la ciudad. Los bloques de pisos, las fábricas y los centros comerciales dieron paso a prados llenos de vacas y a granjas aisladas; los postes del tendido eléctrico eran lo único que estropeaba las vistas. Me había dejado llevar por un impulso y había hecho una llamada rápida a mis abuelos para anunciarles mi visita, pero ahora venía la parte difícil: decidir qué iba a contarles. Tenía una hora por delante para elaborar una historia. Me apoyé en el reposacabezas para dejar que mi mente divagase, pero estaba tan cansada que los párpados me pesaban y empezaron a cerrarse.

El espejo de tres cuerpos estaba situado enfrente de mí. Genevieve y yo permanecíamos sentadas la una al lado de la otra en un taburete acolchado, y nuestros movimientos estaban totalmente sincronizados, como en una especie de farsa extraña. Sobre el tocador había un cepillo antiguo de plata y un peine. Cuando levanté el cepillo hacia mi pelo, ella repitió el gesto con tanta exactitud como si fuera mi reflejo. Moví mi mano a más velocidad, para que dejase de imitarme, pero su sincronización era perfecta y no lo logré. Me moví aún más rápido, deseando que ella cometiese un error, pero poco a poco tomó el mando del juego, y caí en la cuenta de que era yo quien la seguía y de que ya no podía controlar mis movimientos. Podía hacer que mis manos temblasen violentamente y que mi cabeza se sacudiera de modo incontrolable. Me sentí confusa y exhausta, pero ella continuó tirando de los hilos que me sujetaban, como si fuese una marioneta. Y entonces se agarró con fuerza la cabeza y gritó. Pero en realidad era yo la que gritaba, aunque no tenía voz; era un grito silencioso de agonía e impotencia.

Miré asustada a mi alrededor, por todo el vagón, convencida de que debía de haber hecho algún ruido atroz, pero nadie parecía fijarse en mí. Ahora Genevieve invadía hasta mis sueños. El tren estaba a punto de entrar en la estación. Cogí mi bolsa y me esforcé por que mi cara reflejara una expresión de alegría y optimismo.

–¡Katy!

Unos brazos rollizos me rodearon e inhalé el perfume de mi abuela, que siempre olía a limones. Me giré un poco y mi mejilla entró en contacto con los ásperos pelos de su bigote.

–Pareces una lisiada de guerra –bromeó el abuelo con su ronca voz.

–No es nada, solo el tobillo. Hace unos días llevaba muletas y no podía ni apoyarlo, pero ya se me está curando.

–¿Demasiados bailes? –aventuró la abuela, con una sonrisa, y en sus mejillas aparecieron sendos hoyuelos.

El abuelo insistió en abrocharme el cinturón del asiento antes de poner el coche en marcha. Y en cuanto salimos del vehículo, la abuela me cogió del brazo.

–Ahora ven a la cocina y prepararé un té. Hay bollos frescos y tarta de chocolate, y esas galletas que tanto te gustaban. Espero que sigas teniendo apetito. Estoy harta de las adolescentes que se matan de hambre y parecen esqueletos. No merece la pena en absoluto.

La cocina seguía igual que siempre, con una despensa a la vieja usanza, una antigualla de nevera, un fregadero de esmalte y la mesa redonda de mármol a la que siempre nos sentábamos. Los nervios me producían hambre. Devoré un bollito deformado y, a continuación, me concentré en la tarta de chocolate, hasta que la abuela se animó a preguntarme:

–¿Tu madre... Rebecca... está, quiero decir, va todo bien?

–Está bien –respondí, con la boca aún llena, de modo que al hablar salieron varias migas disparadas–. Sale más y ha empezado una terapia, incluso habla de volver a trabajar.

La cara de la abuela se iluminó.

–Eso es estupendo. Debería llamarla, y podríamos ir a visitaros algún día. Siempre queremos hacerlo, pero a veces no resulta tan sencillo.

Tosió, y comenzó a untar mantequilla en un bollo, con excesiva concentración, para disimular su incomodidad.

No tenía que explicarse. Yo sabía por qué no venían a verme con más frecuencia: mamá siempre ponía alguna excusa. Mi abuelo entró de nuevo en la estancia.

–¿Sabe Rebecca que estás aquí?

Negué con la cabeza y él murmuró: «Ah», como si se tratase de un dato relevante.

Tragué saliva varias veces, porque sentía que la lengua se me pegaba al paladar.

–Quería preguntaros una cosa.

–¿El qué? –inquirieron ambos al unísono.

–Sobre cuando era un bebé.

Se produjo un tenso silencio antes de que la abuela tomara la palabra.

–Estás haciéndote mayor muy rápido. Sabíamos que empezarías a hacer preguntas.

–¿Tiene que ver con tu padre? –preguntó el abuelo, con suavidad.

–Mmm... En realidad, no. Es solo que... encontré mi certificado de nacimiento y quería saber dónde nací.

Intercambiaron miradas de preocupación.

–No estoy seguro de que debamos hablar de esto sin que Rebecca lo sepa –dijo la abuela–. Es a ella a quien debes preguntarle.

–Pero no quiere hablar del tema –grité, frustrada–. Sé que no quiere. Ni siquiera me había dicho que había nacido en otra ciudad, y si le doy la lata con mis preguntas... se pondrá enferma.

El abuelo se levantó y murmuró algo acerca de «ir a comprobar cómo estaban las plantas», a pesar de que llovía a cántaros.

–Te contaré lo que sé –accedió por fin la abuela–, pero no es mucho. –Rellenó su taza con un té tan fuerte que se veía de color naranja, y se recostó en su silla–. Rebecca tenía solo veintiún años cuando tú naciste. Estaba estudiando música en York y nosotros desconocíamos que estuviera embarazada. Recibimos una llamada de teléfono y así supimos de tu nacimiento.

–¿Mamá no os lo contó? –pregunté, sorprendida–. ¿Creía que os enfadaríais?

Dejó escapar un pequeño suspiro.

–Éramos un poco convencionales, pero habríamos apoyado a nuestra hija; cualquier madre y cualquier padre lo hubieran hecho. Rebecca parecía muy independiente y terca, y creo que quería arreglárselas sola.

Mi imagen de mamá, a la que veía tumbada en la cama día tras día, era totalmente opuesta a aquella semblanza de independencia y terquedad, y me pregunté de nuevo qué era lo que la habría abocado a estar así.

–¿Qué ocurrió cuando llegasteis al hospital?

–Bueno, esa es la cuestión, Katy. Rebecca se había dado de alta voluntariamente, así que fuimos a su apartamento.

Se me cayó el corazón a los pies.

–¿No me visteis en la clínica?

El rostro de la abuela se contrajo al tratar de recordar.

–No… No te vimos hasta cinco días después de que nacieras.

–¿Y cómo se encontraba mamá? Quiero decir, ¿lo pasaba mal por tener que cuidar sola de un bebé recién nacido?

–Al contrario. Se le daba muy bien cuidarte –fue la respuesta inmediata.

–Y ¿había alguien más allí? ¿Visteis a alguno de los amigos de mamá?

–No. Cuando llegamos parecía enfadada y no paraba de decir que quería marcharse y venir a casa. Había terminado los exámenes y tenía las maletas preparadas. La ayudamos, por supuesto.

–¿No había nada que os resultara extraño?

La abuela se balanceó adelante y atrás en su silla, riéndose.

–Solo el hecho de que mi única hija tuviera la suya propia y yo no estuviera preparada en absoluto.

–¿Cómo consiguió ocultároslo?

La abuela emitió un sonido de succión con sus dientes.

–En Semana Santa no había venido a casa, dijo que tenía que estudiar. Y al principio del embarazo, lo disimuló muy bien con ropa ancha. Nosotros interpretamos que su aumento de peso se debía a la poco saludable comida de los estudiantes. Y acuérdate de lo pequeñita que fuiste al nacer.

Entonces, ¿qué hace la foto de un bebé gordinflón con mi nombre escrito en ella?, quise gritar, pero, de algún modo, me pareció que era ir demasiado lejos y no quería cargar a la abuela con todas mis preocupaciones. Mi instinto me decía que ella no tenía la respuesta. Mis abuelos no llegaron a pisar el hospital, y el único bebé al que vieron fue el que mamá les mostró.

–¿Qué estás buscando, Katy? –me preguntó la abuela con voz amable.

–No lo sé –respondí, con sinceridad–. Una explicación a por qué mamá no quiere hablar de mi nacimiento. Pensé que habría algún secreto.

Mi abuela cogió la tetera para servirse otra taza y, de alguna manera, se las ingenió para quemarse la mano. La puso enseguida bajo el chorro de agua fría del grifo, mientras yo revoloteaba preocupada a su alrededor.

–No pasa nada, no me duele –me tranquilizó, pero estaba pálida y parecía nerviosa. Me sentí enormemente culpable por haber ido hasta allí de aquel modo, y atosigarla con mis problemas. Mis ojos se llenaron de lágrimas y me apresuré a parpadear para contenerlas. No era solo por la tensión que me provocaba Genevieve, sino también por el hecho de ver a mis abuelos y darme cuenta de lo mucho que los había echado de menos. Mi abuela debió de percatarse e hizo que volviera a sentarme. Posó una de sus arrugadas manos sobre la mía.

–Hubo algo más –empezó a decir. Me miró durante un minuto entero, como si se arrepintiera de haberlo dicho, pero prosiguió, titubeante–: El apartamento en el que Rebecca vivía estaba hecho una pena, y en un barrio no muy bueno. Algunos de los inquilinos tenían problemas. Drogas, me parece.

–¿No estaría mamá…?

–¡Dios mío, no! Pero… hubo un incidente.

–¿Qué clase de incidente?

Mi abuela se aclaró la garganta, jugueteó con sus anillos y cruzó los brazos del mismo modo que lo hacía mamá siempre que estaba nerviosa.

–Una de las mujeres que vivía allí, sufrió una sobredosis y… por desgracia… no sobrevivió.

–¿La conocía mamá?

Mi abuela asintió.

–A Rebecca le impactó mucho aquello. Tardó en superarlo, y estuvimos una buena temporada preocupados por ella.

Esa podía ser la clave de por qué mamá siempre había sido tan frágil. Me sentía demasiado asustada para formular la pregunta:

–¿Por qué? ¿Qué es lo que hizo?

Mi abuela dirigió su mirada hacia la ventana y distinguí la amargura grabada en su rostro.

–Se hallaba encerrada en su mundo; no parecía la chica alegre que se había ido de aquí. Sabíamos que se sentía mal, pero éramos incapaces de ayudarla.

–Pero mamá os dejó y encontró su propio hogar. Debía de encontrarse mejor y más fuerte, ¿no?

–Al cabo de un tiempo –asintió–, el jardín pareció cicatrizar sus heridas. Se pasaba las horas fuera, concentrada en las flores, y su rincón favorito descansaba bajo el sauce llorón. Incluso le puso tu nombre, Katy.

Una enorme sensación de tristeza brotó en mi interior.

–Y ¿no volvió nunca al apartamento?

–Nunca. No quería hablar de su época allí, y nosotros procurábamos no sacar el tema.

–¿Y enemigos? ¿Tenía alguno?

Mi abuela se echó a reír.

–Rebecca no tuvo un solo enemigo en su vida; repartía alegría por los cuatro costados.

Esbocé una pálida sonrisa y pregunté:

–¿Puedo ver alguna de vuestras fotos de cuando yo era pequeña?

Mi abuela se alegró de sacar el álbum familiar. Me di cuenta de que todas sus fotografías eran las mismas que había visto siempre en casa; ninguna se parecía a la que había encontrado en el ático. Tuve que sentarme durante una hora larga para mirar las caras de todos los miembros de mi extensa familia, hasta que mis ojos se volvieron vidriosos. Inventé una excusa para no quedarme, alegando que mamá me necesitaba en casa. Cuando le daba un beso de despedida a mi abuela, se me ocurrió una última pregunta:

–Cuando era más joven, ¿se quejó alguna vez mamá de que tuviera sueños extraños o alguna clase de… eh… premoniciones?

Mi abuela sacudió la cabeza con tristeza y me dio un abrazo.

–Cuídate, Katy.

Era la hora punta, así que no había asientos disponibles en el tren y tuve que quedarme de pie. Los vagones iban llenos de gente que volvía a su casa después del trabajo, y ni siquiera la cojera me sirvió para conseguir plaza. Me las ingenié para encontrar un rincón cerca del portaequipajes, y le di vueltas a todas las preguntas para las que todavía no tenía respuesta. ¿Qué había sucedido en aquel sórdido apartamento? ¿Y por qué mamá evitaba hablar de ello? Algo tan terrible que le hacía estar dispuesta a abandonar su hogar en lugar de hacerle frente… Y que, además, tenía que ver con Genevieve.

30

Solo transcurrió una semana antes de que comenzasen los cuchicheos, un zumbido constante, grave, como ruido blanco, que me rodeaba allí donde fuese. Me aguardaba detrás de las esquinas, en los pasillos y en las conversaciones que terminaban en cuanto yo aparecía. Aunque tenía práctica en llevar una doble vida y sonreír a pesar de todo, aquello empezó a desgastar mi resistencia. Oí a un par de chicas que hablaban en los aseos mientras yo estaba dentro de uno de los cubículos, diciendo que solo podía culparme a mí misma. ¿Culparme de qué? ¿Qué había hecho Genevieve ahora? Todas las fibras nerviosas de mi cuerpo se mantenían en tensión, esperando el momento en que se revelase su última jugarreta. Últimamente, incluso Hannah y Nat parecían hacer lo mismo, lo cual era el colmo. Estaba a punto de encararme con ellas cuando me invitaron a almorzar. Lo pagaron todo entre las dos, incluyendo todos los postres y dulces que existían, obviamente para amortiguar el golpe que vendría a continuación. Casi sentí lástima por ellas y sus intercambios furtivos de miradas, sus sonrisas fijas y los modales exageradamente educados; fuera lo que fuera lo que Genevieve había realizado esta vez, debía de ser malo de verdad.

–Podríais decirme tranquilamente lo que pasa –dije al fin–. Me estáis poniendo de los nervios.

La mesa se balanceó y supe que se estaban dando golpecitos por debajo, pues ninguna quería empezar a hablar. Me puse en pie.

–Me largo ahora mismo a menos que alguien me diga qué está ocurriendo.

Hannah le hizo un gesto a Nat, y esta cerró con fuerza los ojos, cruzó los brazos como para abrazarse a sí misma y dejó que las palabras brotasen de sus labios:

–Merlin y Genevieve están saliendo, como novio y novia, vamos. No queríamos que te enterases por ahí. Ocurrió después de que rompieras con él, pero a Merlin le preocupa que pienses otra cosa.

En realidad, no sabía qué sentía, excepto, quizá, que parecía que me hubiera atropellado un autobús. Había pensado montones de veces que aquello sucedería, que Genevieve haría que pasase, que yo misma había empujado a Merlin a sus brazos… pero ahora que me daba de bruces con la realidad, estaba anonadada. Y aquello no era lo único, todo el mundo había estado hablando de mí, compadeciéndome, lo cual era casi tan malo como lo otro.

–¿Sabe Merlin que me lo estáis contando? –siseé.

Las dos asintieron con la cabeza levemente.

–¿Qué? ¡Como si necesitase que me envolvieran en algodón y me manejasen cual artículo frágil! ¿Cómo se atreve a ser tan arrogante y a pensar siquiera que me importaría?

–¿Quieres decir que no te importa? –preguntó Hannah, titubeando.

–¿Por qué debería? Yo fui quien rompió con él.

–Lo sabemos –dijo Nat–, pero pensábamos que no era más que una riña pasajera.

Me llevé a la boca otra cucharada de crema de chocolate con helado y natillas, pero de repente me supo fatal. No había sido capaz de contarle a nadie lo del retrato, y ahora el orgullo me hizo señalar:

–Merlin me rogó que siguiera con él.

–Eso es un alivio –suspiró Hannah.

Nat puso una mueca de disculpa.

–La cuestión es que nunca nos contaste lo que había pasado en realidad. Estabas enamorada, ibas a pasar la noche con él, luego te quedaste tirada y te perdiste mi fiesta, y luego rompiste con él.

–¿Fue por la fiesta? –preguntó Hannah–. ¿Por el baile de Merlin con Genevieve?

Me sentí mal por ellas, pues tenían un aspecto totalmente inocente. Alguien tan complicado como Genevieve estaba convirtiendo mi vida en un infierno, y ellas no se enteraban de nada. Para ambas, la vida seguía estando llena de trivialidades adolescentes, pero yo ya no podía regresar a ese estado. Genevieve me había transformado.

–Me sentía enfadada por la fotografía –admití–, pero no era solo eso. Había algo diferente y, de algún modo, no parecía correcto. Tenía que ser sincera conmigo misma.

–Katy, eres muy valiente –me soltó Hannah–. Plantándote de esa manera y negándote a comprometerte.

Nat nos miró a las dos, perpleja.

–¿Habéis visto a la mayoría de chicos que hay por aquí? Si nos negamos a comprometernos, nos moriremos solas.

Esbocé una tibia sonrisa, y me percaté de que Hannah movía su pie con nerviosismo por debajo de la mesa, lo que significaba que faltaba algo más.

–Genevieve se siente mortificada por el poco tiempo que ha transcurrido entre una relación y otra, Katy. Dice que espera que no la odies.

No me molesté ni en levantar la mirada de mi postre.

–¿Odiarla?

–Le preocupa que parezca algo precipitado.

–Por lo que a mí respecta, Merlin estaba libre para salir con quien él quisiera.

–Para Merlin es importante que no pienses que se comportó de manera… deshonrosa. –La voz de Nat sonó excesivamente preocupada, hasta el punto de resultar molesta.

La palabra que había elegido me hizo apoyar la cabeza en la mesa y soltar una risa cínica.

–Puedes decirle a *sir* Lancelot que su honor permanece intacto, y también su Ginebra, por supuesto.

Regresamos con pasos lentos a la escuela, y cuando llegábamos a las escaleras de entrada, los vimos. Las figuras de Merlin y Genevieve aparecieron fotograma a fotograma, como en una película a cámara lenta, subiendo los escalones cogidos de la mano. Era un día soleado de invierno, y parecía que Genevieve tuviera puntos brillantes en el pelo, que irradiaban destellos de luz. Al mirar a Merlin, su sonrisa resultaba cegadora. Sus cuerpos se movían al compás, amoldándose el uno al otro; cuando él se desplazaba, ella llenaba el espacio que él iba dejando libre; hasta su forma de vestir encajaba a la perfección. Otros estudiantes, incluso, dejaron lo que estaban haciendo para mirarlos; dos personas radiantes y felices con el mundo a sus pies.

–Hacen muy buena pareja –logré decir, en un intento de desactivar el magnetismo del momento. Dos brazos se enlazaron con los míos, y reaccioné apretando los dientes–. Venga, acabemos con esto.

Aceleramos el paso para alcanzarlos. Merlin me vio y estuvo a punto de tropezar cuando nuestras miradas se cruzaron con una intensidad que no supe interpretar. Aflojó la fuerza con la que cogía la mano de Genevieve, pero ella se resistió a soltarlo.

Sentí que debía aliviar la tensión de la escena.

–Acabo de enterarme de las buenas noticias.

–Gracias, Katy –masculló Merlin, pero al hacerlo, desvió la mirada. Eso hizo que me sintiera mejor, pues dejaba claro que no quería restregármelo por la cara.

–Gracias, Katy –repitió Genevieve, como un eco, y, por primera vez, no pude entender lo que había en sus ojos, si era rabia, victoria, o la amenaza de costumbre. Recordé el colgante y me pregunté si la conexión entre nosotras se habría roto.

Después de las clases, me las apañé para salir sin que Nat y Hannah me viesen, y volví a casa por mi ruta favorita. Durante las últimas semanas, los setos y los árboles se habían transformado en composiciones de ramas desnudas que desprendían una lúgubre belleza. Me fijé en una hilera de casas adosadas, y recordé que, en una semana, resplandecerían con las luces de Navidad. Intenté no imaginarme la casa de Merlin decorada con los adornos que su madre había estado haciendo. Los adornos que yo no llegaría a ver. Genevieve viviría mis navidades junto con todas las cosas románticas que Merlin y yo habríamos podido celebrar juntos.

Una voz burlona me llamó, y esta vez no me cogió por sorpresa; en cierto modo, casi lo había esperado.

–¡Pobre Katy! Escoge este camino para estar sola cuando se siente triste.

No me di la vuelta, pero mi corazón se desplomó ante la perspectiva de una nueva confrontación.

–¿Por qué habría de estar triste, Genevieve?

–Porque Merlin ya no te quiere.

–Felicidades –le dije–. Tú lo querías y ahora lo tienes.

–¿Todavía piensas que Merlin es un descarte tuyo? –preguntó con regocijo–. ¿Piensas que te perteneció en algún momento?

–Por supuesto.

–En ese caso, tendré que hacer explotar tu burbuja.

Se colocó delante de mí, y empezó a caminar hacia atrás o, más bien, dando saltitos, lo que me obligó a mí a ir más despacio. La visualicé tropezando y cayéndose, pero parecía que sus pies se anticipasen a los baches y agujeros de la calle. Extendió sus dedos y realizó una serie de movimientos ondulantes con las manos, como si representase un teatro de mimos y su voz fuese la del narrador:

–Él estaba conmigo desde el primer momento. No te equivoques pensando que fue tuyo.

–Merlin no me engañó; lo habría sabido.

–Oh, Katy. Él no lo sabía, se engañó a sí mismo… pero su lienzo desveló la verdad.

—El cuadro —dije, y me pregunté cómo había podido siquiera imaginar que quizá ella no lo supiera.

—Fantástico, ¿verdad? —Se rio de pronto, provocando que una bandada de pájaros asustados alzase el vuelo desde la copa de un árbol.

—El retrato era mío —me vi obligada a decir.

—Tú no eres una artista de verdad, Katy, así que no puedes entenderlo. Es imposible cambiar una pintura al óleo cuando está a medias. La cara del lienzo siempre fue la mía.

—Pero yo lo vi —insistí, aunque sabía que le estaba siguiendo el juego.

—No viste nada más que unos cuantos brochazos en un lienzo, una idea que todavía no había adquirido forma. Querías verte a ti misma, y te imaginaste que era eso lo que veías. Cuando Merlin pintó los detalles, la que figuraba allí era yo.

—Piensa lo que quieras, Genevieve.

Se paró de pronto y me vi obligada a detenerme yo también.

—Estaba terminado hace semanas —susurró, y una sonrisa se extendió por su rostro como una mancha de aceite en el agua. Percibió mi incertidumbre y su sonrisa se hizo aún más amplia—. Incluso cuando Merlin se encontraba contigo, me quería a mí.

Abrió el puño, colocó los labios en posición y sopló como si hubiera una bola de pelusa en su palma, que salía ahora despedida y flotaba en el aire.

—Casi he acabado, todo el mundo está donde tiene que estar.

Se alejó sin mirar atrás.

Cuando llegué a mi calle, vi que Luke estaba revisando su coche, con la cabeza dentro del capó. Esa mañana, por segunda vez en la semana, su vehículo se había negado a arrancar.

–Parece que hayas perdido un billete de diez libras y encontrado uno de cinco –me saludó.

–Ese es el tipo de chiste sin gracia que soltaría mamá –gruñí–. Si lo que quieres decir es que parezco mosqueada, simplemente dilo.

Luke se limpió las manos con un trapo viejo y dijo:

–¿Tengo que preguntarte?

Dudé. Todavía no le había contado lo que había ocurrido mientras estaba fuera. Me preocupaba su reacción, pero no pude aguantarme por más tiempo.

–Genevieve prácticamente me confesó haber cometido un asesinato, Luke. Fue como si quisiera que yo lo supiera… como si estuviera orgullosa de ello.

–Podría ser una advertencia –dijo, negando con la cabeza.

Moví las cejas arriba y abajo, intentando mejorar mi estado de ánimo, decidida a no contarle toda la verdad.

–Bromeó con empujarme por las escaleras de la escuela.

–Eso no es gracioso, Kat.

–Sea lo que sea que hace, quiere que yo me entere.

–Esa es la parte que no me gusta –respondió, preocupado–. Se te está acercando demasiado. –Parecía claramente molesto, y me dio la sensación de que no se sentía tan tranquilo con aquel asunto como antes–. Parece que persiga un objetivo –pensó en voz alta–. Algún tipo de ultimátum.

–Eso sería un alivio –repuse–. Descubrir qué quiere realmente sería mejor que esta incertidumbre.

Hizo un gesto de asentimiento a medias, como si entendiera mi razonamiento pero no se sintiera satisfecho del todo.

Meneé la cabeza y solté un bufido.

–Eso no es todo. Merlin y Genevieve… son pareja. Se encontraba tan devastado por nuestra ruptura que esperó… ¡uf!, al menos una semana, antes de empezar a salir con ella.

–Lo siento, Kat.

–Mamá tenía razón –admití–. Mis celos lo provocaron, como en una profecía autocumplida.

–Me parece que tuviste algo de ayuda por parte de Genevieve, ¿no? Hizo cuanto estuvo en su mano para que dudases de Merlin.

–No, se hallaba dentro de mí –insistí, y me di unos golpecitos en el pecho–, el monstruo de ojos verdes infectándolo todo, destruyendo lo que teníamos. No puedo echarle a ella toda la culpa.

Luke no parecía conforme.

–Te manipuló, jugó con tus debilidades.

–Pero tendría que haber sido capaz de frenarlo. Mamá tiene razón, si amas a alguien, tienes que darle libertad.

–Palabras sabias –afirmó Luke.

–Eso es lo bueno de nosotros –dije, casi sin pensar–. No nos complicamos tanto. Podemos decir lo que queramos y seguir siendo amigos. La amistad es mejor que una relación amorosa.

–Si tú lo dices… –murmuró, aunque sonó extrañamente irritado.

Me detuve a observar lo que estaba haciendo en el coche, como si tuviera algún sentido para mí.

–Me pregunto si ahora me dejará en paz y podré olvidarme de esas teorías estúpidas de cambio de bebés, y de mamá escondiendo oscuros y siniestros secretos.

Luke dejó lo que estaba haciendo y me miró fijamente.

–¿Crees que Genevieve ha terminado, que ya tiene lo que buscaba?

–Tiene a Merlin. Él era el premio.

Luke cerró el capó de su coche y su rostro se contrajo por la preocupación.

–Quizá Merlin no sea más que una distracción. Tal vez tú seas el premio. No dejes de vigilar tus espaldas, Kat.

31

Ocurrió algo totalmente increíble, Genevieve no se presentó en clase. Al parecer, sufría un caso grave de amigdalitis y apenas podía hablar, lo cual era casi la mejor noticia que podían darme. Cuando Nat me lo dijo, intenté no parecer eufórica, aunque, probablemente, no lo logré. Resultaba extraño poder levantarme por la mañana sin temor, sentarme en las clases sin que sus horribles ojos me observasen constantemente, y tomarme el almuerzo sin tener que andarme con cuidado ante cualquier cosa que dijera. El primer día que faltó fue genial; el segundo, una bendición; y al tercero, podría haberme puesto a bailar de alegría. Recordé lo estupenda que era la vida antes de que apareciese Genevieve. Se me hacía difícil creer que hiciera menos de tres meses de eso.

Hannah, Nat y yo decidimos hacer compras navideñas el jueves por la noche, ya que todas las tiendas de la ciudad permanecían abiertas hasta tarde. Fue como en los viejos tiempos, esperábamos en la cola del autobús y nos reíamos por cualquier tontería; en este caso, por una señora mayor cuyo perro faldero intentó levantarle la falda a Hannah con el hocico; y luego nos burlábamos las unas de las otras por nuestros gustos de ropa. Saltamos del autobús, nos abrimos paso entre la muchedumbre y activamos el modo «compras». Primero fuimos a los grandes almacenes, donde compré una blusa para mamá, de un lila precioso, acordándome de todos los años en los que le había comprado un camisón o un batín porque eran las únicas cosas que se ponía. Nat fue poco original, y se hizo con un par de zapatillas para su padre y con un perfume para su madre; mientras que Hannah se limitó a mirar los escaparates, argumentando que nunca compraba nada hasta el último momento, porque, si no lo hacía así, no le parecía una compra festiva de verdad. En menos de una hora, Nat se sintió desfallecer por el hambre y nos arrastró a una pizzería para zamparnos una pizza de tamaño familiar con cinco ingredientes. Me fascinó la decoración del local. Imitaba las cafeterías típicas de la década de los cincuenta, con apartados en forma de media luna y asientos de polipiel roja, una de esas antiguas y enormes máquinas tocadiscos, y las camareras con calcetines por los tobillos y faldas acampanadas. Uno de los camareros lucía un enorme y engominado tupé y llevaba un traje azul eléctrico del estilo retro, tan de moda en aquella época. Casi esperaba que se lanzaran a cantar como en un musical, y a bailar rock a un ritmo frenético.

–Es una pena que Genevieve no pudiera venir –dijo Hannah, ensimismada.

–Una verdadera lástima –afirmé yo, decidida a no quedarme congelada cada vez que alguien mencionara su nombre–. Le encanta ir de compras. Una vez vimos un vestido de fiesta alucinante en una tienda de segunda mano, pero ella lo cogió antes que yo.

–¿Lo compró? –preguntó Nat con curiosidad.

–No, le hacían falta muchos arreglos y cambió de idea.

–¿Por qué no lo compraste tú? –quiso saber Hannah–. Podrías haberlo cosido y lo hubieras dejado estupendo.

Me encogí de hombros antes de responder:

–Me olvidé después de que ella se lo probase. Le quedaba de maravilla.

Por alguna razón, Hannah no parecía querer abandonar el tema del vestido.

–Tienes una figura tan bonita como la de ella, incluso mejor.

Solté una carcajada de desconfianza.

–Seguro que Genevieve cambia de opinión y se lo compra para el baile de Navidad.

–No necesitará comprarse un vestido –respondió rápidamente Nat, y al momento sus mejillas se sonrojaron–. Quiero decir que, probablemente, se hará ella misma alguna cosa.

–Hay algo que no nos estás contando, ¿verdad? –le espetó Hannah.

–No. De verdad que no.

–Te conozco desde primero de primaria. Venga, suéltalo.

De repente, Nat perdió todo el interés en la pizza, apartó su plato con gesto taciturno y dio un trago largo de su refresco de cola.

–Prometí no decir nada.

Hannah nos señaló con el dedo primero a mí y luego a sí misma.

–Pero nosotras somos tus mejores amigas. No diremos ni una palabra.

Nat dudó todavía un poco, aunque me dio la impresión de que no haría falta insistir.

–De acuerdo. Es Genevieve. Puede que no se quede por aquí mucho más tiempo.

Se me cayó el cuchillo y aterrizó en el suelo con un estrépito metálico.

–¿No se va a quedar? ¿Lo dices en serio?

–¿Cuándo te lo dijo? –preguntó Hannah.

Nat levantó sus ojos hacia el techo para tratar de recordar.

–Pues... el fin de semana pasado.

–¿Y a santo de qué lo dijo? –logré susurrar.

–Se quejó de que esta ciudad es muy aburrida y de que se siente encerrada. Creo que en realidad no está enferma, sino haciendo planes para largarse.

–¿Adónde dijo que iría?

Nat respondió con aire de importancia:

–Habló de un lugar... que era mejor que ningún otro en el que hubiera estado.

Me estaba costando asimilar la noticia, y tuve que masajearme las sienes para aliviar el dolor de cabeza que empezaba a sentir.

–¿Y no dijo dónde se encontraba ese lugar? ¿Aquí o en otro país?

–No, pero yo creo que viajará por el mundo, vendiendo las joyas que hace y llevando todas sus cosas en una mochila. Tiene un espíritu demasiado libre como para quedarse aquí.

Aquel cambio radical de parecer resultaba demasiado extraño. Genevieve había dicho que no podía dejarme marchar, y ahora, sin embargo, era ella la que de repente pretendía irse, y a toda prisa. Quizá su objetivo no fuera otro que marcharse de forma tan abrupta como había llegado. Por un instante, casi sentí envidia de la imagen que Nat había descrito, la de Genevieve y su espíritu libre, pero no duró mucho.

–No sé qué decir, Nat. Es tan repentino.

–No para Genevieve –subrayó ella–. No puede esperar a marcharse.

Hannah frunció el ceño.

–¿Y qué pasa con la gente con la que vive?

–No sé –admitió Nat–. Pero dijo que no se iría sola.

Resistí el impulso de preguntar cómo podía Genevieve dejar así a Merlin y, en cambio, me concentré en mi plato. El sabor de la pizza había mejorado después de aquella noticia. Devoré lo mío y lo que Nat había dejado.

Cuando Nat fue al baño, Hannah me miró extrañada.

–Vaya bombazo, ¿no, Katy?

–Definitivamente inesperado –repuse, sin emoción alguna.

Hannah puso los ojos en blanco.

–No estoy segura de creérmelo. Genevieve es genial, pero un tanto impredecible.

Gruñí para mis adentros. La alegría me había cegado del tal modo, que no se me había ocurrido que Genevieve estuviera mintiendo.

–Quizá quería que nos enterásemos porque solo se trata de una broma.

–Nat la creyó –señaló Hannah–. Y de todos modos, no sería una broma muy buena, ¿no te parece?

Mi gozo se había convertido en desesperación. Crucé los dedos de ambas manos y me los puse a la espalda cuando Nat volvió, rezando en silencio por que fuese verdad, por que Genevieve desapareciese de nuestras vidas tan repentinamente como había aparecido. Salimos del restaurante y caminamos de regreso a la parada del autobús, esquivando la marea de gente que obstruía las aceras. Todos los adultos parecían enfadados y hostiles, cargados de bolsas, con los rostros en tensión. Me pregunté si las compras navideñas dejaban de ser divertidas al llegar a cierta edad. Pasamos frente a la tienda de segunda mano en la que Genevieve y yo habíamos entrado juntas, y vi que habían cambiado el escaparate. Había dos maniquíes vestidos con unos disfraces de Navidad horrendos: uno con lentejuelas doradas y mangas abombadas, y otro de terciopelo negro, la falda enorme y larga hasta la pantorrilla, y un fajín a cuadros escoceses.

–Veinticinco años más –bromeó Nat–, y Katy llevará eso para ir a la cena del club de golf.

–O al baile de las marujas –se rio Hannah.

Les di un pellizco a las dos en el brazo.

–Nunca me vestiré como las viejecitas, ni cuando tenga sesenta años. Recortaré mi vestido de crepé para hacerlo mini, e iré por ahí con unas Doc Martens.

–La abuelita del infierno –se burló Nat, sacándome la lengua.

–La última vez tenían ropa retro realmente chula –dije–. Entremos y os enseño el vestido.

Parecía que la tienda estaba a punto de cerrar, dos señoras mayores vaciaban la caja registradora y contaban los tickets. Rebusqué a toda prisa en los percheros para encontrar el vestido de sirena, pero era tan llamativo que enseguida supe que no estaba allí.

–Debe de haberlo comprado alguien –afirmé, con un suspiro de decepción.

–Sabía que volverías a por ese vestido desde que te lo probaste –me dijo una voz–. Lo guardé en el almacén. Ni siquiera debería haber estado a la vista, se encontraba demasiado estropeado.

–Yo no me lo probé –respondí, de mal humor–. Fue la chica que vino conmigo.

Reconocí a la dependienta, la mujer que tenía el pelo con tanto fijador que no se le movería ni con un huracán. Vino hacia mí, mirándome con intensidad, y bajó la voz para añadir:

–Si no quieres que tus amigas lo sepan, por mí está bien. Será nuestro pequeño secreto.

Mi voz, en contraste con la suya, sonó aún más alta:

–De verdad, no fui yo. Vine con otra chica, de mediana altura, con el pelo rizado y rojo, delgada y guapa.

La mujer frunció los labios.

–Recuerdo a la otra chica, pero fuiste tú quien se probó el vestido. Puede que sea vieja, pero no me olvidaría de alguien así... la estoy viendo ahora mismo.

Extendí el brazo y señalé a un lado de la tienda.

–No. Yo me quedé ahí mirando.

–Si tú lo dices –se rio, y supe que solo me estaba siguiendo la corriente. Desapareció en la trastienda, mientras yo me decía que era absurdo enfadarse por algo así. Se trataba de una señora mayor y podía estar mal de la vista o, simplemente, tener mala memoria. ¿Qué importancia tenía que me confundiese con Genevieve? Cuando regresó, cogí el vestido con desgana.

Nat se me acercó con cara de desconcierto.

–¿Qué pasa?

–La señora me ha confundido con Genevieve –murmuré–. Incluso cuando le he dicho que Genevieve es delgada y muy guapa y que tiene el pelo rojo y rizado.

–Pero… acabas de describirte a ti misma –dijo Nat, muy despacio.

Me giré en redondo.

–¿A mí? Yo no soy delgada… ni mucho menos guapa.

Me miró de una manera extraña.

–Si tú lo dices…

Hannah le dio unas palmadas cariñosas al vestido, como si fuera una mascota, y luego me empujó hacia el probador. Hacía un frío gélido, y me quedé con los brazos cruzados alrededor de mi cuerpo, sin ganas de probarme el vestido, porque a Genevieve le sentaba como un guante y nuestros cuerpos eran opuestos. Me llevó una eternidad quitarme la ropa, mientras me estremecía y se me ponía la piel de gallina. La tienda era vieja y húmeda, y había manchas de moho en el papel naranja de las paredes. Los zapatos se me pegaban a la moqueta, que tenía un horrible diseño floral.

–Tendrás que salir en algún momento –se impacientó Hannah.

El espejo que había dentro del probador estaba rajado y me devolvía múltiples reflejos, como en una escena de una película de Hitchcock. Di un paso desde detrás de la cortina, mientras Hannah me ataba los tirantes y luego me guiaba hacia el espejo de la tienda. Al tener los brazos a los lados, el rasgón que tenía el vestido apenas se percibía.

–Katy, tendrás que ir al baile –anunció, haciendo como si tocase la trompeta.

Me quedé clavada al suelo, contemplando mi reflejo como si hubiera visto un fantasma. El vestido parecía hecho para mí. Se ajustaba a mi cuerpo, y la persona que me devolvía la mirada desde el azogue no se me parecía en absoluto, sino que era una versión mejorada de mí misma.

Cerré los ojos, aguardé un instante y volví a abrirlos, pero la imagen seguía siendo la misma.

–Es extraño. Parezco diferente. ¿Por qué parezco tan distinta?

–Nosotras también hemos notado un cambio –respondió Hannah, amablemente, y me puso su abrigo sobre los hombros para que dejase de temblar–. Parece que hayas… no sé… florecido.

Estaba ocurriendo algo que no podía comprender. Intenté explicar cómo me sentía:

–Esa señora me confundió con Genevieve. Quiero decir… Pensé que resultaba extraño, pero ahora apenas puedo reconocerme.

Nat parecía perpleja, y al hablar arrugó la nariz igual que un conejo:

–Si Genevieve se parece a ti, entonces tú debes de parecerte a ella, ¿no?

–Sí –dije, con voz trémula–, pero creía que ella me estaba copiando, y ahora… ahora… ya no lo sé.

–Quizá todo este tiempo… –sonrió Nat–, fueras tú la acosadora.

Traté de devolverle la sonrisa, pero mi rostro no quiso cooperar. En ese momento, Hannah intervino y tomó el mando de la situación. Me ayudó a quitarme el vestido y lo pagó, mientras yo me ponía otra vez todas las capas de ropa. Luego me tendió la bolsa y me guiñó un ojo.

–Deberíamos quedar el sábado y probarnos los trajes para el baile. Nos maquillaremos y nos peinaremos.

Asentí con entusiasmo fingido, a pesar de que eso solo me daba unos pocos días para intentar arreglar el vestido. Durante el trayecto del autobús a casa, permanecí en silencio, ensimismada en la contemplación de las gotas de vapor que se condensaban y resbalaban cada vez más rápido por el cristal de la ventanilla, a la vez que trataba de deshacerme de la agitación que sentía en mi interior. Todo el tiempo había creído que estaba huyendo de Genevieve. ¿Realmente me había acercado a ella atraída como una polilla a una llama? Apoyé mi cabeza contra el frío panel de cristal, temiendo no saber ya qué era real y qué no.

Suena música de órgano, flota en el aire y desciende por la escalera de caracol, como una marcha nupcial, pero mis uñas se clavan en el pasamanos, dejando en la madera marcas propias de un animal salvaje. Genevieve está esperando, como siempre, con una sonrisa misteriosa en su rostro. Sostiene un ramillete de flores y un precioso vestido color marfil, de encaje delicado sobre un corpiño de satén, para que me lo pruebe. El vestido se adapta a mí como si fuera una segunda piel, pero está helado e, inmediatamente, quiero quitármelo. Tiro de la tela, pero la tengo pegada, y cada vez la siento más fría. El olor que se me mete por la nariz ya no es solo de humedad, sino de corrupción y putrefacción, y es tan fuerte que me produce arcadas. Genevieve me urge a que me mire en el espejo, y no tengo más remedio que obedecer. Lo que llevo puesto ya no es un vestido de novia, sino una mortaja. Estoy quieta y fría, mis mejillas están pálidas y mis labios azules. La música que suena es en realidad un canto fúnebre. Se trata de mi funeral, pero no estoy muerta, sino atrapada en un cuerpo paralizado, incapaz de hablar o de moverme. Estoy a punto de ser enterrada viva mientras Genevieve lo observa todo.

Amanece antes de que me atreva a cerrar los ojos de nuevo.

32

«Katy, ¿puedo hablar contigo en algún sitio que no sea la escuela? A mediodía, si estás libre. X.»

Me quedé mirando el móvil durante una eternidad, enfadada, porque al leer el mensaje de Merlin sentí un cosquilleo por todo mi cuerpo. Pero la sensación se hallaba impregnada de resentimiento, no me hacía gracia que me citase como si aún hubiera algo entre nosotros. Mi respuesta fue fría y despectiva:

«Lo siento, Merlin. Voy a almorzar con Nat y Hannah, quizá en otro momento.»

Contestó al instante.

«¿Qué tal La Tasse? 12.30. X.»

Tuve que aplaudir su tenacidad. Acabé accediendo, llevada por la curiosidad. No habíamos estado a solas desde el episodio del retrato, y no podía imaginarme qué necesitaba decirme. Me alegré de haberme lavado el pelo esa mañana, y de haberme esforzado por combinar bien mi ropa, a pesar del número de capas, en lugar de llevar un estilo desaliñado.

Tuve que esperar un buen rato en el paso a nivel y eso me hizo llegar elegantemente tarde. Paseé mi mirada por el local y sentí una punzada cuando mis ojos se posaron en Merlin. Estaba junto a la ventana, en la misma mesa en la que nos habíamos sentado la primera vez. Parecía que hubiera pasado una vida entera. Entonces, la gente se había vuelto a mirarnos porque saltaba a la vista que estábamos enamorados; sin embargo, ahora nadie mostró el más mínimo interés por ninguno de los dos. Me deslicé en la silla, frente a él, y sentí que mi propio fantasma había permanecido todo aquel tiempo allí.

–Tienes un aspecto genial, Katy.

–Gracias.

–¿Deberes? –pregunté, señalando su portátil, que tenía abierto sobre la mesa.

–Diseño web, solo.

Sabía que mi lenguaje corporal estaba siendo muy rígido. Sentía como si tuviera una percha en la espalda.

–¿Cómo está Genevieve?

–Sigue con las amígdalas inflamadas.

Me esforcé por poner cara de compasión.

–Espero que se mejore para Navidad.

Lo observé con atención, pero no mostró reacción alguna. Si Genevieve planeaba marcharse, él no sabía nada al respecto. Pero ¿por qué iba a decírselo a Nat y no a él?

Apuró su taza y dijo:

–Voy a pedir otra, ¿vale? ¿Y una para ti?

Me decidí por una mezcla de amabilidad y firmeza y dije:

–Merlin, podríamos pasarnos toda la noche charlando y gastarnos una fortuna en cafés. ¿Por qué me has pedido que viniera?

Asintió con gesto dubitativo y se examinó las manos.

–Katy, tengo que aclarar las cosas entre nosotros. Desde la última vez que nos vimos no hemos vuelto a hablar.

Traté de que mi voz sonase desapasionada, como si controlase la situación.

—No tenemos por qué hacerlo. No es necesario. Seguiremos siendo amigos, sin complicaciones.

—No se trata solo de nosotros —insistió—. ¿Qué pasa con los demás? No será lo mismo si tú y yo no... aclaramos las cosas.

Tenía razón. Para Nat y Hannah resultaría incómodo si nosotros no dejábamos atrás lo ocurrido.

—De acuerdo —accedí—. Tú primero.

—Tengo que explicarte lo de... lo del retrato.

—No hay nada que explicar —respondí, y me sentí herida a pesar de los intentos por mantenerme fuerte.

Merlin cerró los ojos.

—No dejo de ver tu cara cuando te lo enseñé. Fue terrible.

Me pasé la lengua por los dientes como si tuviera algo asqueroso en ellos.

—¿Y por qué crees que me enfadé tanto, Merlin?

—Creo que cometí un error... al pintar tus ojos —balbuceó.

—No solo los ojos —le espeté, dejándome llevar por la rabia—. No había casi nada de mí en tu cuadro.

—Sigues estando ahí —insistió.

Solo vestigios, una sombra espectral, pensé con amargura. No tenía más remedio que confrontarle.

—Creo que sabes de quién son los rasgos que predominan en el lienzo.

—¿Te refieres a Genevieve? —inquirió, evitando mi mirada.

Mi voz brotó de mi boca extrañamente serena y formal:

–Sí, Merlin, por supuesto me refiero a Genevieve.

Merlin se rascó la barbilla, y saltaba a la vista que le costaba encontrar las palabras adecuadas.

–El retrato era tuyo, Katy. Lo juro. Eras tú y solo tú.

–Pues no es eso lo que vi.

–Es lo que estoy intentando decirte. No era un retrato de Genevieve; al menos, no al principio.

Me descubrí repitiendo las palabras de Genevieve y lanzándoselas a Merlin a la cara:

–No pudo cambiar en el último momento.

–Eso fue lo que sucedió –afirmó, ensimismado–. No paré de hacer pequeños retoques aquí y allá... hasta el mismo día en que te lo mostré y...

–¿No lo habías terminado hacía semanas? –lo interrumpí.

–No. Nunca me apresuro con mis obras. –Trazó un círculo con sus manos–. Es el desarrollo gradual de un tema, y en ocasiones cobra vida por sí mismo.

En este caso no lo hizo, pensé, con aire taciturno, pero permanecí en silencio, preguntándome si debía creerle o no. Me sentía enfadada conmigo misma por lo mucho que quería creerle.

–Katy, estaba mirando tu retrato casi terminado y, un minuto después, tú estabas en mi estudio, confusa e impactada. Después de que te fueras así... poco a poco fui comprendiendo la razón.

Sonreí educadamente y parpadeé varias veces.

–Quizá tu subconsciente estuviera en funcionamiento, guiando tu mano. Sin que lo supieras, deseabas estar con Genevieve...

Merlin negó con la cabeza.

–No quería, y no fue a ella a quien pinté. ¡Ojalá pudiera convencerte para que me creyeses!

–¿Por qué es tan importante, Merlin?

–La verdad siempre es importante –respondió, y evité mirarlo, pues había sonado muy sincero. Bajó la cabeza, al tiempo que protestaba–: Tú y Genevieve sois un enigma. Siempre que creo que me estoy acercando, descubro que os halláis a un millón de años luz de mí.

Cerré los ojos durante un segundo, porque aquello era exactamente lo que yo sentía junto a él.

–Ahora estás con Genevieve –apunté–. No puede ser un misterio tan grande.

Merlin sacudió la cabeza, desesperado.

–Ella siempre estaba ahí, Katy, mientras que tú siempre estabas… en otra parte.

Le miré a los ojos.

–Pero ya no importa. –Me sentí sobrecogida ante la certeza de que aquello era verdad. Pensé que nunca podríamos volver a significar nada el uno para el otro. Verme con Merlin así era como decirle adiós a una parte de mi ser.

–Entonces, Katy, ¿estamos bien?

–Por supuesto.

Alzó la cabeza como si quisiera despertarse.

–Genevieve me pidió que te enseñase un nuevo concurso de diseño en Internet. El premio es una semana de prácticas con una de las grandes firmas de moda.

–Los detalles estarán en la escuela –respondí, intentando no sonar desagradecida–. La señorita Clegg siempre los pone en el tablón de anuncios.

–Genevieve dijo que este era especial y que nadie más lo sabría. –Giró el portátil hacia mí–. Lo guardó en «Favoritos». «Solo para Katy.»

Hice una mueca, indignada por la desfachatez de Genevieve, pulsé en el enlace y esperé a que la pantalla cambiase.

–¿Conexión lenta? –Merlin sonrió al tiempo que mi cara se quedaba congelada por la incredulidad. Sentí que el suelo se abría bajo mis pies y que me hundía en un agujero negro. Mantuve la vista fija tanto tiempo como pude, mis ojos leían y releían el texto una y otra vez, deseando haber malinterpretado el significado. Me levanté rápidamente.

–Merlin, tengo que irme. Me ha surgido algo.

–No pasa nada malo, ¿verdad?

–No, solo necesito volver a casa. Seguro que… te veré por ahí.

–Puede que antes de lo que piensas –bromeó, pero yo estaba demasiado alterada como para responder.

Creo que batí un récord al correr un kilómetro y medio y enviar un mensaje de texto al mismo tiempo. No aminoré la marcha hasta que vi el cartel con el nombre de mi calle. El corazón me latía con fuerza y sentía una molesta punzada en el costado. Me dejé caer contra un muro, exhausta e invadida por la ansiedad. Me alegré al ver el coche de Luke enfrente de su casa, pues tenía que decirle lo que Genevieve había querido que yo viera. Su madre me abrió la puerta y le hablé con voz aguda, sin aliento:

–Hola, señora Cassidy. ¿Está Luke?

–Lo siento, Katy. Ha salido con Laura para celebrar algo.

Una decepción aplastante me abrumó.

–¿Es el cumpleaños de Laura?

–No –respondió, y su cara se iluminó–, es su aniversario. Ya llevan tres años juntos.

–¡Oh, vaya!, eso es genial.

–Seguramente por eso tiene el teléfono desconectado –explicó, y me guiñó un ojo–. Puede que no quieran que nadie los moleste.

Me sentía mortificada.

–No… claro… por supuesto. No se me ocurriría importunarlos.

–¿Era algo importante, Katy? –me preguntó cuando ya me iba.

–No, en realidad no era nada. Ya… eh… ya lo veré mañana.

No me quedaba más remedio que esperar hasta la mañana siguiente. No había nadie más que pudiera comprender aquel nuevo derrotero marcado por los acontecimientos. Me odié por necesitar tan desesperadamente a Luke e intenté apartarlo de mi mente, pero fue en vano. Permanecí despierta, tumbada en mi cama, escuchando cómo el viento aullaba y soplaba en mis cortinas, a través de la madera podrida de los marcos de las ventanas. Despacio, saqué del cajón de mi mesita de noche la foto en la que salíamos Luke y yo, y la sostuve a la luz. Cuanto más la miraba, más me sorprendía. La devolví a su sitio con cuidado, sin estar muy segura de por qué la había guardado.

Incluso en mi sueño puedo sentir el calor. Me encuentro otra vez en la casa decrépita, pero, en esta ocasión, soy incapaz de ir más allá del porche. No tengo más remedio que observar cómo Genevieve lanza una cerilla y las llamas se propagan, la escalera cruje y se astilla como la yesca. Ella atraviesa el fuego sin resultar herida, suspendida al menos un metro por encima del suelo. La única forma de salvarme es ir con ella. No quiero hacerlo, pero no tengo alternativa. Me ofrece su mano y camino hacia ella, y nuestras figuras su funden para convertirse en una sola. Sus pensamientos se convierten en los míos. Me lleva a la plaza del pueblo para mirar la soga del ahorcado que cuelga de una horca, y que se recorta contra un cielo nocturno de color anaranjado.

33

Sonó como si estuviera granizando y los trozos de hielo golpeasen la ventana de mi dormitorio, primero sin mucha fuerza, y luego arreciando. Estaba aún medio dormida, y tardé una eternidad en darme cuenta de que había interpretado mal los ruidos, y de que lo que pasaba era que alguien estaba tirando piedras contra el cristal.

Rápidamente, abrí la ventana y asomé la cabeza. Luke se encontraba abajo, con la mano llena de guijarros que había cogido de su jardín.

–¿Luke? Es muy temprano.

–Mi madre me dijo que anoche viniste a buscarme. Imaginé que habría ocurrido algo.

Le hice un gesto con la mano para indicarle que me reuniría con él en diez minutos.

Me lavé la cara, me cepillé los dientes, me pasé un peine por el pelo y me puse una camiseta y unos pantalones de chándal. Por último, cogí una hoja de papel y la metí en mi bolso. Luke me esperaba junto a su coche, despeinado y con los ojos legañosos. Probablemente había dormido con la camiseta que llevaba puesta, porque la tenía totalmente arrugada y olía igual que su habitación. Mi nariz debía de estar funcionando a pleno rendimiento, porque también pude detectar olor a ajo y a cerveza.

–No era tan importante –dije, con sentimiento de culpabilidad.

–Mi madre me contó que estabas sin aliento, como si hubieras corrido una maratón.

–¿Podemos ir a algún sitio, Luke? –Estaba desesperada por alejarme de todo lo que me resultase conocido.

Entré en el coche y él sonrió al tiempo que hacía una reverencia.

–¿Adónde, señora?

–Supongo que no... te apetecerá ir a la costa.

Luke ni siquiera se molestó en responder, pero dio la vuelta al coche y aceleró calle arriba. La costa quedaba a veinte minutos, y ambos permanecimos en silencio hasta que detuvo el vehículo en un aparcamiento situado al final de un paseo marítimo, y me dijo que me abrigase. La marea estaba alta y las enormes olas de unos tres metros de altura, golpeaban contra las vallas protectoras. Nos pusimos las capuchas e intentamos pasear entre las dunas, pero enseguida se nos llenó la cara de arena y los ojos comenzaron a escocernos. Distinguí, entre las algas y los trozos de madera, piezas de vidrio marino, lo cual me provocó una sensación extraña en la boca del estómago. Nos vimos obligados a regresar a una zona resguardada del viento donde poder sentarnos, y en la que una camioneta vendía bebidas calientes y comida rápida.

Saqué de mi bolso la hoja de papel y se la tendí a Luke, luego me di la vuelta, porque no quería leer otra vez el artículo. El titular se había quedado grabado en mi memoria: «FUEGO EN LA VICARÍA».

Luke guardó silencio durante lo que se me antojó una eternidad. Oí los ladridos de un par de perros y las risas de una niña pequeña a la que el viento zarandeaba, y me pregunté cómo sería posible que las cosas siguieran su ritmo normal mientras había en el mundo alguien como Genevieve.

–Lo imprimí anoche –le dije.

–Puede que no tenga nada que ver con ella –murmuró al fin.

–Otra coincidencia –repuse, con tono burlón.

–No puede haber recorrido medio país para intentar hacer algo como esto.

–Nosotros lo hicimos. Recorrimos medio país para escarbar en su pasado, y tienes que admitir que es raro que pasen cosas de ese tipo siempre que ella se encuentra por medio.

Hasta Luke parecía perplejo.

–Pero todo el mundo está bien. Quiero decir, es algo terrible, pero todos pudieron salir a tiempo.

Mi voz se convirtió en un susurro sepulcral:

–Lo consiguieron porque había una salida de emergencia en el piso más alto. Si la vicaría hubiese sido más pequeña… –Me estremecí al recordar que la planta baja había quedado completamente destrozada y que la escalera principal se había venido abajo. En mis sueños, había subido por esas escaleras un montón de veces.

–Si lo hizo Genevieve, Kat, entonces creo que está ajustando viejas cuentas y que no tiene nada que ver con que nosotros fuésemos a hablar con el vicario y su esposa.

No podía creer que Luke estuviera tan ciego, así que me pregunté si estaba tratando de que no me asustase.

–Hizo que Merlin me lo enseñase en su portátil; incluso había titulado el enlace como «Solo para Katy».

–¡Esa chica está enferma! –exclamó, enfurecido.

–Va a por nosotros –insistí–. Sabe lo que hemos... lo que he estado haciendo. Siempre lo sabe.

Empezaba a darme cuenta de que cuanto más agitada estaba yo, más calmado parecía Luke.

–Estás alterada y asustada, y puede que exageres.

Me levanté, con las manos en la cintura, y le espeté:

–¿Cómo puedes decir eso precisamente tú?

–Sé que has vivido... sucesos que no podemos aclarar –comenzó a decir, con diplomacia–, pero todo es susceptible de una explicación razonable. No puedo creerme que tengáis telepatía.

–Se está volviendo demasiado peligrosa, Luke.

–¿Por esto tenías tanta prisa anoche por volver a casa? –me preguntó.

Me aparté un mechón de pelo que se me había metido en la boca.

–Estaba en *shock*, me preocupa que nadie se halle a salvo de ella.

–Deberíamos regresar a la vicaría –sugirió–. Hablar con la mujer del vicario y convencerla para que acuda a la policía.

Negué violentamente con la cabeza.

–No irá. Lo pone en el artículo. Le echó la culpa a unos gamberros que estaban jugando con fuegos artificiales, una broma que se les fue de las manos. «No les guardo rencor», menciona ahí que dijo la mujer: le está mandando a Genevieve el mensaje de que no la denunciará.

—Eso no tiene sentido.

—Sabe de lo que Genevieve es capaz —respondí, soliviantada—. Creía que representaba la maldad personificada y que por eso no podía vivir en un lugar sagrado.

Luke me lanzó una mirada de exasperación.

Respiré hondo y decidí que no podía contenerme por más tiempo.

—Sé que te gusta aplicarle a todo un pensamiento lógico, Luke, y que odias las supersticiones y la magia, pero... Genevieve no es como nosotros. Posee algo que la hace diferente.

—Puede que sea una sociópata —repuso—. Una persona completamente amoral, sin conciencia, pero pertenece a este mundo, eso seguro. —Se quedó mirando a lo lejos y tuve que hacer un esfuerzo por resistir el deseo de acercarme más a él para resguardarme del viento. Desde que había visto la fotografía en la que salíamos juntos, era más consciente de cómo me comportaba y de cómo nos veía el resto de la gente. El té de la camioneta sabía a plástico y a agua caliente, pero aun así me lo bebí agradecida, por la sensación de calor.

—Ver a Merlin ayer me resultó muy raro.

—¿Ah, sí?

—Sí, casi como cuando estábamos juntos.

—¿Y no quieres volver a estar con él?

El viento había hecho caer mi capucha y Luke volvió a ponérmela y a atarla, colocando mis mechones rebeldes en el interior.

—Me parece que tienes demasiados asuntos en la cabeza al mismo tiempo, Kat.

–Era mi príncipe azul, ya sabes… el tipo de chico que nunca imaginé que me miraría siquiera, y, cuando lo hizo, todo me pareció asombroso.

–Quizá estabas hechizada por una idea, por lo que él representaba, pero no por el verdadero Merlin –respondió Luke, con una extraña sonrisa.

Me sobrecogió lo perspicaz que era, porque, en cierto modo, yo ya había llegado a la misma conclusión. Intenté explicarme:

–La primera vez que fui a casa de Merlin, había un arco iris espectacular detrás de la casa, y aunque sabía que no podía alcanzarlo, lo intenté de todos modos. Salir con Merlin se parecía un poco a esa sensación…

Luke se aclaró la garganta, y pareció sentirse incómodo.

–Debe de resultarte difícil confiar ahora mismo en la gente, pero cuando esto se acabe…

–Nunca volveremos a recuperar lo que teníamos –zanjé, con total seguridad.

–Nunca digas nunca, Kat.

Golpeé mis zapatillas contra el pavimento para intentar quitarme la arena húmeda que se había adherido a ellas, mientras Luke me ofrecía un envase con forma de torpedo. Negué educadamente con la cabeza, sin hacer referencia a mi aversión a la carne, y observé cómo él engullía un perrito caliente con toda su guarnición, lo cual, a la hora del desayuno, resultaba doblemente grotesco. Cambié de tema.

–¿Qué hay de ti y de Laura? ¡Tres años! ¡Felicidades!

No respondió, y temí que fuera algo demasiado personal, pero Luke alzó la vista cuando las gaviotas empezaron a arremolinarse por encima de nuestras cabezas, ansiosas por algún resto de comida.

—Laura es muy agradable.

—Como un par de zapatos viejos —bromeé.

Luke sonrió, pero a la vez parecía triste. Pasó un buen rato antes de que volviese a hablar.

—No creo que sigamos, Kat. Queremos cosas muy diferentes. Laura me ha dado una especie de ultimátum.

—Lo siento mucho…

Mi voz se fue apagando.No sabía qué decir, y estaba sorprendida porque me había alegrado al escuchar aquella noticia. No comprendía el motivo, porque no sentía nada por él. No podía sentir nada por Luke.

—No pasa nada —contestó, con soltura—. Los dos hemos cambiado… Estas cosas ocurren.

Le apreté la mano y nos concentramos en el mar agitado que luchaba contra las defensas de madera del paseo. Mientras contemplaba las aguas turbias y la espuma amarillenta de las olas, sentí un escalofrío punzante recorriendo mi espina dorsal, el miedo a algo que se avecinaba.

—Siento como si me estuviera ahogando —dije, simplemente—, y Genevieve está conmigo pero no quiere salvarse, quiere que me hunda con ella.

Luke se metió las manos en las profundidades de sus bolsillos.

—Eso es solo una proyección de tus miedos…

De pronto, comenzó a llover torrencialmente. Luke tiró de mí para que me levantase, y corrimos juntos hacia el coche, jadeando. Puso en marcha los limpiaparabrisas y permanecimos durante unos cuantos minutos contemplando el asombroso poder del mar y el horizonte, en el que se apreciaba una cortina gris de agua y cielo fundiéndose entre sí.

–Las cosas han ido demasiado lejos –afirmé, con una determinación inusual–. El incendio de la vicaría lo cambia todo. Tengo que intentar detener a Genevieve. Acabar con el misterio de una vez por todas.

Luke me miró con las cejas enarcadas.

–Suenas decidida.

–Lo he retrasado demasiado, Luke –asentí, torvamente–. Sé exactamente lo que debo hacer a continuación.

–¿Mamá?

Se había levantado pero continuaba con el camisón puesto. Me había engañado creyendo que estaba mejor, pero ahora tenía delante de mí la evidencia de que no era así: los ojos hundidos, nuevas arrugas que habían aparecido de la noche a la mañana, y una mirada permanente de aprensión. Volvía a estar siempre nerviosa, y el más mínimo ruido la alteraba.

–Mamá, tenemos que hablar. Debes contarme qué está pasando.

34

Había dos tazas de café intactas en la mesa, y nos encontrábamos sentadas frente a la chimenea, con el viento aullando en el exterior y la lluvia azotando las ventanas. La impaciencia me ponía nerviosa, pero sabía que era importante dejar que mamá lo hiciera a su ritmo. Le llevó una eternidad animarse a empezar, y pensé que iba a cerrarse en banda; no obstante, finalmente tomó aire y dijo:

—Vivía cerca de York cuando naciste.

Se suponía que yo no sabía nada de eso, así que aparenté incredulidad.

—¿Quieres decir que no nací aquí?

—No. Todavía estaba estudiando cuando me quedé embarazada, y lo mantuve en secreto todo el tiempo que pude. No te lo he contado porque... bueno... En realidad, no estoy segura de la razón.

Mamá me miró con tristeza y me pregunté si estaría recordando a mi padre, del que nunca había hablado.

—¿Por qué lo mantuviste en secreto?

Unió las manos y apretó los puños hasta que los nudillos se le pusieron blancos.

—Mis padres... Tus abuelos eran muy estrictos y se sentían muy orgullosos de que hubiera ido a la universidad; no podía soportar la idea de fallarles.

–¿Te alojabas en una residencia de estudiantes? –pregunté, inocentemente.

–No, todas las plazas se asignaban a los alumnos de primer año. El único alojamiento que pude conseguir se hallaba a las afueras de la ciudad; consistía en una sórdida habitación perteneciente a una casa antigua en la que había otras cinco habitaciones igual de sórdidas o más… todas húmedas, con ratones, con el papel despegándose de las paredes…

Mamá cogió su taza y dio un trago; se le cayeron unas gotas de café en el camisón, pero ni siquiera lo notó. Hizo una pausa y entendí que tendría que persuadirla para que continuara, por lo que resultaba clave que escogiese mis palabras con cuidado.

–¿Tiene ese lugar… ¿Quiero decir…? Es posible que ese lugar tuviera alguna conexión con Grace… o Genevieve, como se hace llamar ahora?

–No puedo estar segura –respondió mamá, con un toque de desesperación–. Podría ser todo una coincidencia terrible. O sea, no existe ninguna prueba… solo un nombre.

Su voz decía una cosa, pero sus ojos revelaban otra distinta. Había un modo de descubrir la identidad de Genevieve de una vez por todas. Reuní fuerzas, percibiendo que me hallaba en el umbral de algo inmenso.

–¿Te acordarías de la fecha de nacimiento de Grace?

Mamá la dijo sin necesidad de hacer memoria, lo cual me sorprendió, pero pensé que solo se remontaba a cuatro días antes de la mía y, que, por tanto, se habría quedado grabada en su mente.

–Entonces no hay ninguna duda –afirmé, con rotundidad–. En la escuela comprobaron los archivos y me dijeron cuándo es el cumpleaños de Genevieve. Ella y Grace son la misma persona.

Mamá apenas reaccionó, y me imaginé que, en lo profundo de su ser, aquello no le sorprendía en absoluto. Sin embargo, al recordar la fotografía del bebé desconocido, mi estómago dio un vuelco y la cabeza se me llenó de todo tipo de posibilidades: mamá había sufrido una depresión posparto y no se enteró de lo que sucedía en realidad; la madre de Genevieve la engañó para que se llevase al recién nacido enfermizo, y ella se quedó con el otro, más fuerte y saludable; o acaso, las dos decidieran llevar a cabo un extraño experimento y criar a la hija de la otra para ver qué sucedía. Aquello parecía una locura. Ansiaba obtener respuestas, pero era fundamental que mamá no se asustase. Respiré hondo un par de veces y me calmé.

–¿Conocías bien a la madre de Genevieve?

–Sabía cosas sobre ella –subrayó mamá, y quedó claro que aquello no le resultaba agradable. Frunció el ceño mientras se esforzaba por recordar–. Se sabía que tomaba drogas, pero todos miraban hacia otro lado. Pasábamos a su lado y no queríamos involucrarnos; así era más fácil.

–Entonces, ¿qué cambió?

Los párpados de mamá se cerraron lentamente y su voz se fue desvaneciendo. Tuve que inclinarme hacia ella para poder captar sus palabras con nitidez.

–Entonces se convirtió en madre… y ya no era solo a sí misma a quien destruía.

Ya conocía la respuesta, pero aun así tuve que formular la pregunta:

–¿Estaba yo allí… al mismo tiempo que Genevieve?

Mamá no lo negó. Dejó que su cabeza cayera sobre su pecho y se aclaró la garganta con dificultad.

–La noche que viniste a casa desde el hospital dormiste como un ángel, hermosa y perfectamente quieta, y por la mañana... estabas muy tranquila. –Hizo una pausa y una lágrima enorme resbaló por su rostro y cayó sobre su pierna–. Y entonces escuché otra vez el llanto... desesperado... inconsolable... y fui a ver qué ocurría.

Me sobresalté al ver a *Gemma* entrando en la sala como si fuera la propietaria de la casa. Se enroscó a mis pies y la acaricié, feliz por la breve distracción.

–¿Qué fue lo que viste?

Mamá miró al vacío y habló sin emoción:

–Sufríamos una ola de calor, e incluso a las nueve de la mañana el día era abrasador. Había un carrito de bebé junto a las bolsas de basura... Vi una carita... estaba sucia y había manchado el pañal... movía los bracitos frenéticamente y tenía una avispa encima. Llevaba tanto tiempo llorando que tenía los ojos enrojecidos y la voz afónica...

De nuevo sentí punzadas de dolor, y deseé poder evitarle a mamá aquel sufrimiento. De repente, las palabras de la abuela resonaron en mi cabeza; había mencionado una muerte por sobredosis que había afectado a mamá profundamente.

–¿Estaba su madre... bien? –pregunté, con cautela.

Mamá negó con la cabeza y se frotó la cara.

–No había nada que yo pudiera hacer, nada que nadie pudiera hacer... Me quedé congelada, en estado de *shock*...

–No fue culpa tuya –dije de inmediato, pero mamá me ignoró y continuó hablando con el mismo tono monocorde.

–Sin embargo, en ese momento lo supe… Estaba exactamente en ese lugar y en aquel preciso instante. Yo también era madre, y tenía un deber. Lo sentí en lo más profundo de mi ser, por eso nada podría haberme detenido.

Aquello sonaba un poco extraño.

–¿Llamaste a la policía?

Mamá no respondió.

–¿Llamaste a la policía? –insistí.

–Vinieron –contestó–. Recuerdo que vinieron.

–¿Y qué sucedió con Genevieve?

Su boca se retorció de angustia.

–No estoy segura. Yo me encontraba lejos, de vuelta en casa con tus abuelos. Se trataba de un lugar remoto y aislado de todo, pero eso era lo que necesitaba.

Una cálida sensación de alivio me envolvió. Aquellas eran las respuestas que había estado buscando. Mamá solo era culpable de haber actuado como una persona compasiva. Si no se hubiera decidido a investigar aquella mañana, podría haber sido mucho peor. Genevieve podría haber muerto. Me sentí como un globo que se ha deshinchado lentamente, y pude volver a respirar con facilidad. Había sido muy estúpida al imaginar escenarios rocambolescos cuando la explicación resultaba tan simple. Triste, pero simple.

–¿Nunca se lo has contado a nadie?

–No hasta hoy.

Me coloqué con la espalda hacia el fuego, y me calenté las piernas. Ahora veía a Genevieve como a una persona con problemas psicológicos, y podía dejar de obsesionarme con que poseyera poderes sobrenaturales sobre mí.

–Ya casi soy adulta, y me resulta obvio que tú no podrías haber salvado a la madre de Genevieve. Cualquiera
vería que no hiciste nada malo.

–Cualquiera excepto Genevieve –me corrigió.

Aquello resultaba muy posible, pero era importante
consolar a mamá.

–Lo comprenderá.

De repente, mamá se puso rígida en la silla.

–Esa chica, Genevieve, no creo que sea muy estable.

Desde luego, aquel no parecía el mejor momento para
describirle lo perturbada que se hallaba Genevieve. Todavía no sabía cómo se las había ingeniado para localizarnos,
pero debía de haberlo distorsionado todo en su mente, de
forma que consideraba culpable a mamá. Y resultaba fácil entender por qué me odiaba. Yo aún tenía una madre
y ella no; y esa, probablemente, era la razón por la que me
había amenazado con apoderarse de mi vida.

Nos quedamos en silencio, escuchando el sonido de la
tormenta. Me parecía agradable estar acurrucadas así, una
vez eliminada la distancia que había existido entre nosotras.
Intenté beberme el café, pero se había enfriado y una capa
de nata flotaba en la superficie. Mamá seguía dándole vueltas a algo en su cabeza, así que aguardé a que continuase.

Finalmente, habló.

–Y... ¿la infancia de Genevieve? ¿Fue muy infeliz?
Puse los ojos en blanco.

–Eso dicen todos... era una niña problemática. No
importaba cuánta gente tratase de ayudarla, siempre acababa quedándose sola.

El efecto de esas palabras fue asombroso. Mamá parecía devastada, apretaba el puño contra su boca. Comenzó

a llorar, profiriendo enormes y ruidosos sollozos que sacudían todo su cuerpo.

—Debería haber intervenido, Katy. Las dos éramos madres jóvenes, pero yo tenía a tus abuelos; ella, sin embargo, no tenía a nadie. Unos minutos antes y habría llegado a tiempo...

—Tú tenías tus propios problemas —la reconforté.

—Arruiné dos vidas...

Me arrodillé en el suelo al lado de su silla.

—La madre de Genevieve murió porque no dejó las drogas, ni siquiera por su bebé. No se hizo responsable y pagó el precio.

Los labios de mamá formaron una pequeña mueca de desesperación. Tenía el aspecto de una niña asustada.

—No tengo derecho a juzgarla. Yo he sido una madre horrible...

—¡Claro que no! —repliqué—. Nunca he sido infeliz ni me he sentido desatendida.

Mamá seguía angustiada, y me culpé por no haber sabido manejar mejor la situación.

—Siempre me ha atormentado —lloriqueó—. No se puede escapar del pasado, no importa lo mucho que lo intentes.

—Voy a hablar con Genevieve —anuncié—. Le haré entender que actuaste de buena fe.

Mamá sacudió la cabeza con terquedad, y su labio inferior quedó como descolgado.

—Mantente alejada de esa chica. Desea hacérmelo pagar y está hiriéndome a través de ti.

—Se acabó —insistí—. Ya no puede hacerme daño, porque ahora conozco la verdad.

De pronto, mamá se dejó caer pesadamente en su silla.

–La verdad no es siempre lo que parece –respondió, hablando con dificultad.

No tenía sentido añadir nada más. Mamá parecía encerrada en algún lugar de su mente, en aquel rincón al que yo nunca podía seguirla. La ayudé a regresar a la cama y se dejó llevar sin resistencia. Se quedó dormida en menos de cinco minutos. Contemplé su rostro durante un rato. Había tenido la esperanza de que la confesión le quitase un peso de encima, pero no parecía haber sido así. Incluso dormida, su frente se veía profundamente arrugada y su boca se retorcía como si la invadieran los malos recuerdos. Pero había abierto las compuertas y, quizá ahora, sus heridas podrían cicatrizar.

Le envié a Luke un largo mensaje de texto contándole lo que había ocurrido y cómo se había desvelado finalmente el misterio, y también dándole las gracias por su ayuda. En cierto modo, me sentía extrañamente triste, porque habíamos formado un gran equipo. Después de todo, él tenía razón: la solución al misterio no era espeluznante ni inexplicable, sino solo la triste historia de una mujer que no había podido salir adelante y sus consecuencias. Mamá se revelaba como una espectadora que se había visto atrapada en la historia, y las repercusiones seguían presentes. No sabíamos cómo Genevieve había descubierto la verdad, pero eso no importaba. Lo único que quedaba por hacer era convencerla de que mi madre había intentado ayudarla, y suplicarle que nos dejase en paz. Cerrar el círculo, eso era lo que necesitábamos.

35

El vestido tenía un tacto tan sedoso que resbalaba entre mis manos como si estuviera hecho de granos de arena. Iba a necesitar toda mi paciencia y todo mi tesón para arreglarlo, y resultaba imposible conseguir el mismo color, porque cambiaba dependiendo de la luz. En cuanto tenía preparado un trozo de hilo, el color parecía variar. Trabajé el interior, haciendo una especie de zurcido para apoyar las capas de hilo e ir uniendo meticulosamente los bordes deshilachados. Si la tela hubiera sido más pálida, no lo habría conseguido, pero al final el rasgón resultaba casi indetectable.

Habíamos acordado encontrarnos en casa de Hannah a eso de las siete. Mamá quería ver lo que había comprado, así que descendí por las escaleras y, al llegar abajo, di un giro completo sobre mis talones.

–¡Caray, vaya transformación! Estás estupenda.

–Vamos a hacer una especie de prueba de vestuario antes del baile.

Mamá todavía se hallaba demacrada, pero hizo un esfuerzo por parecer alegre.

–Será divertido. Estoy segura de que en algún sitio tengo un par de guantes largos.

Aplaudí con excitación.

–¿Puedes buscarlos? Y, por favor, ¿me enseñarás a peinarme con un moño francés que resulte elegante y sofisticado en lugar de frívolo y crespo?

Mamá encontró con facilidad los guantes y también un par de zapatos de tacón pequeño, sin talón, en satén negro, además de un collar de perlas falsas y unos pendientes a juego. Me volví a poner los vaqueros y metí el vestido en una bolsa, listo para llevármelo. Mamá subió otra vez a la planta de arriba y regresó con una bolsa llena de ganchos, pasadores para el pelo, peines y laca. Después empleó un montón de tiempo en domar mi pelo rizado para convertirlo en algo vagamente similar al de Audrey Hepburn en *Desayuno con diamantes,* una de sus películas favoritas.

–¿Sabes? Desde que esa chica, Genevieve, apareció –empezó a decir, titubeante–, las cosas han cambiado, ¿verdad?

–Supongo –asentí, con un gruñido, e hice un gesto de dolor cuando me obligó a girar la cabeza hacia la izquierda.

–Pareces más segura… menos…

–¿Dócil?

–No, esa no es la palabra que estaba buscando –me reprendió–. Ahora pareces más tú misma.

–Quizá –acepté.

–Las cosas también han cambiado para mí.

–¿Ah, sí?

Sus ágiles dedos me acariciaron la nuca.

–Me doy perfecta cuenta de que ya eres casi adulta y de que pronto tomarás tu propio camino. Te irás a la universidad, tal vez.

–Lo estoy pensando. La mejor opción para estudiar probablemente sea Londres.

–Bueno, Katy, te he tenido para mí durante tanto tiempo que ya es hora de que te deje ir.

Habló sin el menor indicio de autocompasión, lo cual resultaba poco habitual. Una gaviota graznó en lo alto y me sobresaltó. A través de la ventana, la vi extendiendo las alas y remontando el vuelo hacia el cielo invernal y blanquecino. Casi pareció una señal de que mamá se hallaba preparada para dejarme marchar.

–Ya no eres una niña, y yo tengo que rehacer mi vida, así que… la influencia de Genevieve no ha sido del todo negativa.

–No estoy muy segura de eso –repuse, agriamente–. No veo el momento de perderla de vista para siempre.

Mamá me roció cuidadosamente el pelo con laca, examinando el resultado como si fuera una obra de arte.

–¿Tan mal te cae?

–Y que lo digas –insistí, despidiendo fuego por los ojos–. Sé que ha tenido una vida complicada, pero es engreída, deshonesta, malvada, manipuladora…

–¡Dios mío! –se rio mamá, nerviosa.

La miré encolerizada.

–¡Ojalá se vaya al otro lado del mundo!

–¿A qué viene eso?

–¿Eh?… A nada. –Era mejor no desvelar todavía la marcha de Genevieve, hasta que fuese algo definitivo, no fuera a ser que mamá volviera a sentirse culpable.

Dado que Genevieve no iba a estar presente, saqué mi abrigo favorito y me alegré de volver a ponérmelo, como si un viejo amigo me abrazase. Mamá se despidió diciéndome que tuviera cuidado con el suelo, pues estaba resbaladizo, y además habían pronosticado nieve. No tuve problemas con las zapatillas, pero mucha gente no se había preparado bien para salir a la calle y vi a una señora con tacones de aguja, agarrándose a un muro para no caer; y a un señor mayor sobre una placa de hielo, incapaz de moverse hacia delante o hacia atrás, con los brazos extendidos como un equilibrista. Los niños se lo pasaban en grande deslizándose peligrosamente sobre la acera. Yo pisé un charco congelado junto a una vieja tubería rota y resbalé, pero logré mantenerme en pie.

En casa de Hannah las luces estaban encendidas y las cortinas descorridas. Hannah y Nat vinieron corriendo a la puerta y me arrastraron al interior. Las dos estaban ya vestidas: Hannah, con un traje de satén largo y ajustado, color marfil, que había sido el vestido de boda de su abuela; y Nat, con un vestido de tafetán, rosa chillón, que hacía juego con su pelo, y con sus zapatillas Converse. Una oleada de excitación recorrió todo mi cuerpo, porque aquello parecía tan divertido como cuando me disfrazaba de pequeña y me ponía la ropa de mamá y su maquillaje. No quería admitir que siempre lo había hecho sola.

–¡Me encanta tu pelo! –exclamaron al unísono, mientras me llevaban a la sala de estar, en lugar de a la cocina-comedor, que era donde solíamos quedarnos–. Ponte el vestido, Katy.

–¿Qué prisa hay? –pregunté. Luego cerré las cortinas y empecé a quitarme los vaqueros, con cierta timidez–. Tenemos toda la noche.

–Tenemos muchas ganas de maquillarte –respondió Hannah, y pude notar su impaciencia.

Estaba a punto de desfilar por la estancia pavoneándome, cuando una de ellas me asió para obligarme a que me sentara e inclinara la cara hacia la luz.

–Base –exigió Nat, y Hannah rebuscó en su neceser de maquillaje y sacó una polvera. Era imposible hablar mientras Nat me espolvoreaba la cara y luego ordenaba–: «Colorete», seguido de «sombra de ojos».

–Esto parece una operación –bromeé, mientras ella pasaba a pintarme los ojos. Me fijé de cerca en Nat, y luego eché una mirada a Hannah–. Eh, ¿cómo es que vosotras ya tenéis puesto el maquillaje?

–Estábamos aburridas –respondió Nat, abalanzándose sobre mí con un perfilador y haciéndome parpadear frenéticamente. Se echó hacia atrás para examinar su trabajo y pareció tranquilizarse al comprobar que había terminado.

–Mírate, Katy. ¡Estás genial!

Revisé mi rostro en el espejo y tuve que admitir que Nat había realizado un buen trabajo. Mi piel resplandecía; mis ojos eran de un gris ahumado, y tenía los pómulos afilados y unos labios exagerados, como si fuera una actriz de cine mudo. Saqué mis complementos para dar el último toque, y traté de no dejarme llevar por una sensación de anticlímax, pues apenas eran las ocho de la tarde.

–Bueno, ahora estoy lista. ¿Qué vamos a hacer durante lo que queda de noche?

Nat echó un vistazo a su reloj y luego a Hannah. Tuve la clara impresión de que había algo que no me estaban contando. Sonó el timbre y Hannah se sobresaltó, y a continuación exclamó con voz teatral:

—¡Me pregunto quién será!

La seguí hasta la puerta y, cuando la abrió, mi mandíbula inferior casi toca el suelo.

—No te quedes ahí con la boca abierta —se rio Hannah—. Acompaña a los chicos adentro para cenar.

Merlin se hallaba en el umbral, vestido con unos pantalones a rayas, chistera, frac y un chaleco amarillo brillante. Adam estaba a su lado, con un esmoquin negro y una camisa blanca con volantes; y otro amigo suyo, Harvey, llevaba una especie de extraña chaqueta de esmoquin acolchada y un fular. Parecían salidos de *Retorno a Brideshead*, y me parecía increíble que hubieran paseado por la calle así vestidos, por mucho que estuviera oscuro. Busqué a Genevieve a sus espaldas, pero no estaba.

Merlin dio un paso hacia delante, me cogió la mano, que seguía teniendo enguantada, y la besó antes de entrar en la casa. Aquello ya tenía aires de representación, así que me convertí en la sombra de Hannah y la seguí por el pasillo hasta la cocina-comedor. Había copas de vino, servilletas de lino, y un precioso candelabro de plata dominaba la mesa. Entonces vi el invernadero, que había sido decorado con globos y luces de colores. Una bola típica de discoteca colgaba del techo de cristal, y las ventanas estaban adornadas con montones de figuritas llenas de lentejuelas.

—¿Todo bien entre Merlin y tú? —me susurró Hannah—. Él dijo que sí, pero…

—Todo bien —le contesté, también en un susurro.

–Siento que te perdieras la fiesta –sonrió Nat–. Esto no es que sea una carpa.

–Es mejor –le dije, sobrecogida por la emoción, y estaba siendo sincera–. Es realmente genial.

La mesa aparecía dispuesta solo para seis, y no pude creer que Genevieve fuese a permitirme que disfrutara de una velada así sin tratar de arruinarla. Hannah dio unos golpecitos en una de las copas con una cuchara.

–Sentaos todos, y aseguraos de que lo hacéis donde está marcado. Los asientos ya están asignados y no podéis cambiar el orden. –Me guiñó un ojo, pues resultaba obvio que Adam se encontraría estratégicamente colocado al lado de Nat–. Mi madre ha preparado toda la comida, así que estará buena. No tenemos camareros para que nos atiendan, pero Nat lo hará lo mejor que pueda.

Nat soltó un gruñido, pero enseguida se mostró dispuesta a ayudar. A mí no me permitieron levantar un solo dedo ni moverme de la mesa, así que me pasé el tiempo sonriendo estúpidamente ante todo el ajetreo e impregnándome del buen ambiente. La comida era ligera y vegetariana: lasaña cremosa de verduras, montones de ensaladas, patatas fritas y pan de chapata para mojar en las salsas. Nos sentamos a comer con un gran estrépito y Nat propuso un brindis en mi honor y en el de la amistad, lo que hizo que una lágrima asomase en mis ojos y que me apresurase a disimularla. Genevieve podía quedarse con su fiesta enorme y ostentosa; esta era pequeña, íntima y mucho más especial.

El padre de Hannah tenía un viejo tocadiscos con un plato giratorio para discos de vinilo, y durante toda la cena estuvimos escuchando una colección de música de los años veinte, riéndonos cada vez que la aguja se quedaba atascada. A la segunda copa de vino espumoso, la velada parecía aún más divertida, por lo que imaginé que Hannah le había añadido algo. A pesar del frío, las mejillas me ardían, porque todo me parecía precioso y todos habían hecho un gran esfuerzo por mí. Merlin estaba sentado justo enfrente de mí, y yo hablé y bromeé con todo el mundo, intentando evitar que mis ojos coincidieran con los suyos, pues tenía aquella mirada a la que me resultaba tan difícil resistirme. Si nos quedábamos a solas, temía acabar ahogándome en ella.

Hannah nos sobresaltó a todos al ponerse de pie y exclamar de repente:

–¡Oh, Dios mío, está nevando!

Corrimos hacia las ventanas del invernadero y vimos cómo caían los primeros copos de nieve. Era una auténtica locura, pero sentí el arrebatador impulso de salir al exterior. Abrí las puertas y caminé sobre la hierba sin abrigo, con la nieve posándose suavemente en mis hombros, mi pelo y mi cara, mientras contemplaba maravillada su belleza entremezclada con miles de estrellas. Eché la cabeza hacia atrás y giré por el jardín, frotando los copos sobre mi piel. Me había convertido en la bailarina, en el globo que se escapaba por los aires, la hoja arrastrada por el viento, girando y haciendo piruetas en aquel manto de blancura. Oí risas mientras todos gritaban mi nombre, pero seguí adelante hasta alcanzar un grupo de coníferas situadas al fondo del jardín, alineadas como soldados en un desfile. Tuvieron que arrastrarme adentro entre dos, mojada y resbaladiza como un pez que hubiera saltado fuera del río. Nat me dio una toalla y me sacudí los brazos y la nuca, sintiendo un hormigueo por culpa del intenso frío.

–Parece que tengas confeti en el pelo –murmuró Merlin, y noté cómo su mano acariciaba mi espalda desnuda. Entonces supe que se me había concedido una segunda oportunidad y que aquella era la noche con la que había soñado despierta. Esa noche yo brillaba y no podía hacer nada equivocado; esa noche no era Katy la invisible. Solo podía haber una explicación: Genevieve había aflojado la presión. No había forma de que pudiese sentirme con tanta confianza y con tanta libertad, a menos que ella se hubiese alejado de algún modo. Debía de haberme dejado marchar. Merlin me miró fijamente, como si me estuviera viendo por primera vez, y le dediqué mi sonrisa más radiante antes de regresar hacia la fiesta.

Mi estado de ánimo resultaba contagioso. Recogimos la mesa a toda velocidad entre todos, y declaramos abierta la pista de baile. Intercambiamos parejas y probamos con el charlestón, con el tango, el foxtrot y, al final, Merlin me cogió entre sus brazos para el vals.

–Imagina que viviéramos en aquella época, Katy –dijo, a la vez que intentaba hacerme girar y cogerme, justo antes de que me diese contra el suelo.

–¿Te habrías dignado a mirarme… con tu casa enorme? –Intenté mostrarme desenfadada–. Tú serías el hijo de algún noble adinerado y yo sería la doncella que sacaba brillo a la plata o a tus botas.

–Suena bien –sonrió, burlón–. Me podría haber aprovechado de la joven sirvienta.

Realicé una cómica reverencia, aunque sabía lo que estaba pasando y cómo le estaba alentando.

–¿Estoy totalmente perdonado? –me preguntó, con seriedad.

–No había nada que perdonar.

–¿Y ahora?

–Estamos bailando –fue mi sarcástica respuesta.

–¿Y ahora, Katy? –insistió.

Dejó de bailar y, sosteniendo todavía mi mano, me guió por el pasillo hacia el vestíbulo. No había respondido a su pregunta, y él acercó su cara a la mía. No retrocedí. Comenzó besando mi cuello con dulzura hasta llegar al lóbulo de mi oreja. Me parecía increíble que estuviésemos juntos, así que aparté todo lo demás de mi mente. En cualquier instante, Merlin llegaría a mis labios y sería como si nunca hubiésemos roto. Y lo mejor era que Genevieve se merecía que aquello estuviese ocurriendo, se lo merecía de verdad. Aquella era mi venganza.

De pronto, vi el reflejo de mi cara en un pequeño espejo situado al lado del perchero, y reculé bruscamente. Mi aspecto era feroz y cruel, mis ojos emitían un centelleo horrible. Apenas podía reconocerme, e inesperadamente, como si recibiese un golpe con un martillo, tomé conciencia de algo: si Merlin no tenía ningún problema en hacer aquello a espaldas de Genevieve, entonces, ¿qué decía eso de él? ¿Y de mí? Me aparté de él y me recoloqué el vestido, lívida. Genevieve se lo merecía, pero para conseguir mi venganza tenía que hundirme hasta su nivel, y eso no pensaba hacerlo.

–No somos intercambiables, Merlin –le espeté–. No puedes coger a una de nosotras solo porque la otra no se encuentra cerca.

–No sé qué me ha pasado –dijo, llevándose una mano a la frente–, lo siento.

–No pasa nada, pero no podemos volver adonde estábamos antes. Ahora estás con Genevieve.

Ninguno se atrevía a mirar al otro.

–Casi había olvidado que ya no eres mía –murmuró, y se alejó por el pasillo.

36

Un taxi me dejó justo delante de la puerta de casa. Tuve problemas para bajarme del coche, porque el vestido era tan ajustado, que no podía separar demasiado las piernas por miedo a que volviera a romperse. Había aguantado en la fiesta hasta medianoche, les había dado las gracias a todos y me había marchado, rechazando la oferta de Merlin de acompañarme a casa, poniendo la nieve como excusa. Nos habíamos acercado en exceso, y no quería que volviera a suceder. No había ninguna luz en casa, así que tuve que registrar todo mi bolso en busca de las llaves sin encender la lámpara exterior para no despertar a mamá. Di un salto de casi un metro de altura cuando, de pronto, una voz surgió de la oscuridad:

–Sabía que volverías y comprarías ese vestido.

–¿Qué demon…? Me has dado un buen susto. ¿Qué haces aquí a estas horas?

–Estaba esperándote, Katy.

Genevieve salió de las sombras, con su pelo recogido hacia atrás y su cara de un blanco fantasmal. Estaba tan asustada que necesité tres intentos antes de acertar con la llave en la cerradura.

–¿Me has echado de menos?

–En realidad, no –susurré, y señalé hacia la planta de arriba para indicarle que debería hablar en voz baja. Ni siquiera llevaba un abrigo, tan solo una gruesa chaqueta encima de una camiseta. Percibí el frío que sentía, porque su cuerpo se mostraba encorvado y tenía las manos enrojecidas. Me parecía increíble que me hubiera estado esperando a la intemperie, en una noche gélida de diciembre, solo para atormentarme–. ¿Qué quieres, Genevieve? –le pregunté, con altivez.

–Tenemos asuntos todavía sin terminar.

–¿Ah, sí?

–Sabes que sí. Deberías invitarme a entrar.

Ya había abierto la puerta y podía ver su aliento en el aire frío.

–Es tarde. Podemos hablar mañana.

Genevieve soltó una carcajada que sonó hueca.

–¿Nunca has oído eso de que mañana nunca llega? –Consultó la hora en su reloj de pulsera–. Y, de todos modos, son las doce y media, lo que significa que ya es mañana.

Me aterrorizaba la idea de que pudiera montar una escena y despertar mamá, así que la dejé pasar al porche. La seguí y cerré la puerta, haciéndole un gesto en dirección a la sala de estar. Crucé los brazos y la observé mientras paseaba su mirada por la estancia, como si estuviera sopesando su compra. Incluso pasó la mano sobre el aparador, como quien quiere comprobar la calidad de un mueble.

–No es lo que esperaba –dijo, arrastrando las palabras.

Me sentía exhausta, pero intenté devolverle el sarcasmo:

–¿Qué esperabas?

–No sé... –bufó–. Algo diferente, original y especial, algo que hiciera que mereciese la pena. Pero arriesgarlo todo por esto... por este infierno de barrio de mala muerte.

–A mí no me parece un infierno. Es mi hogar.

Hizo una mueca de repugnancia.

–No conoces otra cosa, Katy.

–Genevieve, estoy cansada. Demasiado cansada como para jugar.

–Quizá te gustaría que gritara. Nos vendría bien algo de compañía.

Sabía exactamente qué botones pulsar para ponerme nerviosa.

–No, no lo hagas. Estoy bien, y podemos hablar. Ven a la cocina y prepararé algo de beber.

Su desdén continuó:

–Qué preciosidad de cocina de pino con esas pequeñas florecitas en las paredes, una alacena para los cereales y un estante para los platos. Apuesto a que tenéis una vajilla y tazas de porcelana por ahí escondidas para las visitas.

Llevaba razón. Mamá tenía ambas cosas, pero la ignoré y seguí calentando un poco de leche. Le tendí una taza humeante y ella la olisqueó, detectó que se trataba de cacao y alzó los ojos hacia el cielo.

–Es todo tan exageradamente anodino... ¿Acaso es esto lo que quieres para ti?

–No sé qué quiero para mí –repuse–. ¿Acaso lo sabe alguien a nuestra edad?

–Tal vez no –aceptó, con serenidad–, pero deberías saber que esto no es lo que deseas. Debes querer algo mejor.

–Nunca esperé nada mejor –contesté, y di un trago de mi taza.

Me miró de arriba abajo, con ojos críticos.

–Entonces, ¿la magia del vestido no surtió efecto?

–¿En qué sentido?

Esbozó su sonrisa felina.

–Merlin y tú.

–Ya te lo dije antes, Genevieve. No le quiero.

–Él es solo una ilusión, de todas formas, Katy. Lo descubrí muy rápido.

–Solo lo querías cuando yo lo quería –me desahogué–. Resulta obvio.

Se encogió de hombros y emitió un sonido que podría haber significado cualquier cosa.

–Me marcho. Pero ya lo sabes.

–Sí, lo he oído.

Bostezó y levantó los brazos por encima de su cabeza.

–Es una lástima que no valga la pena robar tu vida. Si fuera yo, si esta vida hubiera sido la mía, con tu madre loca, tus amigas aburridas y tu novio de cartón, no sé qué habría hecho.

–¿Por eso te vas? –pregunté, utilizando el mismo tono que ella.

Asintió.

–He tenido mucho tiempo para meditar, y puede que lo que ocurrió fuera para mejor.

–Definitivamente, no te echaré de menos. –Era un comentario grosero, pero no pude contenerme.

Se levantó y empezó a examinar nuestras fotos de familia.

–Te hice un favor, Katy. Cuando llegué eras un desastre, desaliñada y frágil. Ahora eres bastante atractiva y estás aprendiendo a defenderte por ti misma.

Me sentí en desventaja, sentada a la mesa mientras ella estaba de pie y parecía que se alzase sobre mí. Me levanté, incómoda con el vestido, el mismo que las dos habíamos querido, y contenta por no haberme quitado el abrigo. Me arrebujé en él. La casa estaba helada; el viento silbaba al colarse entre los huecos y agujeros del tejado, de las ventanas e incluso de los rodapiés. Era una casa destartalada y desatendida... Resultaba horrible ver de repente las cosas a través de los ojos de Genevieve. Parecía una ladrona saqueando nuestras pertenencias.

Intenté imprimir firmeza a mi voz y darle una entonación de carácter definitivo:

–Así que ambas nos alegramos de coger caminos distintos.

–Sí. La loca de tu madre se halla liberada de cualquier responsabilidad.

Aquella era la segunda vez en cuestión de minutos que llamaba loca a mamá.

–Nunca le ha hecho daño a nadie –repliqué.

Su rostro se ensombreció.

–Entonces, todavía no lo sabes...

Me enfrenté a ella, tratando de aparentar más seguridad de la que realmente tenía:

–Lo sé. Mamá me contó la verdad.

Sus ojos verdes centellearon.

–¿Y qué verdad es esa?

–La de que tu madre era una drogadicta. Mi madre vivía en la misma casa y tuvo que llamar a la policía el día que ella… –No pude pronunciar la palabra «murió», pero Genevieve cerró sus ojos en un gesto que interpreté como de dolor–. Ella te rescató, Genevieve. Solo tenías unos días de vida y llorabas de manera inconsolable.

Sus labios se movieron en silencio mientras digería mis palabras. Luego dijo:

–Eso es lo que te contó, ¿y te lo crees?

–Por supuesto.

–Pero eso no explica lo más importante.

–¿Qué es lo más importante?

–Nosotras.

–Eso está solo en tu cabeza –insistí, pero sentí que se formaba un nudo en mi estómago.

Genevieve se examinó las uñas con aparente indiferencia mientras decía:

–Tu color favorito es el añil; te gusta contemplar las nubes y a menudo ves caras en ellas; el olor de la carne te da náuseas; siempre te sientes como una extraña; le tienes miedo al agua y odias los dedos de tus pies porque están torcidos. ¡Ah!, y prefieres el invierno al verano, pero te preocupa que eso sea antinatural.

Se calló y yo me senté de nuevo.

–Cualquiera podría haberte contado eso.

–¿Por qué no lo afrontas? –repuso, con un bostezo.

–Estás equivocada… engañada…

Genevieve me miró fijamente desde el otro lado de la mesa:

–¿Tienes ese sueño? –Sonrió otra vez, mostrando todos sus dientes–. Cuando era pequeña, soñaba contigo todo el tiempo, estabas sentada frente al espejo, observándome. Imaginaba que aquello era algo parecido a

Narnia, solo que no había más que una lámina de cristal separándonos.

Sus palabras me cortaron como una cuchilla. Nunca le había hablado a nadie de aquel sueño.

–¿Es demasiado para soportarlo, Katy, saber que somos la misma? –Se inclinó y cogió mi mano derecha. Nuestros dedos se acoplaron perfectamente, igual que aquel día en el autobús–. Tu… mamá continúa sin aceptarlo –dijo con suavidad–. Ha reescrito el pasado hasta convencerse a sí misma. Cree que su versión de los hechos es la correcta porque lo que hizo es demasiado doloroso como para afrontarlo.

Mi cuerpo entero se había convertido en hielo. Temblaba de forma incontrolable y mi voz brotó entrecortada:

–No quiero saber nada más. Deberías marcharte, tal y como has prometido.

Agitó su cabeza en un gesto de negación, un gesto deliberadamente lento.

–No puedo irme aún. Esa mujer ha hecho que sea imposible. Sigue mintiendo, sigue escondiéndose de lo que hizo. Tengo que liberarte. ¿Estás preparada, Katy? ¿Estás preparada para la verdad?

37

Fue la noche más larga de mi vida. Cada minuto pareció durar un año entero. Mamá me encontró a la mañana siguiente sentada en su sillón. Llevaba allí desde que Genevieve se había marchado. La expresión de mi cara debía de ser horrible, porque se acercó corriendo, se agachó y me tocó; pero yo no podía sentir nada. Creo que me había convertido en piedra. Me acarició la mejilla y luego pasó la mano por el vestido, y dio la impresión de encogerse sobre sí misma.

—¿Qué te ocurre, Katy? Estás congelada y no has dormido en la cama. ¡Oh, Dios mío! ¿Alguien te ha hecho daño? ¿Te han atacado?

Me volví hacia ella con dificultad, con los ojos inyectados en sangre y la voz ronca.

—Genevieve estuvo aquí anoche. Estaba esperándome cuando llegué a casa.

Mamá se sobresaltó como si la hubieran golpeado.

—¿Qué quería?

No contesté. Mamá dio un paso hacia atrás y luego otro. Continuó así, como si quisiera escapar, hasta que alcanzó la puerta y murmuró algo acerca de ir a la cocina. Unos minutos después, se hallaba de vuelta con una taza que despedía una nube de vapor. Incluso cogió mis manos y las colocó alrededor de la taza para evitar que la

volcase. Yo no protesté, porque tenía los dedos entume-
cidos.

Di un trago y me atraganté con el té hirviendo.

–Iba a marcharse –expliqué, tosiendo–. Había decidido irse porque esto le parecía muy aburrido y mi vida
no le resultaba tan atractiva como para robármela, pero
entonces pasó algo que le hizo cambiar de idea.

–¿Qué?

Estudié el rostro de mamá como si no la hubiera visto
en mucho tiempo.

–Tú. Hablamos de ti, y eso lo cambió todo.

–Deberías haberla dejado ir, Katy, que se hubiera marchado de nuestras vidas.

–Tenía que defenderte –respondí, acalorada–. Ella debía saber que solo estabas protegiéndola.

Mamá se aferró a una silla para mantenerse en pie.

–¿Y qué dijo?

Los temblores comenzaron de nuevo y mis dientes
chocaron contra el borde de la taza.

–Que existía una razón para que tuviéramos tanto en
común…

Los ojos de mamá se agitaron enloquecidos, mientras
sus pupilas duplicaban su tamaño. Yo no estaba segura
de poder continuar con aquello. Sentía el impulso de parar, de fingir que lo que había sucedido la noche anterior
nunca había ocurrido y que todo sería como antes. Pero
no podía ser, no con lo que ahora sabía. La única manera
consistía en cerrar los ojos con fuerza y soltar la terrible
verdad:

–Genevieve me dijo que éramos familia… no solo hermanas, sino gemelas… mellizas.

–¿Y la creíste? –inquirió mamá, en un susurro.

Dejé la taza en la mesa auxiliar y apoyé la barbilla sobre mis manos.

–Me pareció estúpido, increíble, horrible y nauseabundo, pero...

–¿Pero?

–No hay otra explicación. Por eso pensamos igual y nos copiamos la una a la otra sin saberlo; y también por eso, tenemos desde pequeñas el mismo sueño.

Creí que mamá iba a desmayarse, pero se sentó. Parecía haber envejecido veinte años en un instante. Vi cómo se sucedían emociones contradictorias en su rostro a medida que los minutos pasaban y el silencio que reinaba en la estancia aumentaba hasta que resonó como un trueno.

Al fin, casi claudicando, se pronunció:

–Es cierto.

–¡Nos separaste! –la acusé, apretando tanto la mandíbula que me hice daño–. Ahora entiendo que Genevieve te desprecie.

–Tiene razones para hacerlo –respondió mamá, con una extraña calma.

Mi voz aumentó de volumen y sonó más incrédula:

–¿Lanzaste una moneda? ¿Te deshiciste de la que lloraba menos? ¿Cómo puede una madre hacer eso?

–Fue lo mejor.

–No vuelvas a decir eso.

–Creí que así era –repitió.

Permaneció inerte, con la cabeza gacha y las manos unidas, flácidas. Sentí el impulso de abalanzarme sobre ella y sacudirla.

–No puedes sentarte a esperar que se marche. Forma parte de nuestras vidas, nos guste o no.

–Es demasiado tarde para cambiar las cosas, Katy. Sabes cómo es. Nos destruirá.

–Solo piensas en ti.

–No. Estoy pensando en ti y en las cosas que te ha hecho ya.

Me parecía increíble estar defendiendo a Genevieve.

–Quizá no pueda evitarlo. Nunca le diste una oportunidad…

Mamá no protestó.

–Tienes razón, Katy. Eras tú o ella, y fue una elección terrible.

–No esperes que te dé las gracias por escogerme –respondí, despectivamente.

Me miró un segundo y luego bajó los ojos.

–No espero ningún agradecimiento, pero… cuando conozcas todos los hechos…

–No quiero saberlo –despotriqué.

Mamá se quedó sin habla, completamente muda, pero el impulso de reprenderla me resultaba irresistible.

–Y te inventaste la historia de la drogadicta que vivía en la habitación de abajo. Eso ha sido inmoral.

Su cara había cambiado de color, ahora mostraba un gris blanquecino, con una expresión que era una mezcla de *shock*, vergüenza y humillación; sin embargo, mi corazón se había endurecido por completo.

–No mentí –logró articular.

–Por supuesto que lo hiciste, y sigues mintiendo ahora. Toda mi vida es un engaño. –Me levanté, ansiosa por apartarme de ella.

–No te vayas. No es lo que piensas –me suplicó–. Te contaré la verdad, Katy. Toda la verdad.

Abandoné la sala de estar dando un portazo y salí a la calle. Pensé que mamá podría seguirme, así que miré hacia atrás por encima del hombro varias veces, pero no lo hizo. Eran apenas las siete de la mañana y el único vehículo que había en la calle era la furgoneta del repartidor de leche. Me miró con extrañeza al verme con el vestido de fiesta, pero se limitó a sonreír y continuó su camino. Solo había un lugar al que podía ir. Lo supe enseguida. El granero reformado se encontraba en los límites de la ciudad y tenía aproximadamente media hectárea de terreno. Subí unos escalones para cruzar una cerca y tomé un atajo por un prado cubierto de nieve. Enseguida, los bajos de mi vestido se mejoraron y se rasgaron. Los delicados zapatos de satén también se echaron a perder; uno de los tacones se había soltado y mis pies resbalaban peligrosamente porque los dos zapatos estaban empapados. Muy pronto empecé a caminar a trompicones, cojeando de forma agotadora, y me alegré cuando la casa apareció por fin ante mí. Las puertas originales del granero se habían transformado en enormes paneles de cristal que iban desde el suelo hasta el techo, y, al acercarme, pude ver a Genevieve, sentada a una mesa. Levantó la cabeza y me saludó.

–Sabía que vendrías –dijo, como si tal cosa.

–Y yo sabía que tú sabrías que vendría.

Nos reímos, y por primera vez apareció algo genuino entre nosotras, y no como si estuviéramos fingiendo.

–Entra –me invitó–. Puedes cambiarte y ponerte ropa mía.

La planta baja se veía completamente diáfana, con una sala de estar dominada por un sofá de aspecto esponjoso en forma de L, una moderna mesa comedor con espacio para ocho comensales y una zona de estudio aislada por un biombo. Incluso la cocina, de un rojo extravagante, quedaba a la vista, aunque estaba tan limpia y brillante que me pregunté si alguien cocinaba de verdad en ella. Todo era una combinación de viejo y de nuevo, aunque ambos estilos se complementaban. Había una galería de roble de color claro a la que se accedía por una escalera del mismo material con cuatro rellanos.

Seguí a Genevieve escaleras arriba, mirando todo el tiempo hacia lo alto y escuchando el eco de nuestras pisadas en aquella especie de caverna. Su dormitorio no era excesivamente grande, pero tenía buenas vistas del prado. Ese día todo parecía perfecto: tejados blancos por la escarcha, la aguja de una iglesia cubierta de nieve, los árboles y los arbustos extendiendo sus ramas nevadas… Genevieve me tendió unos vaqueros y un jersey de su armario y me desnudé sin ningún pudor, percibiendo la ironía de que ella ahora me pareciera una extensión de mí misma. Sus ropas, e incluso sus zapatillas de deporte, se me ajustaban como un guante. Me ofreció un cepillo y, cuando me miré al espejo, caí en la cuenta de que seguía teniendo el moño francés, lo cual no encajaba con la ropa que acababa de ponerme. Retiré con cuidado las horquillas y tiré del pelo para deshacer aquel peinado.

–¿Eras poco femenina? –me preguntó Genevieve, con curiosidad–. Cuando eras pequeña, me refiero.

–Sí –asentí–, siempre quería jugar con Luke y su pandilla.

Ella hizo una mueca.

—Yo también, pero tenía que ponerme vestidos color chicle, llenos de corazones y lacitos, y blusas con plisados.

En mi mente surgió un recuerdo, algo que había leído en una revista.

—Algunos gemelos poseen su propio lenguaje y no hablan durante años, pero... nosotras somos mellizas, así que...

—Eso no importa —me interrumpió con ferocidad—. Los gemelos y los mellizos lo comparten todo. Lo lógico es que hubiéramos estado juntas, ¿no te parece?

Algo en la intensidad de su mirada hizo que me estremeciese.

—Es increíble que nos encontremos aquí... las dos.

—Ahora no puedo dejarte, Katy. ¿Lo sabes?

Asentí, y noté que me invadía una sensación de temor que me resultaba familiar, incluso a pesar de que ella se estaba mostrando casi normal por una vez.

—No te marchas, así que nos veremos con frecuencia la una a la otra —asentí, con un murmullo.

—No solo quiero verte —repuso, con tono burlón—. Estuvimos juntas en el vientre de nuestra madre durante nueve largos meses; eso es lo que ocurre con los gemelos y con los mellizos. Se pertenecen el uno al otro, y tú me perteneces, Katy.

De repente recordé sus palabras: «Debería ser como si nunca hubieras nacido». Seguía sin saber qué quería decir con aquello, pero su recuerdo provocó que se me erizase la piel.

Genevieve examinó los destrozos del vestido de sirena.

—¿Has dormido?

–No… ni un solo segundo.

–Yo tampoco –admitió–. Venga, vamos a desayunar.

La cocina era una delicia. Aparte de las puertas rojas y relucientes, había encimeras de granito negro, y una cocinilla con un protector de pared de acero inoxidable. Saltaba a la vista que los propietarios de la casa vivían bien. Tenían una nevera de estilo americano y una cafetera italiana (con una selección de cinco tipos diferentes de grano), así como un exprimidor eléctrico y otros aparatos que ni siquiera fui capaz de identificar. Genevieve preparó huevos revueltos para las dos, justo como a mí me gustaban, poco hechos pero no demasiado líquidos, roscos de pan integral, muesli y zumo de naranja. Me dio la impresión de que se sentía a gusto allí, como en casa, y me pregunté cómo podía dejar todo aquello por una vida llena de incertidumbre.

–¿Sabe… la gente con la que vives… saben ellos algo de nosotras? –le pregunté, mientras mi estómago se mostraba agradecido por los primeros alimentos del día.

Negó con la cabeza y respondió:

–Me apoyan bastante y son agradables, pero no permito que nadie conozca… no confío en ellos. Ya no.

No fue necesario que diera más explicaciones. Me había pasado toda mi vida intentando no intimar con la gente. Siempre había pensado que eran los demás quienes se mantenían a distancia, pero ahora me daba cuenta de que, probablemente, había sido mi frialdad la que había actuado como una barrera.

–Es mejor no depender de nadie –añadió–. Así no pueden hacerte daño.

Resultaba increíble que nuestras vidas hubieran sido tan distintas y que, sin embargo, nos pareciéramos tanto. No hizo falta que le contase que me había costado hacer amigos: ella me lo había dicho, con crueldad, la primera vez que habíamos hablado. Fingí no estar mirando cuando Genevieve echó pimienta en sus huevos y no les puso sal, o cuando se comió los cereales solo con un poco de leche. Yo hice exactamente lo mismo; éramos dos caras de un mismo reflejo. Y llegó la hora de la pregunta del millón de dólares. Me pareció que era el momento adecuado para formularla. Dejé sobre la mesa mi cuchillo y mi tenedor y apuré la taza de café.

—¿Cuándo lo supiste?

Se pasó un dedo por los labios mientras meditaba la respuesta.

—Siempre, supongo. No puedo recordar un momento en el que no supiera de ti, pero creía que era culpa mía que no estuvieras conmigo.

—¿Por qué?

—Mis padres adoptivos me dijeron que yo era mala —contestó, y su voz sonó casi alegre—, así que creí que era responsable de nuestra separación.

—¿Y cómo me encontraste, Genevieve?

Sus verdes ojos miraron en la profundidad de los míos, y al hacerlo estaban húmedos, como nenúfares en el agua.

—Fue una coincidencia… o el destino, como quieras llamarlo.

Respiré hondo.

—¿De verdad?

—De verdad —repitió, con énfasis—. Me había movido por todo el país, así que ¿tan raro te parece que acabase

viniendo a tu ciudad? Aquel día en el autobús lo supe…
¿Me vas a decir que no sentiste algo tú también?

Nos habíamos encontrado por pura coincidencia. No estaba segura de si eso resultaba más difícil de creer que la idea de que ella hubiese descubierto, de algún modo, dónde me encontraba yo y me hubiera seguido el rastro. Genevieve pensaba que era cosa de la providencia, y resultaba complicado no mostrarse de acuerdo.

–Sí, sentí algo –tuve que confesar–, pero no sabía de qué se trataba. Solo percibí oleadas de… de tu emoción. Pensé que se trataba de odio.

Ladeó su cabeza como un perro que esperase una caricia.

–Te odié. Parecías tan feliz que quise borrar aquella sonrisa de tu cara, o quizá lo que ansiaba era sacudirte para hacerte salir de tu pequeño y complaciente mundo.

–¿Me culpabas por lo que había ocurrido?

–Sí –sentenció. Aguardé a que se extendiese en su respuesta, pero no lo hizo; en cambio, me hipnotizó con sus ojos. Nadie me había mirado antes de aquella manera, y ella podía leer mis pensamientos más íntimos, lo que favorecía que su mirada fuera doblemente agresiva.

–¿Por eso me hiciste todas esas cosas horribles?

Genevieve se encogió de hombros en un gesto de indiferencia.

–Tú nunca sufriste… ni siquiera sabías que yo existía. ¿Sabes cómo me sentí cuando te vi por primera vez aquel día, riéndote despreocupada?

–Pero eso no era culpa mía.

–Intenté contactar contigo –insistió ella, dándose unos golpecitos en un lado de la cabeza–. Deberías haberlo sentido. Deberías haber estado receptiva. ¡Yo te quería tanto! Pero… a medida que pasaban los años empecé a despreciarte y a odiarte.

–No hice nada malo –repetí–. No deberías haberme culpado.

Levantó las manos, con las palmas hacia arriba, y habló casi para sí misma:

–Al principio quería que sufrieras… y después deseé que desaparecieses; pero al final me di cuenta de que esto representaba una segunda oportunidad para nosotras. Ahora todo volverá a estar bien otra vez.

Emití un bufido de incredulidad.

–Así de sencillo. Esperas que te perdone y lo olvide todo.

Pareció desconcertada ante mi resistencia. Para ella la situación se reducía a blanco o a negro.

–Tienes que entender cómo me sentí yo, Katy. No poseía nada; tú lo acaparabas todo. Pero no tenía sentido odiarte o quitarte de en medio. Ahora me doy cuenta de que nunca podremos escapar la una de la otra, y de que nadie nos volverá a separar.

Aquello no tenía buena pinta, sus palabras me estaban asustando de verdad. Nada de lo que había hecho o dicho hasta ahora me hacía creer que fuera capaz de cambiar. Había pasado de querer borrarme de la faz de la tierra a tener una actitud posesiva sofocante que me ponía igualmente de los nervios. Y estaba la cuestión de mamá y de cómo iba ella a sobrellevar la nueva situación.

–Mamá solo contaba con veintiún años –intenté explicarle–. No sabía lo que hacía. Nadie se enteró de lo de su embarazo, y probablemente sufrió una depresión...

–¿Por qué sigues defendiéndola?

–Resulta raro –murmuré–. La persona a la que mejor conoces y en la que más confías de todo el mundo parece ser alguien diferente... una persona que pudo hacer algo inimaginable.

–¿Acaso alguien es lo que parece, Katy? Todos nos ponemos máscaras ante la gente, porque pensamos que si vieran a la verdadera persona que hay en el interior, no les gustaría.

Me envolví en mis brazos antes de formular la siguiente pregunta:

–¿De verdad no les hiciste nada a tus padres adoptivos?

No podría asegurar si sonrió o si solo fue un efecto de la luz.

–Eran las personas más horribles que puedas imaginar... engreídos, santurrones, incapaces de amar o de disfrutar; toda su vida se limitaba al sufrimiento, la obediencia y el castigo. Me dejaron en un altar casero con el fin de que rezase para convertirme en una niña buena, junto a dos velas encendidas. Abrí la ventana y la cortina se prendió fuego, y se extendió muy rápido.

Cerré los ojos y agradecí en silencio que el incendio no hubiera sido intencionado, pero todavía quedaba el otro incendio, el de la vicaría.

–¿Y nunca has vuelto allí desde entonces?

–Nunca.

Quería creerla desesperadamente, porque la alternativa era demasiado terrible.

–Creo que es cosa del destino –empecé a decir, despacio, a pesar de todos mis temores–. Estábamos predestinadas a encontrarnos, nosotras y nuestra madre, para tener una segunda oportunidad.

–Tenemos la misma madre –aceptó, pero su voz sonó extraña, como si la hubiera ensayado–. Nadie puede discutir eso.

–Entonces… ¿qué hacemos ahora?

–Creo que es hora de que vayamos a verla, Katy… juntas.

38

Nos sentamos juntas en el asiento trasero del coche. De vez en cuando, su cabeza caía de cansancio y se apoyaba en mi hombro. No la apartaba. Observé la cara de mamá en el espejo retrovisor, sus ojos grandes, atormentados, pero en ningún momento me devolvió la mirada. Sentí que el instante en que todo parecía aclararse volvía a escapárseme de las manos, como un barquito de juguete que se aleja mar adentro. Habíamos ido a casa y había imaginado que se produciría algún enfrentamiento, pero no había llegado a ocurrir tal cosa. Mamá no parecía sentir amor ni remordimientos hacia la niña que había entregado en adopción, ni tampoco parecía dispuesta a explicar por qué solo pudo quedarse con uno de sus bebés; su única reacción fue de miedo y aprensión. Genevieve y ella intercambiaron palabras entre susurros, lo que acabó con mamá poniéndose en marcha, y, en cuestión de pocos minutos, había preparado una bolsa con comida, bebida, mantas y una linterna, por si hacían falta debido al mal tiempo. Me dijo que me pusiera mi chaqueta más abrigada, calcetines gruesos y botas, y que me subiera al coche, sin decirme por qué.

Mamá se alejó de casa como un piloto de fórmula uno, pese a las advertencias que habían emitido por radio y televisión de que no se realizasen viajes innecesarios. Por lo general, ella era muy cautelosa, pero vi, por las señales de la carretera, que nos dirigíamos a la autopista, aunque la vista se reducía a unos pocos metros por delante del coche. Fuera lo que fuera lo que teníamos que hacer, no podía esperar. Debí de quedarme adormilada por el cansancio; kilómetro tras kilómetro, la nevisca me iba hipnotizando gradualmente y, al final, fue un alivio perder la conciencia y que mi mente se rindiera sin presentar batalla. Mis párpados parecían de plomo y se fueron entornando hasta cerrarse por completo y dar paso a una inconsciencia profunda, sin sueños.

Cuando volví en mí, lo hice poco a poco, sin la más remota idea de cuánto tiempo había transcurrido. Mi cerebro me decía que me despertase del todo, pero mi cuerpo se negaba a obedecer. Me sentía tranquila y a gusto en mi mundo de penumbra. Oí voces suaves, pero no podía distinguir a quién pertenecía cada una de ellas. Ni siquiera sabía si eran reales o si solo se localizaban en mi cabeza.

–¿Este es el sitio?

–Sí.

–¿Estás segura? Debe de haber cambiado.

–He venido otras veces… muchas, para visitarla.

–¿Katy todavía no lo sabe?

–No tiene ni idea. No sé qué pensará.

–¿Cómo vamos a decírselo?

–No hará falta. Resultará obvio cuando lleguemos.

Parpadeé y las voces cesaron. Me desperecé con un sonoro bostezo, mientras mis párpados seguían poco dispuestos a abrirse. Al mirar mi reloj, comprobé que había dormido durante casi dos horas.

–¿Dónde estamos?

–Solo hemos parado para descansar –respondió mamá, y la vi intercambiar una mirada con Genevieve por el retrovisor. Froté la ventanilla cubierta de vaho con la mano y eché un vistazo al exterior. La nieve era más densa y el cielo parecía completamente teñido de marfil, con un ligero indicio de azul abriéndose paso. Era primera hora de la tarde, pero la luz ya comenzaba a menguar. El coche estaba aparcado frente a un edificio bastante alto que, en otra época, seguramente fue imponente, con una escalinata que llevaba a una puerta principal negra y enorme, y siete u ocho timbres a uno de los lados. Nadie dijo nada.

–Aquí es donde vivías, ¿verdad? –pregunté.

–Sí –contestó mamá, sin explicar por qué habíamos conducido durante horas solo para quedarnos sentadas allí fuera.

–¿Podemos entrar?

Mamá negó con la cabeza.

–Ahora son apartamentos privados, Katy, con su portero automático y todo lo demás. No nos dejarían.

–De todas formas, no hay nada que ver –añadió Genevieve.

–No, nada de nada –corroboró mamá.

–Y tenemos que ir a otro sitio. –Genevieve habló con decisión, y esa pareció ser la señal que mamá estaba esperando. Quitó las llaves del contacto y se puso los guantes antes de abrir la puerta del coche. Genevieve salió también por su lado, abrochándose el abrigo y poniéndose un gorro con borlas sobre las orejas. Sabía que me estaban esperando. Ambas se dirigían a un lugar concreto y yo las seguía a ciegas. A pesar de la nieve, parecía que Genevieve tuviera alas en los pies, y enseguida caí en la cuenta de que era ella quien se encontraba a cargo de la situación y de que mamá se había rendido. Miré a mi alrededor. El lugar donde había nacido no poseía ningún encanto, ni despertaba ninguna sensación de *déjà vu*. Allí todo parecía consistir en pequeñas callejuelas oscuras con hileras de casas adosadas a las que ni siquiera la nieve lograba otorgarles el menor atractivo. Las luces de la calle ya estaban encendidas, y teñían el paisaje blanco de una luminosidad amarilla. No vimos prácticamente a nadie mientras caminábamos en fila india, con paso pesado y la vista emborronada por los copos que caían y se arremolinaban delante de nosotras. Se me pegaban a las pestañas y tenía que parpadear con fuerza para desprenderme de ellos. Era como hallarse en el interior de una de esas bolas de cristal con una ciudad nevada en miniatura en su interior.

–Esto es un atajo –informó Genevieve, que dirigía la marcha a través de una serie de callejones estrechos. Tenía que caminar por el centro para evitar resbalar y caerme a las canaletas de desagüe que pasaban junto a un muro de gran altura cubierto de grafitis. Distinguí nombres, lemas pegadizos y declaraciones de amor, y pensé en toda la gente que había pasado por allí antes que nosotras.

Me pregunté si mamá habría utilizado aquel atajo cuando era solo unos cuantos años mayor que yo ahora, y se encontraba llena de vida y esperanza. Mi padre podría haber venido con ella por aquí, y haberla besado y prometido que la amaría siempre, antes de desaparecer de su vida. Intenté intercambiar una mirada con ella, pero sus ojos enfocaban fijamente al frente, sin dar muestras de reconocer el lugar ni de tener el más mínimo interés. Desembocamos en otra calle flanqueada por casas de estilo victoriano, con árboles de Navidad claramente visibles a través de las ventanas cuadradas. Casi esperaba ver a niños con ropas pasadas de moda jugando con trineos de madera y persiguiendo aros de juguete. Genevieve se detuvo frente a la verja de una vieja iglesia, la de Saint Jude.

Soltó una carcajada amarga y dijo:

–El santo patrón de las causas perdidas.

Miré a mamá para ver su reacción, pero parecía distante y dolida al mismo tiempo. Permanecí en silencio. Genevieve empujó las puertas de madera de la verja y avanzó hacia el templo por el sendero. Me pregunté si sería algún tipo de prueba. ¿Acaso iba a someter a mamá a un juicio por lo que había hecho, en una iglesia que poseía algún significado para Genevieve? Semejante dramatismo parecía propio de ella, y el comentario que acababa de hacer sobre San Judas tendría entonces sentido. Era el lugar perfecto para una confesión. Pero no entró en la iglesia. Se desvió a la derecha, hacia la estatua de piedra de un ángel que sobresalía por encima del resto de lápidas.

No me pareció extraño encontrarme en un cementerio nevado a kilómetros de casa, al menos no más que todo lo que había ocurrido últimamente. Caminé con cuidado entre las tumbas, tratando de seguir las huellas de Genevieve. Los estorninos bajaban en picado y plegaban las alas, preparándose para la llegada de la noche. Parecían minúsculas cruces negras.

Genevieve se detuvo y yo miré hacia abajo. A pesar de estar cubierta por la nieve, daba la impresión de que aquella tumba llevaba tiempo desatendida, pues nadie se había preocupado de quitar las malas hierbas que asomaban a su alrededor. Genevieve se agachó, apartó la nieve de un ramillete de flores artificiales y luego las adecentó con mimo, mientras su rostro parecía a la vez animado y oscuro. Por lo general, sus sentimientos eran tan intensos que podía leer su mente como en un libro. Mamá movía los labios sin emitir ningún sonido, como si rezase, y deduje que conocía a la persona enterrada allí. Yo continuaba siendo la única a la que no le habían asignado un papel en aquella representación. Leí el nombre grabado en la lápida, tratando de hallar alguna pista: Jessica Myers.

–¿Quién es? –pregunté, con voz suave.

Los ojos de Genevieve estaban concentrados en algo muy distante.

–Jessica Myers nunca tuvo una oportunidad. No contó con unos padres que la arropasen por las noches y que pegasen sus burdos dibujos en la pared. Entraba y salía de los Servicios Sociales; la enviaron de un lado a otro como si fuera un perro callejero al que nadie quería, hasta que se quedó embarazada, cuando todavía era una adolescente que vivía en un mugriento apartamento…

–No entiendo.

–Podría haber albergado la esperanza de darle un vuelco a su vida. Por fin tenía a alguien a quien amar y que la amaría a ella… pero eso no fue suficiente para salvarla.

–¿Quién era, Genevieve?

–Solo una persona solitaria, evitada cuando estaba viva, y convertida en un monstruo una vez muerta. Entonces sí que atrajo el interés de todo el mundo... aquel día aciago...

Las lágrimas resbalaron por las mejillas de mamá, brillando como el hielo.

–¿Qué día? –quise saber.

–El día que murió y que su bebé desapareció. ¿Sabes? No hubo allanamiento de morada. El carrito del bebé estaba dentro del apartamento, y la única persona que podría haber entrado era alguien que conociera el edificio. Pero nunca se investigó, porque todo el mundo dio por hecho lo peor. Dijeron que se había suicidado para encubrir su desidia.

Me giré hacia mamá en busca de una respuesta, pero parecía tan congelada como las estatuas que nos rodeaban. Genevieve siguió hablando como si leyera un guión.

–Nunca le permitieron huir de su pasado, todos la juzgaron y la condenaron... y la persona que conocía la verdad nunca dio un paso al frente.

–¿Quién era ella? ¿Quién era su bebé? –grité, frustrada.

–Yo –respondió al fin Genevieve, con la voz tensa por la emoción.

Perdí el equilibrio y estuve a punto de tropezar y caer sobre la tumba.

–Pero... ¿cómo puede ser? Somos hermanas... mellizas.

–Lo sé.

Se quitó uno de los guantes y apartó la nieve para dejar a la vista un fragmento mayor de la lápida. Leí tres palabras: «Madre de Grace».

Miré a Genevieve, que me devolvió la mirada con la expresión de un ilusionista que no está seguro de si su truco va a funcionar. Retiró otra capa de nieve con la mano y vi cómo quedaban a la vista nuevas letras. Leí las últimas palabras: «... y de Hope. Descanse en paz para toda la eternidad».

–¿Madre de Grace y de Hope? –exclamé en voz alta–. ¿Quién es Hope?

–Tú –respondió Genevieve, en un susurro.

39

El frío me atravesaba todo el cuerpo y moví los dedos de los pies en un intento de comprobar que seguían allí. Me sentía vacía por dentro, como si me hubieran exprimido para sacarme toda la vida y lo único que quedase fuese una concha hueca. Genevieve decía la verdad. Tenía la certeza de que era así. Miré a la mujer que había fingido ser mi madre durante dieciséis años.

–¿Me secuestraste?

–No pretendí hacerlo –murmuró–. Solo quería consolarte.

–¿Cómo pudiste hacerlo? –grité–. ¿Cómo pudiste… simplemente quedarte conmigo como si nada?

–Nadie sospechó –repuso, con sorprendente sinceridad–. Había traído a mi propio bebé a casa desde el hospital, y una matrona me había visitado para comprobar nuestro estado… ¿por qué iba a pensar alguien que me hallaba involucrada?

–Eras tan respetable… –comentó Genevieve, con desdén–. No como nuestra madre, que era bien conocida en los Servicios Sociales. Ella representaba un problema, un mal ejemplo, alguien a quien se debía vigilar y sobre quien se podía escribir.

–Y me llevaste contigo, lejos –añadí.

Cerró los ojos.

–No podía quedarme allí.

Aquello parecía un sueño. Estaba anonadada.

–¿Y cómo debería llamarte ahora?

–Sigo siendo tu…

–No eres mi madre –la interrumpí con vehemencia, y al hacerlo percibí la sonrisa de Genevieve–. No creo que pueda volver a llamarte así.

Asintió con dificultad.

–Tienes razón, me lo merezco. Quizá podrías llamarme por mi nombre… Rebecca.

La miré, en un estado de terrible confusión, e intenté reconocer en ella algo que me resultase familiar; pero en un instante, se había convertido en una extraña para mí. Se encogió ante mi escrutinio, como si mis ojos le arrojasen dardos que se clavasen en su cuerpo.

–Por favor, no me mires así –dijo al fin–. No soy lo que tú crees.

–Y ¿qué debería creer?

–Fue un momento de locura. Hice algo que no iba con mi carácter. Me hallaba perturbada por… y después de haber encontrado a Jessica así, y más tarde… me sentía avergonzada y asustada por lo que había hecho.

Su voz se fue apagando mientras yo trataba de comprender lo que decía. Se había convencido de que solo había perdido el control de sus actos durante un momento, pero yo no podía olvidar que había tenido dieciséis años para arreglar el error. Aunque tampoco podía ignorar el hecho de que me había querido durante todo ese tiempo. No sabía qué sentir y me dolía la cabeza una barbaridad.

–Solo pensaste en ti misma –la acusó Genevieve.

–No, eso no es cierto –dijo Rebecca, con voz temblorosa–. Pensé que podría darle a una de vosotras un buen hogar, pero nunca dejé de lamentar haberos separado. He vivido con ese remordimiento cada día, la culpa me consumía…

Genevieve frunció el ceño y tiró de mi brazo. Nos cobijamos bajo los arcos del claustro de la iglesia, donde había bancos de piedra y el suelo era de losas antiguas. Ella se sentó a mi lado, y Rebecca permaneció de pie, bebiendo de una de las botellas que habíamos traído. Le toqué el hombro.

–¿Qué sucedió realmente aquel día?

Buscó un pañuelo de papel en su bolsillo y tardó un poco en reaccionar hasta que fue capaz de decir:

–Ocurrió tal y como te conté, excepto por una cosa. Usé la llave que Jessica dejaba siempre escondida para entrar en su apartamento. Sabía dónde la ocultaba, y pensaba que podía encontrarse enferma… El sonido de los llantos era insoportable.

Sentí que Genevieve se ponía tensa, pero no la interrumpió.

–Jessica todavía estaba caliente, pero sus ojos ya no respondían… ya no quedaba vida en ellos, y sin embargo… parecían suplicarme que hiciera algo. El carrito estaba allí, pero solo había un bebé en él. El otro debía de estar en la cama. Lo cogí y me dije que solo lo hacía para consolarla. Tenía el pañal sucio, así que lo llevé arriba…

–¿Dónde estaba tu propio bebé? –siseó Genevieve–. Contesta. ¿Dónde?

Rebecca inclinó la cabeza fuera del claustro para observar la nieve que caía. Cuando se giró hacia nosotras, su rostro brillaba y tenía el pelo aplastado.

–Mi querida Katy yacía fría y blanda –logró murmurar–. Cuando me quedé dormida, le acababa de dar el pecho y permanecía caliente; pero, de algún modo, durante la noche... simplemente dejó de respirar.

Resultaba difícil aceptar el hecho de que la Katy de la que hablaba no era yo. Había perdido mi identidad y sentía como si ya no existiera. Ni siquiera mi cumpleaños coincidía con la fecha en la que lo había celebrado durante los últimos dieciséis años.

–Quizá fuese muerte súbita –sugerí, sintiéndome obligada a ponerle las cosas algo más fáciles.

Rebecca asintió y tragó saliva, al tiempo que comenzaba a moquear.

–Eso creo, y deseo con todas mis fuerzas que no fuese por algo que hice o dejé de hacer.

–Nadie lo sabrá nunca –refunfuñó Genevieve.

Los ojos de Rebecca se empañaron.

–Pero no me he olvidado de Katy, ni por un solo segundo. Siempre llevo su recuerdo conmigo.

Ahora comprendía su congoja, aquella mujer que me había robado para reemplazar a su propia hija, nunca había logrado escapar de sus recuerdos.

–Pensaste que estaba bien adueñarte del bebé de otra persona –dijo Genevieve, amargamente.

–Tendré que responder por ello –contestó Rebecca, con toda la dignidad que pudo reunir, y me pregunté qué pretendía hacer ahora. ¿Entregarse a la policía? Pero eso no serviría para compensar la infancia perdida de Genevieve.

–Mis padres adoptivos me contaron que nos habían separado porque yo era malvada –empezó a decir, con tono feroz–. Y cuando crecí, descubrí que todo el mundo pensaba que mi madre era... responsable de la muerte de mi hermana, de mi melliza.

Rebecca se sorbió la nariz y Genevieve le lanzó una mirada de rabia antes de proseguir:

–Y entonces te vi, Katy, aquel día en el autobús, y supe quién eras... No me llevó demasiado tiempo averiguar lo que había ocurrido en realidad.

Rebecca se vino abajo, volvió la cara para que no pudiéramos verla, y se apoyó contra los gruesos portones de madera de la iglesia. Una parte de mí quería acercarse y consolarla, pero no pude.

–Tenéis razones para odiarme –sollozó–. Lo que hice estuvo muy mal y nada lo justifica... Nada en absoluto. Intentaré arreglarlo.

Genevieve se puso en pie, con el rostro contraído en una expresión de rabia.

–¡No puedes hacer nada para arreglarlo!

Vi que Rebecca se mordía los labios con fuerza y los apretaba, como si temiese lo que Genevieve pudiera seguir diciendo. Miré hacia el exterior y experimenté un miedo creciente. Los copos de nieve eran ahora tan grandes como monedas de cincuenta peniques y caían con increíble rapidez. Las huellas que habíamos dejado en el sendero ya habían desaparecido por completo.

–Deberíamos irnos –les urgí–. Volvamos al coche y decidamos qué hacer.

Rebecca asintió para mostrar su conformidad y las dos miramos a Genevieve para que nos guiase. Por un momento, una expresión de diversión apareció en su rostro y me pregunté qué podría estar pensando, pero luego se colocó el gorro y se ajustó los guantes para, a continuación, indicarnos que la siguiéramos con un movimiento de la cabeza. Tardamos el doble de tiempo en volver, y eso que Genevieve debía de tener un buen sentido de la orientación, porque ahora todas las calles parecían idénticas. Había muy pocas huellas, lo que significaba que la gente estaba siguiendo el consejo de permanecer en casa. Cuando llegamos al coche estábamos las tres agotadas y nuestro aspecto estaba muy deteriorado, con la nariz enrojecida y el rostro crispado.

Rebecca se dejó caer en el asiento del conductor.

–Deberíamos poner la radio –dije yo–. Puede que la autopista esté cortada al tráfico, o algo así.

Rebecca hizo un gesto con la mano para quitarle importancia a mi inquietud, y de nuevo me desconcertó su repentina valentía. Ya había atardecido, y desde que nos habíamos puesto en marcha habían caído unos cuantos centímetros más de nieve, pero aun así ella se hallaba dispuesta a enfrentarse a la nieve, el hielo y la escasa visibilidad con un coche de quince años. Sentí que mi estómago se estremecía al pensar en el viaje que nos esperaba. Me pregunté si Genevieve se sentiría igual, pero se había sumido en el silencio y miraba, impasible, a través de la ventanilla.

–¿Por qué no buscamos algún hostal? –sugerí, pero mi voz brotó extrañamente aguda.

Una mano se abrió paso hasta el asiento trasero y me dio unos golpecitos en la pierna para tranquilizarme.

–Conduciré despacio y sin adelantar a nadie. No pasará nada, confía en mí.

Traté de relajarme, pero mi aprensión crecía cada vez más. No podía creer que Genevieve se mantuviese tan tranquila. Lo que se veía en el exterior me recordaba la escena de alguna película apocalíptica, con coches abandonados en mitad de la calle y la ciudad vacía, sin habitantes. Ninguna de las calles secundarias había sido cubierta con grava, y nuestro coche parecía totalmente vulnerable. Producía un chirrido extraño, y las ruedas patinaban cada vez que nos daba de lleno la ventisca, o cuando tomábamos una curva y nos acercábamos demasiado a la acera.

–La autopista estará despejada –anunció Rebecca, con tono alegre. El velocímetro no pasaba de los quince kilómetros por hora, y no parecía que fuésemos a llegar a ningún lado. Vi una señal que indicaba la biblioteca pública y me di cuenta de que ya la habíamos pasado hacía cinco minutos.

–Creo que esto no es una buena idea –insistí, pero mi voz apenas resultaba audible. Sentía una presión en la garganta, como si me estuvieran estrangulando lentamente. Pesaba una sensación de inevitabilidad en el ambiente que no podía entender.

–Creo que vinimos por aquí, chicas. Esto debería llevarnos a la carretera de dos carriles y al enlace con la autopista.

–No recuerdo haber visto este puente antes –murmuré, cuando el coche comenzó a ascender por la cuesta.

La risa de Rebecca sonó forzada cuando respondió:

–Yo tampoco, pero ahora veremos adónde nos lleva.

Genevieve no se había movido ni hablado desde que nos habíamos subido al coche, así que sentí el impulso de gritar y sacudirla para sacarla de aquel estado de inercia. Era como si se hubiera encerrado en sí misma y se hubiera alejado de nosotras. Volví a concentrarme en la carretera. Nos encontrábamos en algún lugar fuera de la ciudad y nos estábamos adentrando cada vez más en el campo. No había farolas, lo que creaba la sensación de que penetrábamos poco a poco en el infierno. Algo iba mal. Estaba convencida, pero no podía hacer nada al respecto. Incluso cuando Rebecca admitió al fin que aquello había sido un error, la sensación no menguó. Intentó dar la vuelta, pero la calle era muy estrecha y la nieve lo hizo imposible. Apoyó su cabeza sobre el volante.

–¿Y si das marcha atrás? –sugerí.

–No es posible. Tendremos que seguir adelante e intentar localizar una granja o una casa.

Pisó el acelerador varias veces y el coche se estremeció un poco, pero se negó a moverse. Intentó desplazarse tanto hacia delante como hacia atrás, y las ruedas rechinaron con un sonido horrible. Pensé que el coche caería en una zanja, pero se quedó inmóvil, bloqueando diagonalmente la carretera.

–Chicas… estamos atrapadas.

Intenté centrarme.

–Podemos quedarnos en el coche y esperar a que amanezca. Has traído comida y mantas.

Rebecca se frotó la barbilla y miró hacia fuera.

–No podemos permanecer aquí. Sin las luces somos un peligro.

Recordé lo que Luke me había dicho cuando vigilábamos la vicaría.

–Tenemos que apagar las luces y la calefacción para que no se agote la batería, ¿verdad?

–Sí –respondió Rebecca.

–Entonces, ¿qué podemos hacer?

–Lograremos salir de esta –declaró, con tono decidido–. Traje una pala, porque lo recomendaron en la radio. «Para realizar cualquier viaje urgente, lleven con ustedes una linterna, comida, agua, mantas, un teléfono y una pala.»

Quise señalar que no hubiera hecho falta ir hasta allí en un día como ese, pero vi que había sido incapaz de evitarlo. Le había negado tantas cosas a Genevieve que no podía oponerse a aquel viaje. Volví a mirar a mi melliza. Parecía dormitar, aunque no estaba segura de que no estuviese fingiendo. Rebecca y yo salimos del coche. No me dejó cavar, así que me limité a alumbrarle con la linterna para que pudiera ver lo que hacía. Los únicos sonidos que se escuchaban eran sus jadeos producidos por el esfuerzo y mis intentos por mantenerme caliente. Había muchas cosas que deberíamos habernos dicho, pero nos encontrábamos más allá de cualquier explicación.

–¿Me odias? –me preguntó al fin, y me di cuenta de que echaba un vistazo hacia el coche, como si no quisiera que Genevieve nos oyese.

–No te odio –respondí enseguida. A pesar de mi desconcierto, tenía que decirle la verdad, que brillaba con claridad en mi mente–. No puedo eximirte de culpa por lo que hiciste, pero creo que puedo… entender la razón que te empujó.

Aquello pareció aliviarla, y pude distinguir el destello de las lágrimas en sus ojos. Continuó con energías renovadas y poco después pareció darse por satisfecha. La nieve todavía era ligera y blanda, así que solo nos había llevado quince minutos liberar las ruedas. Abrió el maletero y guardó la pala, y luego se sacudió la nieve que se había adherido a sus botas. Lo único que añadió fue:

–Algún día… espero que seas capaz de perdonarme.

Puso otra vez en marcha el motor y movió el coche muy despacio. Consiguió sacarlo del agujero, pero, de nuevo en la carretera, el vehículo patinaba peligrosamente.

–Debemos encontrar un área de descanso o algún sitio donde podamos apartarnos –dijo, y pude percibir verdadero temor en su voz.

Tenía las manos pegadas al volante, en un intento de controlarlo, pero el coche parecía tomar sus propias decisiones. Yo sabía que era inútil, y ella también. Solo se me ocurrían dos opciones, podíamos parar y llamar a los Servicios de Emergencia, pero no teníamos ni idea de dónde estábamos; o podíamos quedarnos allí y mantenernos alerta, por si algún tractor o alguna máquina quitanieves lograba abrirse paso.

–Veo una señal allí, a la izquierda.

No sin dificultad, Rebecca desvió el coche hacia un sendero de tierra y luego lo aparcó en un claro junto a una pequeña arboleda. La señal era un anuncio de un lago de pesca, con los horarios de apertura y los precios por hora. Apagó el motor y observé que la tensión abandonaba su cuerpo.

–Dadme un momento para que saque las mantas y la comida. Aquí estaremos a salvo –dijo, con un suspiro–. Por lo menos hasta que amanezca.

40

Creí que era un sueño. Había una luz en algún lugar de mi conciencia, una mano que me zarandeaba y una voz que susurraba:

–¿Katy? ¿Te importa venir conmigo? Estoy demasiado asustada para ir sola.

–¿Genevieve? ¿Qué ocurre? –Aparté la linterna, porque me daba directamente en los ojos.

–Necesito hacer pis –se rio en voz baja, e indicó la parte delantera del coche. Vi una figura que dormía, acostada a lo ancho sobre los dos asientos, con una manta cubriéndole hasta la barbilla.

–¿Qué hora es? –gruñí.

–Cerca de las tres.

Abrí la puerta y salí tambaleándome, desorientada y agarrotada. Mis pies se hundieron en la nieve virgen, que me llegaba hasta las rodillas, aunque el cielo ahora se había aclarado y no parecía que fuera a nevar más. El termo de café había surtido efecto y me retorcí, incómoda.

–Hay algo que tengo que darte –susurró Genevieve. Se llevó una mano al bolsillo y sacó un objeto. No me di cuenta de lo que era hasta que se acercó y noté que sus manos acariciaban mi cuello–. El colgante, Katy. Nunca te lo has puesto.

Toqué con mis dedos la suave piedra y sonreí nerviosa, consciente de que no podía quitármelo delante de ella. La cubrí con el abrigo.

—Escoge un arbusto, Genevieve, y yo buscaré otro.

Sufría esa manía patética que me impedía hacer pis con alguien cerca. No podía soportar la idea de tener que bajarme los vaqueros y ponerme en cuclillas en la nieve, pero no había alternativa. Genevieve bromeó diciendo que ojalá fuésemos chicos. Nos separamos y tardé un buen rato en localizar un lugar adecuado y en reunir el coraje suficiente para exponer mi carne desnuda a aquella temperatura. Genevieve había cogido la linterna, pero no podía verla, ni a ella ni el menor atisbo de luz. Sabía en qué dirección estaba el coche, pero no quería regresar sin ella. Oí un crujido entre los arbustos y me sobresalté, preguntándome si me estaría gastando una broma.

—¿Genevieve? ¿Genevieve? —llamé en la oscuridad.

Escuché ruidos, pero pensé que mi mente me estaba jugando malas pasadas, porque parecían muy lejanos. Me detuve, prestando más atención, y distinguí una voz flotando en el aire, entre los árboles.

—Ven a ver esto. Katy, es alucinante. ¡Katy, ven aquí!

Avancé con torpeza, deteniéndome a cada paso para escuchar. La voz de Genevieve parecía irreconocible, llena de temor y asombro. Sonaba como la voz de una niña. Recordé aquel día en la feria de artesanía, cuando hizo que la siguiera, pero tropecé y me tomé un minuto para preguntarme por qué, donde fuera que ella iba, yo seguía sus pasos de cerca.

—¿Genevieve? No veo bien y me estoy congelando.

—No falta mucho –gritó en respuesta–. Te oigo con claridad.

—Será mejor que te encuentres cerca –grité yo también, enfadada.

La nieve disfrazaba todo lo que había en el suelo. Caí en agujeros ocultos entre la hierba y tropecé con piedras y raíces. Daba miedo estar allí sola, así que traté de concentrarme en los árboles para consolarme, indecisa sobre si prefería los abetos, elegantes y delgados, dispuestos como bailarines que aguardasen a que comenzase la música; o los recios y viejos robles, con sus troncos retorcidos y cubiertos de verdugones. Imaginé que llevaban tanto tiempo allí y que habrían visto tanto, que nada podría sorprenderles; de hecho, después de unos minutos descubrí una cara, anciana y sabia, en el muñón de una rama desmochada. De repente, una luz entre los árboles indicó que Genevieve estaba allí, y me pregunté por qué no la habría encendido antes. Avancé con impaciencia hasta que el terreno se niveló y la maleza desapareció.

—¿Qué diab...? ¡Genevieve, no te muevas!

Me llevé la mano a la boca con horror. Había llegado al lago helado y se deslizaba sobre su superficie, con la cabeza echada hacia atrás, riéndose.

—Nunca había patinado antes sobre el hielo, Katy. Es genial, incluso sin patines. Venga, puedes ser mi pareja de patinaje.

No quería asustarla, así que intenté mostrarme completamente desinteresada.

—Tengo frío, estoy cansada, y no quiero patinar. Volvamos al coche.

–No –protestó, y se deslizó hacia delante al tiempo que extendía una pierna hacia atrás. Casi esperé verla realizando giros acrobáticos–. Tienes que hacerlo. Son las tres de la madrugada y estamos perdidas en medio de ninguna parte; además, el lago es precioso…

Solté una carcajada fingida.

–Puede que no sea seguro… Recuerda las advertencias referentes a patinar sobre hielo de poco grosor… Vuelve a la orilla.

Ahora sus brazos daban vueltas como las aspas de un helicóptero y parecía vivir un éxtasis tan intenso que, por un momento, sentí envidia.

–El cielo está completamente negro –cantó–, como azabache pulido, con diamantes centelleantes. Mañana todo esto podría haber desaparecido.

–Seguirá aquí –le aseguré–, y patinaremos a la luz del día, cuando veamos bien.

–¡No! –respondió irritada–. Estoy harta de esperar siempre a mañana. De ahora en adelante voy a hacer lo que quiera y cuando quiera. Y el lago nunca volverá a tener un aspecto tan mágico.

En un instante de locura, estuve de acuerdo con ella. A la luz de la luna, el lago se veía realmente atractivo, y ella parecía completamente libre. Yo había sido una persona aburrida y sensata durante demasiado tiempo, y Genevieve no paraba de llamarme con señas para que me uniese a ella.

–Katy, piensa en todas las cosas que nunca hicimos juntas. Ella nos lo robó todo. Sabes que deberías estar aquí conmigo. Tienes que venir.

Con precaución, pisé el hielo, y supe enseguida que no era demasiado grueso. Sentí movimiento, un chirrido amenazador, y puede que fuese mi imaginación, pero me pareció notar cómo el agua se removía bajo la capa de hielo. Resultaba increíble que Genevieve se hubiese alejado tanto, y estuviera tan cerca del centro.

–¡No te alejes más! –le grité–. Me voy a aproximar, pero si retrocedes y nos encontramos a mitad de camino.

–Acaba de ocurrírseme una idea genial –me lanzó ella, ignorando mi advertencia–. Puedes cambiarte el nombre, como hice yo.

Avancé unos centímetros, reacia a abandonar la seguridad de la orilla.

–¿Por qué habría de cambiarme el nombre?

–Porque no eres quien creías que eras. Katy está muerta, y Hope no ha existido durante más de dieciséis años.

Recorrí unos centímetros más y empecé a temblar de miedo.

–Pero todavía me siento como si fuera Katy.

–Olvídala. Puedes ser quien tú decidas.

Había llegado la hora de formular la pregunta que había estado deseando hacerle desde que había irrumpido en mi vida:

–¿Quién es Genevieve Paradis?

–¡No existe! –gritó casi con júbilo–. La saqué de un libro. Cuando vi su nombre, supe que quería ser ella. Me sentía como ella. Puedes ser quien tú desees… No dejes que te digan lo contrario.

Ahora me encontraba a unos tres metros de la orilla y aquello me parecía irreal. La luna brillaba sobre la superficie helada; desde las sombras, los árboles tendían sus ramas retorcidas hacia nosotras; la fantasmal figura de

Genevieve se deslizaba sobre el hielo y su voz resonaba en el silencio. La única forma de atreverme a avanzar era convencerme de que todo aquello no era real. Yo seguía siendo Katy Rivers, la antigua *scout girl* que se sabía de memoria todas las instrucciones de seguridad que aparecían en el manual, y que jamás caminaría sobre un lago helado.

De repente, la quietud espectral fue interrumpida por un ruido horrendo, como un latigazo.

—¡Genevieve! —le avisé—, el hielo se está rompiendo. Túmbate y trata de repartir todo tu peso.

Ni siquiera estaba segura de si aquel era el consejo más adecuado, pero lo extraje de los rincones más oscuros de mi memoria.

—Te encuentro a mitad de camino —gritó ella—. ¡Deseaba tanto estar contigo! Te he buscado toda la vida. Somos distintas a los demás, Katy, y me lo debes.

Intenté distinguir indicios de pánico en su rostro, pero no había ninguno.

—Yo también te he echado de menos —dije, para tratar de tranquilizarla—. Pero no lo sabía.

—No tengas miedo. Esto no es nuestro final… Estoy segura.

Y entonces oí que me llamaba otra voz familiar, pero no me atreví a girarme.

—Retrocede, Katy. Deslízate despacio. No son muchos metros.

Ni siquiera titubeé. Respondí, con absoluta certeza:

—No, no puedo dejarla.

Aquellas fueron las últimas palabras que pronuncié antes de que Genevieve desapareciese bajo el hielo con un crujido brutal, como el de una falla desplazándose en un terremoto. Dudé durante unos segundos, sin prestar atención a los gritos desesperados que sonaban a mi espalda. Continuaba de pie. Se trataba de una elección sencilla, retirarme hacia terreno sólido mientras aún podía, o intentar salvar a Genevieve.

Nada podría haberme preparado para aquel frío. Era crudo, nítido, afilado, y me atravesaba con toda su crueldad. No solo me cortó la respiración; también bloqueó cada uno de mis nervios y cada una de mis funciones. Tenía la ropa empapada y me pesaba como si fuera de plomo, tirando de mí hacia abajo. Pensé en aquel cuento del viejo marino que engaña a los viajeros para que lo ayuden a cruzar el río. La gente acepta cargar con él, pero el viejo los entrelaza con sus piernas como un cepo, y se vuelve más y más pesado hasta que los ahoga. Creo que aguanté tan solo un minuto. Nunca había sido una buena nadadora y Genevieve tampoco lo era. Me rendí con una sensación de alivio.

El agua estaba sorprendentemente cristalina, sin algas ni suciedad, así que resultó fácil encontrar a Genevieve, con su cabello ondeando alrededor de su cabeza como si fuera una sirena. Me estaba esperando, como siempre había hecho, y al llegar hasta ella rodeé con mis brazos su cuello sin vida. Había pensado que sería muy difícil morir, pero resultaba increíblemente fácil; la luz me atraía, lejana aún, pero tirando de mí cada vez con más fuerza. Yo avanzaba con gratitud hacia ella, guiada por una mano invisible, cuando, de pronto, la quietud del agua se quebró. Una mano me aferró. Tiró de mí hacia arriba, arrancándome del lago en un cruel renacimiento, y arrastrándome por el hielo. La distancia se me hizo inmensa mientras esperaba a oír de nuevo aquel siniestro crujido. Todo aquello de lo que quería escapar seguía allí en la orilla, el frío, la incertidumbre, el dolor y la sensación de pérdida. Sentí una arcada y resoplé, convencida de que los pulmones me habían estallado. Me colocaron de lado y tosí, escupiendo agua por la boca.

Rebecca dudó, pero comprendí lo que quería hacer a continuación. Mi mano se cerró con fuerza en torno a su brazo.

—No vuelvas. —En su cara había una expresión de determinación, y cuando comenzó a apartarse de mí, necesité todas mis energías para retenerla—: Ella ya no está… es inútil.

—Tengo que intentarlo, Katy. Necesito hacerlo.

Negué con la cabeza, mientras mis dientes castañeteaban de modo incontrolable.

—No arriesgues tu vida. Quédate conmigo… mamá.

Cuando la última palabra brotó de mis labios, ella pareció derrumbarse en mis brazos, y nos agarramos la una a la otra con avidez para consolarnos. Creo que nunca en toda mi vida me había abrazado a nadie con tanta fuerza. Unos minutos después, ya no quedaba ni la más leve ondulación en el agua; era como si nada hubiese perturbado nunca su quietud. Contemplé su refulgente profundidad. Había algo flotando en la superficie, cerca de la orilla, un trozo de cristal verde que en la oscuridad tenía casi el mismo color que el agua del lago. La corriente lo agitó durante unos instantes y luego se hundió sin dejar el menor rastro.

EPÍLOGO

–«Una rosa, si tuviera otro nombre, seguiría teniendo el mismo dulce olor.»

Luke dejó caer sus brazos por el respaldo del banco de madera y esperó mi reacción.

–¿*Romeo y Julieta*?

Me hizo el gesto del pulgar hacia arriba.

–No tengo complejos con mi nombre –respondí, jugueteando tímidamente con mi pendiente–. Me sigo sintiendo como Katy Rivers. Y, de todos modos, ¿de verdad parezco una Hope?

Él negó con la cabeza.

–Una chica que se llamase Hope, se comportaría de modo recatado y tocaría el violín o el arpa.

–No tengo oído musical.

Luke entornó los ojos bajo el sol de diciembre.

–Hoy has sido muy valiente. Estoy orgulloso de ti.

No contesté, porque las lágrimas todavía permanecían muy cerca de la superficie y ya estaba harta de llorar. Luke me tendió mis gafas de sol y me di cuenta del horrible aspecto que debían de tener mis ojos. Cambié de postura. El traje negro almidonado era incómodo, pero no tenía prisa por marcharme de la iglesia de Saint Jude. A mucha gente, las tumbas le resultaban morbosas, pero yo me sentía bastante a gusto entre los muertos. Había más visitantes de los que había esperado, pero era porque nos encontrábamos casi en Navidad, y muchas de las tumbas aparecían adornadas con ofrendas florales hechas de acebo y abetos en miniatura.

—Enterrarlas juntas ha sido lo correcto —dije, observando a dos gorriones luchando por un trozo de pan.

A mi lado, Luke llevaba un rato emitiendo sonidos azorados. Sabía que tenía algo en mente y que si esperaba lo suficiente acabaría por decírmelo.

—Sé que es meterme donde nadie me llama, Kat, pero quizá deberías hablar con alguien.

—¿De qué?

—De todo... Crees que ha terminado, pero cosas como esas pueden... reaparecer más adelante y causarte problemas.

Me volví hacia él, sobrecogida.

—¿Crees que necesito un psiquiatra?

—Un orientador, tal vez —respondió, con delicadeza.

—No fue como crees —protesté—. Estaba viviendo una vida que no me pertenecía...

Luke parpadeó exageradamente y se aflojó el cuello de la camisa.

—¿Aún sigues deseando no haber conocido a Genevieve?

—Ya no —repuse con prudencia—. En cierto sentido, me liberó.

Se llevó un dedo a los labios y dijo:

—Intentó matarte, Kat. Te veía como a una enemiga, ¿recuerdas?

—Ella era su propia enemiga —señalé, con voz queda—. Pero tenías razón en algo, solo era de carne y hueso.

Luke pareció confundido ante mi repentina muestra de compasión.

–¿Podrías haberla salvado? –me preguntó, dubitativo–. ¿De ella misma?

Medité y luego dije:

–No estoy segura. Genevieve parecía muy obsesiva. Me odiaba, intentó destrozarme la vida y después, finalmente, quiso que estuviéramos juntas.

–Juntas para siempre –añadió Luke, con tono sombrío.

Solté una risita débil.

–A veces… la oigo llamándome.

–Sigue sin tener sentido –suspiró.

Hice un esfuerzo por explicarme, pues era importante para mí que Luke lo entendiera.

–Cuando nos pusimos en marcha ese día… creo que ella ya sabía que la cosa acabaría mal y se hallaba preparada.

Luke sacudió levemente la cabeza, como si lo comprendiera, aunque solo fuese en parte.

–¿Qué hay de ti, Kat? ¿Qué vas a hacer a partir de ahora?

Entrelacé mis brazos por detrás de la cabeza y esbocé una sonrisa de pesar. No tenía respuesta para aquella pregunta.

–Tú no has cambiado –insistió él.

–No he cambiado –repetí–, pero todo lo que hay a mi alrededor sí lo ha hecho.

Su mano me tocó el hombro.

–Aún eres la misma por dentro, y no necesitas que otras personas te digan quién eres.

–Y puedo ser quien quiera ser. –Al repetir las palabras de Genevieve, un escalofrío recorrió mi cuerpo y me mordí el labio–. Genevieve me dijo algo... justo al final. Que nos ponemos diferentes máscaras para el mundo y así nunca mostramos nuestra verdadera naturaleza.

–¿Qué quería decir con eso?

–Creo que estaba intentando decirme que nadie sabe de lo que es capaz hasta que se pone a prueba.

Luke se colocó sus gafas de sol y me sonrió abiertamente.

–Puede que tuviera razón. De todas maneras, tú siempre me tendrás a mí. Hacemos un buen equipo, ¿no?

–No es que seamos exactamente como Starsky y Hutch –me reí.

–¿Rivers y Cassidy? Suena a una pareja de ladrones de bancos.

Nuestras miradas se encontraron y me incliné hacia él para besarle en los labios, algo que llevaba una eternidad queriendo hacer. Se me ocurrió pensar en lo curioso que resultaba el hecho de que solo nos besásemos en los cementerios. Él sonrió con ternura y limpió los últimos rastros de lágrimas de mis mejillas. Mirar al interior de los ojos de Luke era como volver a casa; veía en ellos todo lo que necesitaba saber acerca de lo que sentía por mí. Por ahora no hacía falta que hablásemos sobre lo que había cambiado entre nosotros; era suficiente con estar juntos.

Había una mujer en el cementerio que llevaba una rosa. Había cambiado durante la última semana; su rostro se veía más delgado y sus ojos estaban hinchados y enrojecidos, pero reflejaban una mirada de paz que nunca antes había visto. Di unos pasos hacia ella hasta que nos encontramos en una bifurcación del sendero. No teníamos la misma sangre, pero ella era la única persona a la que siempre llamaría *madre*. Caminamos juntas, en un silencio acogedor. El lugar se hallaba envuelto en la quietud y en una belleza extraña. Los senderos bien cuidados, y las tumbas antiguas y nuevas hablaban de un sufrimiento que era un ciclo sin fin.

Las flores marchitas y aplastadas quedaban relegadas a un cubo metálico, cerca de otras, frescas y todavía húmedas de lágrimas. Los muertos siempre estarían allí, cerca de los vivos, y empezaba a comprender que la separación entre ambos mundos no es tan grande como la gente piensa. Luke se encontraba ahora a mi lado. Al marcharnos de allí, me cogió la mano.

AGRADECIMIENTOS

Quiero agradecer enormemente el apoyo de todo el mundo en Darley Anderson, así como sus ánimos y consejos, en especial a la maravillosa Madeleine Buston por su oferta para representarme, que me llegó por correo electrónico mientras viajaba en tren hacia Dorchester, el 2 de abril de 2010. Sentí entonces un mareo de sorpresa y euforia, y todavía lo siento. Gracias por convertir mis sueños en realidad.

También estoy profundamente agradecida a mis editores en el extranjero por el regalo de la traducción y por hacer que mi novela recorra el mundo.

A toda mi familia y amigos, que han tenido que soportar mis intentos de convertirme en escritora: no lo habría logrado si no me hubiérais escuchado.

Y, finalmente, a *Princy,* el gato callejero que se abrió paso hasta mi casa y hasta mi corazón; gracias por la inspiración que me dieron tus hermosos ojos verdes.